Jose Vicente Gargallo

Las cenizas de nuestros padres
Parte II

El hilo dorado

Esta historia está inspirada en hechos reales.

©Autoeditado por Jose Vicente Gargallo Martín.

Ilustración de la portada y símbolo realizados por:
©Linda Gómez de lindagomezgarcia.com

Corrección:
©Abia Argumentos

Primera edición: octubre 2019
ISBN: 978-84-09-13032-0
Depósito Legal: V. 2720-2019
Printed in UE – Impreso en Europa

A mi familia elegida, mis amigos.

Índice

Parte II

Adiós Samuel

Alma estaba completamente desolada y fuera de sí. No podía creer lo que estaba pasando, pero delante de ella yacía el cuerpo de su hermano, sin vida.

Dejó de presionarle el pecho, derrotada en su infructuoso esfuerzo por reanimarle. Se hizo a un lado y, de rodillas, se quedó mirando incrédula el cuerpo de Samuel, presionándose las sienes con las manos. Maritza se rindió también, tras haberlo intentado ambas hasta la saciedad. El chamán, Kunturi, parecía no encontrar una explicación a lo sucedido, aun así, en su desesperación, mandó a los dos niños que fueran a por algo.

Al minuto, uno de ellos regresó con unas hojas y un recipiente de madera y el otro apareció justo después con unas pequeñas botellas amarillentas. El chamán comenzó a recitar un mantra en voz alta. Cogió el recipiente y una piedra. Machacó las hojas, mezclándolas con el contenido de las botellas. Aumentó el volumen de su invocación, haciendo que fuera casi ensordecedor. La gente de la comunidad al oírlo se agolpaba en la entrada de la cabaña, alertados por lo que había ocurrido.

Alma estaba descompuesta, paralizada, sin saber qué más hacer. Maritza no dejaba de llorar, poniendo su mano sobre la frente de Samuel. El chamán dio un grito desgarrador y repitió de nuevo el mantra, en tono aún más sonoro. De repente, el resto de la gente se unió a él en su extraña oración repitiendo sus palabras. Maritza se secó las lágrimas y se giró para mirar quiénes entonaban el mantra detrás de ella. Viendo el fervor de la gente, decidió unirse también. Posó su mano sobre el hombro de Alma, que seguía en estado de shock. Ésta pestañeó, como volviendo de un trance. En ese instante se percató de que todos estaban pronunciando una y otra vez el mismo mantra. Ni siquiera se había dado cuenta de que la cabaña se había llenado de gente. El resto de jóvenes que había probado la ayahuasca comenzó a moverse bruscamente. Una de las chicas empezó a mover sus labios como si quisiera silabear la oración del chamán y el resto le siguió al instante. Ninguno de ellos emitía ningún sonido, sólo movían los labios de forma enérgica, permanecían en su ensoñación y estaban en un trance colectivo. Dentro de su alucinación, conectaron con la oración y se fundieron con ella.

Alma, sin saber qué quería decir lo que repetían una y otra vez, impulsada por la energía que transmitían entre todos ellos, se unió, imitando la entonación de lo que repetían. El chamán volvió a dar un grito ensordecedor, mirando hacia el techo, enarbolando en lo alto el recipiente con las dos manos y todo el mundo se calló de inmediato, incluidos los jóvenes franceses en trance.

Kunturi se acercó a Samuel. Le incorporó, le abrió la boca y le vertió un poco del brebaje que había mezclado. Le recostó de nuevo la cabeza y permaneció a su lado. Depositó el recipiente en el suelo y posó las manos sobre su pecho. Hizo un gesto para que Maritza y Alma las apoyaran también. Sin dudarlo, las dos situaron sus manos sobre Samuel. El chamán cerró los ojos y Maritza y Alma hicieron lo mismo.

Alma no sabía qué estaba tramando aquel indígena, pero era la última y excéntrica posibilidad a la que se aferraba desesperadamente para traer de vuelta a su hermano. Nadie más podría hacer nada por él. Sin saber muy bien qué pensar o hacer para ayudar al chamán, hizo lo único que podía en ese momento: rezar como ella había aprendido. Hacía mucho tiempo que no rezaba como le enseñó su madre. Ella prefería hablar con Dios de manera más familiar. Cuando se sentía en la necesidad de comunicarse con él, simplemente se ocultaba en su habitación y le hablaba como le hablaría a un amigo contándole sus secretos más íntimos. Años atrás rezaba más a menudo, pero la rutina y sus ocupaciones diarias condujeron a que esas conversaciones fueran cada vez más espaciadas en el tiempo y se fuera desconectando de Él. Sabía que, después de tanto tiempo ignorándole, tener que pedirle que salvara a su hermano no era la mejor manera de retomar su relación, pero no tenía otra opción. Pidió, más bien le suplicó que ayudara a su hermano, que le trajera de vuelta. Llorando desconsoladamente, le rogó que le concediera algo más de tiempo en esta vida. Imploró a sus padres que intercedieran por él ante Dios. No quería que su hermano se fuera en el estado en el que se fue. Confiaba en la capacidad de superación que estaba comenzando a demostrar y tenía plena seguridad en que él le ayudaría a expandir el milagro que su padre les dio a conocer. Tenía Fe en él y sabía que podría ayudar a muchas personas. Se resistía a pensar que había muerto y que no había nada que hacer, aunque la visión que tenía delante de sus ojos la convencía de lo contrario.

En su alucinación, Samuel sintió una inmensa paz, una paz absoluta. Dejó de sentir cualquier tipo de dolor. El sufrimiento desapareció por completo, dando paso a un sentimiento de plenitud y de Amor incondicional, un Amor por encima de todas las cosas. No notaba su cuerpo, no sentía ninguna emoción más allá de una paz plena que llenaba todo su Ser. Nunca antes había vivido algo ni remotamente parecido. Se dejó elevar más y más, abandonando el frío suelo de la estación, liberándose de sus grilletes que, simplemente, desaparecieron, dándole la sensación de que, incluso, jamás habían existido. Comenzó a ascender hacia un cielo en completa oscuridad.

Empezó a atisbar puntos de luz, como estrellas en el firmamento de la noche. Primero vio unas pocas, luego decenas de ellas. De pronto, todo a su alrededor se convirtió en un manto de puntos de luz, como un universo infinito que se abría ante él. Sintió que él mismo formaba parte de ese firmamento, que era uno más de esos puntos y percibió que formaba parte de algo mucho mayor que todos ellos. Se sintió extrañamente acompañado por el resto de las estrellas, las sintió como si fuera parte de su familia. En ese preciso instante fue consciente de que todos esos puntos eran todas y cada una de las almas de los seres humanos. Miró hacia arriba y vio un fino hilo, un haz de luz que surgía desde su nuca hasta perderse en el infinito. Fijándose un poco más detenidamente, observó que todas aquellas luces tenían este hilo que desaparecía en el mismo punto, como si todas las almas estuvieran conectadas con algo superior por encima de ellas. De alguna manera creyó formar parte de todos ellos. Los consideraba iguales a él, más que eso, eran una parte de él y él mismo, parte de ellos.

Se sintió irremediablemente atraído hacia el origen del hilo al que estaba unido. Deseaba con todo su ser seguir notando esa plenitud y quiso continuar ascendiendo para encontrar el principio del que partía el hilo luminoso.

De repente, una voz surgió de la nada, una voz que le era familiar. Una voz que le dijo:

—Hola hermano.

En un primer momento, Samuel, o su alma, quiso hacer caso omiso a aquella voz. Sólo quería ascender y seguir notando lo que sentía, era demasiado bueno como para querer dejar de sentirlo. Pero la voz resonó de nuevo, esta vez, mucho más contundente.

—Hola hermano. Tranquilo. No tengas miedo.

Samuel paró de ascender al reconocer aquel tono de voz. Podía distinguirlo entre miles.

—¿Vini? ¿Eres tú? —resonó su voz en todo el espacio, sin ver a quién le hablaba.

—Sí hermano... Todavía no es tu hora. Volverás con todos nosotros, pero todavía tienes mucho por hacer. Retorna a donde partiste.

—¡No! ¡Quiero estar aquí! Aquí me siento... De repente una luz cegadora le empujó súbitamente hacia abajo.

El chamán abrió los ojos de golpe. Había presentido algo. Alma notó que el chamán se inquietaba y abrió los suyos también. En ese preciso instante, Samuel abrió los ojos completamente y su boca buscó el aire que necesitaba, dando un suspiro profundo que llenó sus pulmones por completo. El chamán y Maritza se asustaron y dieron un bote hacia atrás, quedándose a la expectativa, sentados en el suelo. Alma reaccionó enseguida y se abalanzó sobre su hermano.

—¡Sam! ¡Samuel! ¡Hermanito! ¡Dios mío! ¡Sam! ¡Estás vivo! ¡Estás vivo!

—El chamán hizo un gesto para que Alma se apartara de Samuel, indicándole que le dejara espacio. Le dijo algo en quichua[1] a Maritza, que seguía estupefacta por lo que estaba presenciando.

—Alma, tu hermano sigue bajo los efectos de la ayahuasca. Su espíritu ha vuelto. No quería volver, quería dejar este cuerpo para siempre, pero la ayahuasca le ha sujetado para que no lo abandonara por completo. Ha estado cerca de hacerlo, pero ha retornado. Alma, Samuel está vivo en este mundo de nuevo.

Alma se quedó mirándole durante unos segundos, como si le costara entender las palabras que le decía. Después, quiso comprobar las constantes vitales de su hermano. Le tomó el pulso en la yugular y a

---

[1] Vocablo ecuatoriano para referirse a la cultura y al idioma quechua. También conocido como kichwa.

continuación en la muñeca. Sus pulsaciones parecían confirmar que su hermano había regresado de entre los muertos, aunque todavía no sabía en qué estado lo hizo.

—¿Cuánto tiempo vamos a tener que esperar hasta que despierte? —requirió Alma impaciente, buscando una respuesta diferente a la que ya conocía previamente.

—Se lo voy a preguntar a Kunturi —respondió Maritza.

Tras una breve conversación entre ambos, que desesperó un poco a Alma, Maritza le informó:

—Alma, Kunturi dice que tu hermano es un ser especial. Nunca nadie, en su primer viaje y sin preparación previa, había conseguido llegar hasta donde lo ha hecho él.

—¿Y dónde se supone que ha llegado, Maritza?

—A Dios.

—¿Qué?

—Sólo cuando ves a Dios tienes ganas de abandonar por completo y para siempre tu cuerpo terrenal. La ayahuasca ha tenido que trabajar duro para evitar que su espíritu se quedara con el Creador. Kunturi ha tenido que usar otras hierbas para reforzar el poder retenedor de la ayahuasca. Parecía que tu hermano deseaba con mucha fuerza querer abandonar su cuerpo.

—Buff… —Alma bajó la mirada. En su interior sabía que lo que Maritza le estaba diciendo, por muy estrambótico que sonara, era cierto. Cuadraba que su hermano quisiera irse de este mundo, no era la primera vez que lo intentaba.

—Kunturi dice que tu hermano es muy, muy especial. Nunca nadie antes había experimentado lo que ha sentido él y con tanta rapidez.

—Sé que mi hermano es especial, siempre lo he sentido así, pero esto que me estás contando… es que… no sé qué pensar.

—Mira Alma. Yo no tengo tanta experiencia como Kunturi, pero te puedo asegurar que, en los casi quince años que llevamos trayendo grupos de gente de todo tipo y de todas las nacionalidades, jamás, nunca, me había ocurrido nada ni remotamente parecido a lo que le acaba de pasar a Samuel. Estaba realmente aterrada. Había creído de verdad que lo perdíamos para siempre, yo lo daba ya por fallecido, Alma.

Alma comenzó de nuevo a llorar.

—¡Yo también creía que lo había perdido! —afirmó gimoteando— Espero que cuando despierte esté bien. Dios, por favor, ¡que esté bien! — suplicó juntando las manos como para orar.

—Confía en Dios, estará bien. Sólo tenemos que esperar a que vuelva de su sueño.

Samuel caía y caía, separándose, cada vez más, del punto donde se encontró con el ser que dijo llamarse Vini. Dejó de sentir esa paz absoluta y armoniosa y de ver el hilo luminoso que le unía con la fuente que le proporcionaba esa serenidad, aunque seguía sin sentir ningún tipo de dolor o sufrimiento. Miró por un momento hacia abajo y comenzó a divisar de nuevo la Tierra. Poco a poco, la visión se fue haciendo cada vez más nítida, hasta que, por fin, avistó otro volcán, distinto a los anteriores. Sabía lo que iba a ocurrir a continuación, que esos volcanes eran como puertas que comunicaban universos multidimensionales o, al menos, así lo percibió él. Esta vez pudo distinguir claramente qué volcán era. Por alguna razón, supo que estaba entrando en el cráter del Monte Fuji, en Japón. Como en la anterior ocasión, todo se tornó oscuro al entrar en el cráter y la sensación de caer dejó de sentirse. Tuvo la impresión de haber tenido los ojos cerrados durante los últimos instantes y el impulso de volverlos a abrir.

Volvió a aparecer en el suelo de la estación de tren, de pie, junto a su familia. Sus padres y Alma reían y bromeaban, él caminaba junto a ellos. ¡Caminaba! Podía sentir que movía su maleta sin ningún esfuerzo. ¡Por fin podría subirse a aquel tren junto a su familia!

De pronto, se percató de que se olvidaba de algo y paró. Se quedó mirando al suelo, intentando averiguar qué era y en ese instante dejó de poder avanzar. Sus familiares no eran conscientes de lo que ocurría y se subieron al tren sin mirar hacia atrás. El nerviosismo de estar en la misma situación de nuevo hizo que Samuel volviera a intentar todo lo que ya había probado la vez anterior, con el mismo resultado: no pudo mover aquella maleta más que unos escasos centímetros. Se miró los pies y allí estaban los grilletes que le encadenaban a ella. Levantó la vista para mirar al tren. Su padre le vio por la ventanilla y, avisando a su madre y a su hermana, salieron corriendo hasta la puerta del vagón. Su madre chillaba desesperada haciéndole gestos para que subiera al tren cuanto antes y Alma le gritaba que corriera, mientras hacía el esfuerzo de sujetar a su madre para que no saltara del vagón. Samuel miró a su padre, que era el único que permanecía en calma. Le miró fijamente a los ojos, los sintió, fue como si conectara con él. Estaba a bastante distancia, pero los veía como si estuviera a escasos centímetros. Su mirada le transmitió paz, una armonía intensa y Amor incondicional.

Samuel dejó de intentar moverla, se centró sólo en su padre, quien finalmente le mostró una sonrisa que le resultó liberadora. De pronto se acordó de que tenía algo en su bolsillo derecho del pantalón. Metió la mano y sacó una llave pequeña. ¡Una llave! Samuel no recordaba haberla dejado allí, pero, extrañamente, sí que recordaba que tenía una llave en su poder. Era una llave con un corazón en un extremo y en el otro, en lugar de encontrarse los habituales dientes que abren cerraduras, un extraño símbolo redondo ocupaba su lugar. El símbolo tenía tres espirales entrelazadas, dos arriba y una abajo. La espiral inferior era concéntrica y casi perfecta, las otras dos parecían representar una especie de flor que se abría hacia arriba para mostrar su interior. Samuel no sabía qué hacer con ella, miró sus grilletes y allí no había donde encajar una llave así. Escudriñó por unos instantes la maleta, pero tampoco pudo encontrar la cerradura que abriría la llave. El pitido del tren avisando de su inminente marcha hizo que Samuel mirara de nuevo hacia su familia. Su madre luchaba con Alma para que la soltara y le dejara ir junto a él. Su padre permanecía en calma, mirándole todavía con la sonrisa en su cara. Cuando Samuel le miró, él, lentamente, movió sus manos, juntándolas delante de él, una sobre la otra, con las palmas abiertas y se las colocó sobre el corazón. Entonces Samuel entendió el mensaje que le mandaba su padre. La cerradura donde encajaba la extraña llave estaba en él mismo, en su corazón.

El tren avanzaba a cierta velocidad y comenzaba a salir de la estación. Esta vez tampoco podría acompañar a su familia donde quiera que fueran, pero era la primera vez que no sentía desazón y dolor por su marcha. No había ni rastro del sufrimiento, de la culpabilidad y de la profunda tristeza y abandono que sentía cada vez que se enfrentaba a esta pesadilla. En su lugar, el sosiego había ocupado su espíritu. Levantó la mirada por última vez antes de que perdiera de vista el tren e hizo el mismo gesto que su padre, posando la llave sobre su corazón.

De pronto, todo en él comenzó a temblar. Sintió un fuerte pinchazo en el tórax que le contrajo doblándose sobre su cintura, retorciéndose de dolor. Empezó a experimentar un intenso sufrimiento que provenía del interior de su corazón y que se hacía más y más presente. El dolor le asustó tanto, que se quitó la camisa que llevaba para observar qué le pasaba. Lo que vio en su pecho le asustó aún más. Una mancha negra estaba extendiéndose por su pecho izquierdo, palpitando al ritmo desbocado de su corazón. La llave se había quedado adherida en medio de esa extraña mancha negra y comenzó a aprisionar su pecho con intensidad. Samuel, sintiendo un dolor indescriptible, intentó por todos los medios despegar la llave de su piel, sin éxito. El dolor provocado por la llave llegó a ser tan agudo que le impidió respirar con normalidad y comenzó a faltarle el aire. Las fuerzas le empezaron a fallar y, abatido por el penetrante dolor, cayó de rodillas. La llave comenzó a quemarle y sintió que su corazón se resquebrajaba, incluso oyó cómo se partía, como si de una cáscara de nuez se tratase. Pensó que esta vez no lo superaría y que nunca más volvería a ver a su hermana.

Alma veía cómo estaba sufriendo su hermano, que había comenzado a murmurar mientras se retorcía como si cada músculo de su cuerpo le provocara un dolor insoportable. No podía hacer nada más que estar junto a él, secándole el abundante sudor que le provocaba la dura batalla que estaba librando. Alma sentía esa lucha, sabía que su hermano se estaba enfrentando a sus demonios, la ayahuasca estaba cumpliendo a la perfección con su trabajo. Primero lo retuvo en este mundo, para luego mostrarle todo aquello que no quería ver y enfrentarse a ello. Seguramente, esto era a lo que se refería Kunturi cuando explicó que la ayahuasca sacaba a la luz la parte que lo aprisionaba para poder liberarse de ella. Alma pensaba que esa parte en Samuel estaba profundamente enraizada y liberarla, iba a ser una dura contienda. Kunturi permanecía junto a Samuel, acompañándole también. Se limitaba a observarle, estoico, sin hacer un sólo gesto, lo que tranquilizaba a Alma. Ella, desde luego, prefería que estuviera así, antes que volver a verlo con el nerviosismo con el que se enfrentó a la situación extrema que acababa de suceder.

Samuel, tensando hasta la última célula de su cuerpo, emitió un grito desgarrador. Percibía como si algo en su interior pugnara por atravesar su piel y salir al exterior. Notaba como su cuerpo intentaba expulsarlo. Apretando los puños con todas sus fuerzas y rechinando los dientes, miró por un instante a la mancha negra y, con gran sorpresa, comprobó que comenzaba a reducirse. Poco a poco, la mancha se hizo más y más pequeña, y el dolor se fue apaciguando paulatinamente, hasta que la mancha acabó siendo un punto negro en el centro de las tres espirales de la llave. Samuel comenzó a sentir que la presión se relajaba al fin. Sintió que sus pulmones podían, de nuevo, llenarse de aire con libertad e inspiró profundamente como si fuera la primera bocanada de aire que da un bebé al salir del vientre de su madre. Lo que quedaba de la mancha comenzó a diluirse hasta que desapareció por completo. La llave empezó a enfriarse y cayó al suelo, como si hubiera cumplido su cometido, abriendo la cerradura para la que estaba destinada. Samuel se tocó la piel y comprobó que no tenía marca alguna.

Miró la llave tirada en el suelo y se agachó para recogerla. Todavía se notaba algo caliente. Observó con calma el símbolo, escudriñándolo y, aunque no encontró explicación alguna al conjunto extraño que conformaban las espirales, supo que su significado encerraba la clave para abrir su corazón. El ruido aterrador de éste resquebrajándose no era otra cosa que la apertura de la coraza que le protegía y que, al mismo tiempo, aprisionaba a su corazón; extrañamente, ahora era plenamente consciente de ello. Percibía cómo su corazón se había aligerado, notaba la cadencia de su latir libre, contundente, ligero.

Se quedó absorto, mirando el símbolo y súbitamente todo el escenario que tenía a su alrededor cambió por completo. En un abrir y cerrar de ojos apareció en la cabaña donde estaba su cuerpo, tumbado boca arriba, siendo cuidado por su hermana, Maritza y el chamán, quien le había procurado el brebaje que le había llevado a ese nuevo mundo. Se observó a sí mismo con detenimiento. Su cuerpo permanecía tranquilo, tumbado con los ojos cerrados. Alma parecía haber padecido mucho por él.

De repente, Samuel percibió una sucesión de imágenes, con todo lujo de detalles, sobre toda su vida. Todos y cada uno de los momentos que conformaban su existencia, sin excepción, de forma ordenada. No le fueron mostrados como si fuera la película de su vida, sino que podía verlos al mismo tiempo, de manera instantánea.

Se quedó inmóvil, contemplando toda su vida, cada momento, cada sentimiento, cada lugar, cada persona con la que había compartido aunque tan sólo hubiese sido un segundo en su vida. Esa increíble visión de conjunto le proporcionó a Samuel el conocimiento de que todo encajaba, como un engranaje perfecto. No había nada fuera de lugar ni de tiempo, todo había transcurrido como tenía que ocurrir y cuando tenía que acontecer.

A su lado, súbitamente, aparecieron unos seres sin forma definida, que desprendían una luz cegadora. Pese a no tener cara, Samuel los reconoció al instante. Sin lugar a dudas, supo que aquellos seres de luz eran su padre y su madre. Uno de ellos, el que representaba a su madre, se acercó a él y, sin emitir ningún sonido, le transmitió una sensación de absoluta paz y amor infinito e incondicional, exactamente igual a lo que pudo sentir cuando estaba ascendiendo hacia el origen donde se conectaba su hilo de luz. Entonces comprendió que no tenía por qué ascender a los cielos para tener la oportunidad de sentir lo que estaba experimentando. Lo que su madre trataba de hacerle entender era que él era capaz de sentir esa paz, esa plenitud y ese amor, en cualquier lugar, en cualquier momento, porque, en realidad, no procedía de algo externo a él, sino directamente de su interior, de esa luz que tuvo el privilegio de poder sentir. Ahora era plenamente consciente de ello, lo podía percibir con todo su ser. La liberación de su corazón había descubierto una parte de él que permanecía completamente oculta, aletargada, pero, sin lugar a dudas, había estado siempre allí, junto a él, desde la eternidad, esperando pacientemente a que él despertara.

Su nuca empezó a producirle un leve cosquilleo. Se tocó con la mano y notó que algo había en ella. Inclinó la cabeza hacia arriba y ahí estaba de nuevo, ese haz de luz que se perdía en el infinito. Otra vez se sintió conectado y en contacto con algo superior a él. Sintió, de un modo sutil pero inequívoco, que formaba parte de algo mucho mayor que su propia existencia. Y por fin descubrió que ese hilo siempre había estado allí, enlazándolo con esa especie de Fuente de Amor Incondicional. Nunca había dejado de estar conectado, ni un sólo instante desde que nació, incluso antes de que eso ocurriera. Supo ver, con toda nitidez, que ese hilo estaba en todos y cada uno de los que estaban allí, en las personas que veía y en los seres de luz, sin excepción. Él, que había tenido la oportunidad de ser luz, además de una simple persona, supo que todos somos lo mismo, todos somos luz y todos formamos parte de un Todo mucho mayor.

Para él, ahora sería completamente imposible que sufriera soledad de nuevo, nunca jamás se sentiría abandonado, fuera de la humanidad, desconectado de ella. Ahora veía el engaño en el que había vivido gran parte de su vida. Había vivido como si le faltara algo, como si alguien le hubiese quitado algo que le pertenecía. Supo que eso nunca ocurrió realmente, su percepción de la realidad le engañó, no sabía muy bien con qué objetivo, pero estaba claro que lo hizo. Nunca estuvo solo, nunca le faltó nada, nunca estuvo separado del mundo, nunca pasó nada de todo eso, jamás.

Miró a sus padres, llenos de luz, y les sonrió, transmitiéndoles su gratitud por haber podido descubrir la respuesta a la gran pregunta que siempre se había hecho: Ahora sabía cuál era el sentido de la vida, había descubierto la Verdad. Los seres de luz desaparecieron poco a poco. Samuel se giró hacia su cuerpo y sintió el impulso de abrazarlo, se tumbó a su lado y se fundió con él.

Alma comenzó a llorar cuando vio que su hermano parpadeaba ligeramente, aún sin poder abrir los ojos. Dando un salto de alegría, Maritza se abrazó a Alma. Kunturi esbozó una leve sonrisa y sus ojos delataron que estaba muy feliz por la vuelta de Samuel, no tenía la certeza de que lo consiguiera, pero lo hizo, volvió.

Samuel abrió los ojos lentamente. Al principio no conseguía distinguir nada y, poco a poco, su vista se enfocó para poder ver la cara de su hermana, que le miraba con ojos llenos de lágrimas y con la sonrisa más bonita que podía recordar. Samuel le sonrió de vuelta. Quiso saludarla, pero no tenía fuerzas para hablar. Su garganta estaba completamente seca.

—Sam, cariño. Bienvenido de vuelta. Te quiero mucho —le dijo Alma, mientras secaba el sudor que le recorría el rostro.

—Samuel, ¡qué alegría volver a tenerte entre nosotros! —exclamó Maritza con las manos entrelazadas.

Él le sonrió sin abrir la boca. Alma le acercó un vaso de agua y Samuel se lo bebió casi sin respirar. Cuando apoyó su cabeza, miró a su lado para ver a los compañeros de viaje que todavía seguían en su alucinación. Antes de comenzar su viaje eran unos completos extraños para él, en cambio, ahora los percibía de forma diferente, de una manera mucho más cercana.

No tenía ni idea de cuánto tiempo había pasado en ese mundo interior. Para él, habían transcurrido días, semanas, quizás meses, pero, en realidad, tan sólo habían pasado dos horas y media.

Kunturi permanecía a su lado, observando sus reacciones. Parecía satisfecho y feliz por su vuelta.

Alma seguía secando el sudor de su cara, sin dejar de sonreírle. Samuel le hizo un gesto para que le diera más agua, había perdido mucho líquido durante su viaje interior. Kunturi se levantó y tomó uno de los frascos que le trajeron los niños. Lo mezcló con agua en un recipiente y le dio a beber. Samuel dio un sorbo y un pequeño espasmo recorrió su cuerpo. Kunturi le insistió para que se bebiera todo el líquido. Samuel hizo de tripas corazón y, sin respirar, se lo bebió de un sólo trago. Otro escalofrío, seguido de una sensación de querer vomitar de forma inmediata, precedieron a la recuperación de la hidratación de su cuerpo de forma casi milagrosa.

Samuel se sintió, esta vez sí, con fuerzas para poder pronunciar las primeras palabras.

—Hola hermanita… —susurró con un hilo de voz.

—Hola cielo. Qué bonito volver a oír tu voz… —dijo Alma mientras acariciaba con el paño la frente de su hermano.

—Te he visto.

—¿Cuándo? ¿Quieres decir que ahora me ves? —preguntó extrañada Alma.

—No… Te he visto en mi sueño.

—¿Sí? y, ¿qué hacía?

—Cuidarme.

—¿Cuidarte? Eso no ha sido un sueño, cariño. Te estoy cuidando ahora mismo…

—Te he visto desde arriba.

—¿Cómo que "desde arriba"?

—Cuando volvía volando, te he visto desde arriba. He observado cómo me cuidabas.

—¿Quieres decir que has soñado que has salido de tu cuerpo y te has visto desde arriba? —preguntó Alma.

—Si Alma, he volado alto… muy alto…

—¿Tan alto que casi te pierdes?

—Al contrario… —susurró Samuel— He volado tan alto que me he encontrado.

—No entiendo lo que quieres decir, Sam… Anda descansa, que ya habrá tiempo para que me cuentes todo lo que has experimentado.

20

—Me duele un poco el pecho… —dijo todavía con voz tenue, palpándose lentamente con la palma de la mano.

—Bueno, es normal, no te preocupes, se te pasará pronto —dijo Alma sin darle muchas explicaciones—. Aparte de eso, ¿te sientes bien?

—Sí, creo que sí… Me duele un poco la cabeza y estoy entumecido, pero estoy bien.

—¿Puedes sentarte? —preguntó Maritza para comprobar el estado general de Samuel.

—Creo que sí —señaló intentando levantar su cabeza.

—Despacio, que puede que te marees —aconsejó Maritza.

Alma y Maritza ayudaron a Samuel a apoyar su espalda contra la pared de la cabaña. Samuel se sentía todavía muy mareado, todo le daba vueltas. Se sujetó la cabeza con ambas manos hasta que esa desagradable sensación fue desapareciendo.

—Notarás que te mareas cuando cambias de posición. Es absolutamente normal. En una media hora te encontrarás mucho mejor —informó Maritza.

—¿Es normal que me duela tanto la cabeza? —preguntó frunciendo el ceño Samuel.

—A veces ocurre, aunque no es muy habitual. Tendrás que tener paciencia, no podrás tomarte ningún medicamento durante al menos un par de días —aconsejó Maritza tomando la mano de Samuel para comprobar su pulso—. Tienes el pulso muy bajo, descansa y habla lo mínimo posible, ¿de acuerdo?

—Sí… —respondió con los ojos entreabiertos por el dolor de cabeza.

—Tranquilo Sam, pronto estarás mejor. Toma, sigue bebiendo agua, te irá bien —ofreció Alma.

Una chica del grupo de los jóvenes franceses comenzó a despertarse. Maritza se apresuró a su lado. Ella se despertó mucho mejor que Samuel, de inmediato se sentó contra la pared. Tenía cara de absoluta felicidad. Miró a Samuel y le sonrió ampliamente durante varios segundos. Él, extrañado por el gesto de la chica, le sonrió también. Kunturi se retiró sentándose en una silla, enfrente de todos ellos, se le notaba confiado en que todo había salido bien.

En un intervalo de menos de una hora todos se fueron despertando. Sus reacciones al volver a este mundo fueron completamente distintas unas de otras, pero a ninguno le costó tanto como a Samuel. Un chico se levantó como si hubiera pasado el peor viaje de su vida. Físicamente estaba bien, pero permanecía mirando al infinito con un gesto muy serio, que sólo relajó cuando se giró para mirar a Samuel. Sonriéndole, asintió varias veces con la cabeza. Samuel agradeció el gesto, devolviéndole una sonrisa. Al instante, el chico volvió a mirar al frente, recuperando su semblante serio. Alma se había dado cuenta de que todos los jóvenes, sin excepción, cuando despertaban, saludaban sonriendo a su hermano. Entre ellos, que se suponía que eran amigos, se saludaban menos efusivamente, haciendo un gesto con la cabeza y seguían absortos en el recuerdo de lo que habían vivido. Pese a la recomendación de Maritza, Alma no pudo contener su curiosidad y le preguntó a Samuel.

—Sam...

—Dime Alma —dijo todavía con voz suave.

—¿Los has visto en el sueño?

—¿A quiénes, Alma? —preguntó extrañado.

—A los jóvenes franceses... ¿Los has visto en tu sueño?

—Sólo los he visto como a ti, cuando os sobrevolaba a todos. ¿Por qué me sonríen? —inquirió.

—Esa misma pregunta quería hacértela a ti, pero veo que estás tan extrañado como yo...

—Bueno, los he sentido en mi sueño. Los he sentido como parte de mi familia, como alguien cercano a mí. Ahora ya no los percibo como unos desconocidos...

Alma se quedó boquiabierta con lo que su hermano le acababa de contar. Ardía en deseos de seguir preguntándole, pero se contuvo para que se recuperara. Desde luego, Alma sabía que el Samuel que había despertado ya no era la misma persona. Durante su ensoñación había salido de su cuerpo, con intención de abandonarlo por completo. Había estado muerto durante unos interminables minutos y, cuando ya lo daban por perdido, el chamán pudo traerlo de vuelta. No era sólo lo que había experimentado con las alucinaciones de la ayahuasca lo que muy probablemente afectaría a la mentalidad de su hermano, sino, sobre todo, lo que había vivido tras abandonar este mundo. Por la mente de Alma pasaron decenas de recuerdos de programas de televisión y de noticias en internet que contaban testimonios de personas que habían traspasado el umbral de la muerte y que habían podido volver. Todas esas historias tenían puntos en común y todas las personas relataban experiencias increíbles. Se preguntaba cómo habría afectado a su hermano lo que había vivido. Pronto lo averiguaría…

Una vez que los jóvenes franceses se despertaron, se fueron levantando un tanto mareados. Entre todos formaron un círculo y se abrazaron unos con otros, permaneciendo así durante varios minutos. Ninguno decía ni una sola palabra, no les hizo falta. Se notaba que habían vivido una experiencia vital extraordinaria, que les había transformado de alguna manera. En un momento, la chica que se despertó la primera, giró su cabeza y le hizo un gesto con la mano a Samuel para que se uniera al círculo. Samuel le sonrió y levantó la mano para que Alma le ayudara a levantarse. Con mucho esfuerzo, movió sus entumecidas piernas para incorporarse. Tomó impulso, ayudado por su hermana y no pudo ni siquiera incorporarse un poco, sus piernas flaquearon y cayó de golpe, sentándose de nuevo en el suelo. Se sujetó la cabeza con ambas manos, apretándose las sienes.

—No puedo levantarme… me duele mucho la cabeza, Alma… ¿por qué ellos están tan bien y yo ni siquiera puedo levantarme? —manifestó apretándose fuertemente ambos lados de la cabeza con los dedos.

—Hermanito, tu viaje ha sido, muy probablemente, mucho más intenso que cualquiera de los suyos. Kunturi nos ha dicho que no había visto nunca a nadie entrar en el nivel de consciencia en el que cree que has entrado, con una sola toma de ayahuasca y de manera tan rápida, como tú lo has hecho. Como tú has dicho, hermanito, has volado muy alto… mucho más que nadie.

La chica, al comprobar que Samuel no se podía levantar, les hizo un gesto a sus compañeros y todos se acercaron a él y de rodillas, se abrazaron entre todos.

Sorprendida, a Alma se le saltaron las lágrimas al ver el gesto de aquellas personas. Ahora era absolutamente consciente de que la ayahuasca había producido un sentimiento muy especial de comunión entre todos ellos. Permanecieron abrazados entre sí varios minutos. Todos sonreían y mantenían cerrados los ojos. Kunturi, desde lejos, asentía con la cabeza, satisfecho de la labor que había realizado su querida planta.

Cuando se fueron incorporando, la chica que hizo el gesto a los demás se acercó a Alma y la miró fijamente a los ojos. Alma sintió una energía de paz y de amor absolutamente maravillosa. Ella la abrazó y le dijo al oído, en un español tosco, pero entendible: "Tranquila, él ha vuelto. Está bien. Ha estado con Dios". Alma la separó unos centímetros y se quedó mirándola fijamente. Ella asintió sonriendo, acarició sus mejillas con las palmas de las manos y se incorporó para volver con sus amigos.

Alma miró entonces a su hermano, que estaba absorto mirando a los nuevos amigos franceses. Samuel había muerto y, ¿había estado con Dios? ¿Cómo sabía esa chica todo esto? La única explicación posible era que la ensoñación no fuera individual, que, al menos en parte, hubiera sido colectiva. Hubo un momento de comunión entre todos, cuando se unieron a la oración del chamán y, aunque estaban inconscientes, quizás sólo lo estaban en este mundo y, en cambio, estaban completamente conscientes en su sueño. Alma se enredó en sus propios pensamientos, ya no sabía qué pensar de todo lo que había ocurrido, así que dejó de intentar buscar explicaciones y siguió celebrando que su hermano estaba con ella de nuevo.

Maritza volvió al lado de Samuel para intentar levantarlo.

—Bueno Samuel, yo creo que ya estás mejor y que puedes levantarte. Se nos está haciendo tarde para regresar al *lodge*, debemos deshacer el camino que hemos realizado al venir.

—Vale, vamos allá. Lo volveré a intentar otra vez —respondió Samuel con disposición.

Alma le cogió por debajo de una axila, mientras Maritza hacía lo propio con la otra. Samuel hizo el esfuerzo de levantarse con las piernas, pero todo comenzó a darle vueltas.

—¡Esperad!, ¡esperad!, ¡parad! ¡Me estoy mareando mucho! —manifestó con un hilo de voz.

Kunturi les chilló algo a ellos y corrió hacia donde estaban. Estuvo hablando en quichua con Maritza.

—Dice Kunturi que lo dejemos, que todavía no podemos levantarlo —tradujo Maritza—. Dice que le va a costar algunos días recuperarse.

—¿Algunos días? —preguntó sorprendida Alma, mientras le apoyaban de nuevo contra la pared.

Samuel murmuraba cosas y se sujetaba la cabeza con las manos.

—¿Estás bien, Sam? —insistió Alma al verle.

—No… Alma, me duele mucho la cabeza —masculló con voz entrecortada.

—Maritza, ¿no podría darle algo Kunturi para que le rebaje el dolor? —propuso Alma.

Kunturi, sin tener que traducírselo Maritza, se levantó y mandó de nuevo a los dos niños para que trajeran algo.

—Parece que nos ha entendido —dijo Alma al verle.

—Sí, eso parece…

—¿Qué vamos a hacer, Maritza? ¿Qué hacéis en estos casos? —preguntó preocupada Alma.

—La verdad es que, como te dije antes, en quince años trayendo gente a hacer la ceremonia de la ayahuasca, nunca nos había pasado algo así —respondió Maritza, secándole el sudor a Samuel con el paño—. Pero no te preocupes, si se tiene que quedar, le dejaremos en buenas manos —aseguró.

—Yo me quedaré con él —afirmó Alma.

—Claro, como gustes. Las comodidades no son las mejores, pero estaréis a gusto. Lo hablaré con Kunturi para organizarlo —dijo Maritza posando un mano sobre la de Alma para tranquilizarla.

—Gracias Maritza, eres un cielo.

—¡Qué menos! Después de todo lo que hemos vivido hoy aquí, esto es una nadería.

—Menudo show he debido montar, ¿no? —interrumpió la conversación Samuel.

—Tranquilo, no ha sido nada del otro mundo —respondió Alma en tono tranquilizador. Aunque la frase que acababa de decir tenía un sentido completamente distinto ahora.

—Alma…

—Dime.

—¿Sabes que nunca has sabido mentir? Creo que ha llegado la hora de decirte que siempre he sabido cuando decías la verdad y cuando mentías.

—¿Tanto se me nota? —apuntó sorprendida.

—Mucho.

—Seguro que alguna te he colado.

—O me las he dejado colar. Nunca lo sabrás —dijo riendo suavemente. Samuel paró de reírse y se apretó la cabeza de nuevo.

—Descansa, Sam. Te tienes que recuperar.

Los niños volvieron con lo que Kunturi les había pedido. Uno de ellos llevaba un cuchillo pequeño, lleno de tierra y una rama de una planta. El otro apareció con dos botellas de cristal color ocre, iguales a las anteriores, sin etiquetas ni distintivos. Kunturi abrió la botella y olió su contenido, asintiendo con la cabeza. Tomó de nuevo la piedra y machacó con ella las hojas que había separado de la rama que habían traído. Mientras las pulverizaba, repetía un nuevo mantra, esta vez en voz muy baja, casi imperceptible. Vertió unas gotas del líquido de la botella y continuó machacándolo y mezclándolo. Cuando juzgó que estaba en su estado óptimo, tomó el recipiente y se lo llevó a Samuel.

Samuel, mirándole con cara de sospecha, le dijo:

—Espero que hayas puesto algo de azúcar o de caramelo con sabor a fresa, porque como sepa como el otro, ¡no sé si podré soportarlo!

Todos, incluido Kunturi, rieron. Parecía que Kunturi entendía más de lo que aparentaba. Le acercó el recipiente a la boca y Samuel le dio un pequeño trago.

—Bueno, no sabe a fresa, pero tampoco sabe a estiércol, como el anterior —afirmó Samuel.

—Anda, bébetelo cuanto antes, a ver si te despeja ese dolor de cabeza —le aconsejó Alma.

Samuel se lo tomó entero. Maritza aprovechó para hablar con Kunturi, en quichua, para organizar la estancia de los dos hermanos. Kunturi parecía disentir de lo que le estaba diciendo Maritza y ésta le insistía.

—¿Ocurre algo, Maritza? —preguntó, impaciente, Alma.

—Bueno, dice Kunturi que sólo se puede quedar Samuel.

—¿No me puedo quedar yo con él? —preguntó Alma sorprendida.

—Dice que no.

—Pero, ¿por qué motivo? —dijo molesta.

—Pues… dice que Samuel necesita sanarse solo.

—¿Qué le ocurre? ¿Acaso está enfermo?

Kunturi permanecía al lado de ambas, impertérrito. Maritza le transmitió la duda de Alma y Kunturi no contestó. Maritza, miró a Alma con cara de no saber muy bien qué estaba pasando por la cabeza del chamán.

—¿Por qué no me puedo quedar Kunturi? Sé que entiende lo que le digo, ¿por qué razón no me puedo quedar con mi hermano? —preguntó Alma directamente al chamán, que permanecía mirando al frente, ignorándola.

—¿No me quiere responder? Maritza dile algo, ¡por favor! ¡No puedo dejar a mi hermano en este estado, aquí solo!

Maritza se encogió de hombros, indicando que ya no podía hacer nada más.

—¡Pues no lo entiendo! —protestó Alma.

—Alma, hermana, tranquila, estaré bien aquí. Tú disfruta del maravilloso hotel que tenemos a nuestra disposición.

—Pero, ¡qué dices! cómo voy a disfrutarlo estando tú aquí! ¡Cómo voy a saber si estás bien o no! ¡Aquí no hay ni cobertura de móvil!

Kunturi hizo un gesto, levantando la mano derecha y los dedos índice y corazón.

—¿Dos? ¿Victoria? ¿Encima se ríe de mí? —dijo Alma soliviantada, mientras Kunturi negaba con la cabeza— ¿Qué significa eso? ¿Dos qué? ¿Dos días? —Kunturi asintió—. Dos días… está bien… ¿podré volver en dos días, Maritza? —preguntó mirándola.

—Sí, claro. Quedaremos con Qhawachi, el guía, para que te traiga de nuevo aquí. No te preocupes, confía en Kunturi, ya sabes lo que ha hecho por tu hermano —añadió sin dar muchos detalles, para que Samuel no la oyera.

—¿Qué ha hecho por mí? —preguntó de igual manera Samuel. Maritza puso cara de circunstancia al ver que Samuel estaba más atento de lo que parecía.

—Bueno, te ha preparado varios brebajes para que te encuentres mejor —explicó Alma.

—Alma…

—¿Sí?

—Alma… ya te he dicho que se te nota mucho.

—¿De qué hablas ahora, Sam?

—Me estás ocultando algo, lo sé.

—No te estoy ocultando nada.

—Alma, sé todo lo que tengo que saber.

—Y… ¿Qué es lo que sabes? —preguntó con miedo.

—Que estuve muerto.

Alma se quedó petrificada. Kunturi asintió de nuevo con la cabeza. Maritza estaba boquiabierta mirando a Samuel.

—Entonces, ¿sabes que moriste? —preguntó Maritza.

—Sí, Maritza. Lo sé. Morí y ascendí. Ascendí tanto que estuve tan cerca de algo Superior a mí, a todos nosotros, que comencé a sentir la Paz que desprendía, junto con un Amor Incondicional que llenó todo mi Ser. No puedo describirlo con palabras. Todo lo que os pueda decir se queda muy corto para explicar cómo me sentí estando allá arriba. Alma miraba fijamente a Samuel. Maritza no le quitaba ojo, escuchando atentamente las palabras que salían por su boca. Kunturi cambió su gesto serio por otro más relajado, satisfecho de lo que escuchaba—. Puedes dejarme aquí, hermanita, nunca jamás volveré a estar solo, o a sentirme abandonado. Ahora sé que nunca lo pude, ni lo podré estar.

Alma no sabía que responder a eso. ¿Qué podía decir frente a esas palabras? No sabía lo que había podido vivir su hermano durante esa experiencia extrema. Dudaba de si, lo que estaba diciendo, lo había vivido en la ensoñación durante el efecto de la ayahuasca, o bien, como declaraba él mismo, durante su muerte temporal. Lo que estaba contando, ¿sería invención de su cerebro afectado por la planta alucinógena, o realmente lo vivió durante su experiencia cercana a la muerte? De lo que sí estaba segura era de que, fuera lo que fuere, había dejado una profunda huella en él, hasta el punto de que su mirada había cambiado. Ahora ya no destilaba nerviosismo, ni esa sensación de disputa interior. De un plumazo, había desaparecido esa percepción que tenía cuando se adentraba en los ojos de su hermano.

Con todo el dolor de su corazón, Alma y el resto del grupo comenzaron a despedirse para volver a atravesar la selva, de vuelta al *lodge*. Qhawachi apareció en la cabaña justo a tiempo para guiarles en su ruta de regreso. No había sido consciente de todo lo que había ocurrido allí esa tarde. Los lugareños le contaron lo que había vivido Samuel y se quedó atónito. Él siempre aprovechaba la visita a su antigua comunidad para visitar a su familia. Hacía tiempo que había decidido vivir en otro lugar, junto a su pareja y su niño y, cada vez que hacía de guía, aprovechaba las horas del rito de la ayahuasca para visitar a sus padres.

Se acercó a Samuel para interesarse por él. Al momento, se percató de que había vivido algo tan extraordinario que había transformado su interior. Qhawachi tenía una habilidad innata de poder ver la energía que emanaba del interior de cada ser vivo, con toda su intensidad y color. Era una capacidad que había heredado de sus ancestros. Su madre compartía con él esa misma capacidad y le enseñó, desde bien pequeño, a desarrollarla y ampliarla. En el mundo espiritual, esa energía era conocida como "aura", aunque él prefería llamarla "la energía del Dios interior". Se quedó pasmado al ver cómo había cambiado la energía que desprendía Samuel. Inmóvil, de pie frente a él, observaba de arriba abajo con atención y estupor la energía que emanaba de su cuerpo. Supo, sin lugar a dudas, que Samuel había cambiado por completo su interior. Antes de la experiencia que había vivido, Qhawachi observó en él una energía muy baja. El color que desprendía era un gris muy oscuro, señal inequívoca de que había una guerra librándose en su interior. En cambio, ahora, brillaba con mucha fuerza una energía de color morado intenso, signo indiscutible de que había despertado en él una capacidad espiritual y de visualización que antes yacía dormida.

Qhawachi estaba muy acostumbrado a ver estos cambios en el aura de las personas que pasaban por el proceso del rito de la ayahuasca, pero nunca había podido observar una transformación tan radical. Su energía emanaba con tanta fuerza que llegaba varios metros fuera de él. Estando de pie, frente a él, la energía de Samuel le atravesaba todo el cuerpo con gran potencia. Desconcertado, miró a Kunturi. El chamán se limitó a asentir con la cabeza un par de veces, eso le bastó a Qhawachi para confirmar que Kunturi también lo había percibido.

Su sorpresa no sólo fue por el cambio de intensidad, algo, ya de por sí, poco habitual, sino por el de color. El morado estaba reservado a personas que tenían una gran sensibilidad y capacidad para percibir cosas extraordinarias. De hecho, todos los chamanes que Qhawachi había conocido tenían ese color en su Dios interior. Era necesario que fuera así para todo chamán, ya que era el nexo de unión entre el mundo material y el de los espíritus. Ni siquiera él, que era capaz de percibir los colores de las auras, tenía semejante tonalidad en su energía.

Samuel le miró durante algunos segundos. Al ver que no reaccionaba, le habló.

—Hola Qhawachi, ¿tanto he cambiado, que ya no me reconoces?

Éste, pestañeando varias veces seguidas, como saliendo de un estado hipnótico, le saludó.

—Hola Samuel, un viaje intenso, por lo que parece.

—Digamos que ha sido un viaje… diferente.

—Estoy seguro de que lo ha sido —respondió Qhawachi.

—He pasado de ser un cóndor a atravesar volcanes, convertirme en un farolillo y… finalmente a conocer a Dios después de morir —dijo Samuel con suma tranquilidad.

Alma y Maritza no daban crédito a los nuevos detalles que relataba Samuel.

—¡¿Qué?! —Qhawachi se quedó completamente boquiabierto— cómo que… ¡¿moriste!? y ¿viste a Dios? —dijo con voz temblorosa.

—Bueno, en realidad no fue tan dramático. Tan solo morí durante un rato y a Dios, o lo que fuera que hubiera allí arriba, solamente lo intuí, no pude ver nada.

—¿Qué sentiste? Dicen los que han vuelto que veían una gran luz blanca al final de un túnel y que sólo sentían paz y amor.

—Lo de la luz blanca me lo he debido de perder, pero, Qhawachi, he sentido el verdadero Amor incondicional. No sabría explicártelo, pero allí arriba nada tenía importancia, no existían los problemas, las dudas, no había separación ni individualismo. Sentía que todos somos…

—Uno —terminó la frase susurrando.

—¿También tú has sentido esto alguna vez? ¿Conocías este sentimiento? —preguntó muy intrigado Samuel.

—No, Samuel, pero esa frase… me la dijo alguien una vez… no recuerdo quién fue… —añadió estupefacto.

—Pues sabía lo que decía. Yo ahora también lo sé, he estado ciego toda mi vida y ahora veo.

Qhawachi, Alma y Maritza se quedaron absortos escuchando a Samuel. Hablaba con una convicción y una claridad fuera de lo común. Alma no sabía qué pensar de todo aquello, era demasiado para ella. Primero, perder a su hermano durante unos interminables minutos, luego esperar a que despertara y ahora su declaración… Estaba muy confusa y agotada. No es que no deseara que su hermano cambiara, siempre lo había anhelado, pero esta transformación tan radical, la pilló fuera de juego.

—Me encantaría seguir escuchando todo el día y la noche lo que has sentido, Samuel, pero nos tenemos que marchar. Va a anochecer dentro de poco y hay un camino largo por recorrer todavía —dijo Maritza.

—¿Samuel no viene? —preguntó Qhawachi.

—No, se tiene que quedar para recuperarse dos días— Kunturi asintió—. Luego tendrás que acompañar a Alma de vuelta para recogerle.

—Lo haré gustosamente. Me encantará seguir escuchando lo que Samuel vivió en este extraordinario viaje.

—¿De verdad no me puedo quedar? —insistió Alma desesperadamente. Kunturi no le contestó. Qhawachi entendió rápidamente lo que estaba pasando.

—Alma, Kunturi es el mejor chamán de toda esta zona del Amazonas. Cuidará perfectamente de tu hermano, no tengas la más mínima duda.

—Tranquila hermanita, estaré bien. Me recuperaré pronto. Te lo prometo. He vuelto para quedarme, ¡al menos un ratito más! —bromeó Samuel.

—De ratito nada, has vuelto para quedarte mucho tiempo — respondió Alma alargando la pronunciación de la 'u' de mucho.

—Bueno, marchemos. Hasta dentro de dos días Samuel —se despidió Maritza, haciendo un gesto con la mano para que todos se fueran.

—Cuídate, hermano. Descansa todo lo que puedas. Te quiero mucho.

—Yo también te quiero, Alma. Estaré bien, ahora estoy con Dios — afirmó mirándola fijamente a los ojos.

Alma estaba muy desconcertada con lo que le decía, pero no tenía tiempo para indagar más. Se despidieron con un beso y un largo abrazo. Los jóvenes franceses fueron pasando uno a uno, a darle un sentido abrazo a Samuel. Alma no acababa de comprender este comportamiento, pero estaba admirada y agradecida por lo que hacían.

Todos se giraron antes de salir de la cabaña y dijeron adiós con la mano a Samuel. Alma lloraba, no quería dejar a su hermano bajo ningún concepto.

Samuel seguía recostado contra la pared de la cabaña. No sabía si se iba a poder levantar. Kunturi, que había estado esperando a que todos se marcharan, se giró hacia él y le dijo.

—Eres un ser muy especial, Samuel.

—¡Pero si habla perfectamente español!

—¡Claro que lo hablo, es mi segunda lengua! —respondió en el mismo idioma.

—Pero… no entiendo nada… entonces, ¿por qué habla quichua con Maritza? —preguntó Samuel.

—Pues porque tenemos firmado un contrato de colaboración y, para darle más solemnidad al rito, sólo hablamos en la lengua de mis ancestros —explicó Kunturi.

—O sea, que hacen el paripé.

—No sé lo que es eso.

—Paripé es cuando uno interpreta como una obra de teatro. Haces creer cosas que no son ciertas, al menos, no del todo.

—Bueno, en realidad, el rito de la ayahuasca se hace en cientos de lugares del Amazonas, los antepasados quichuas son los que transmitieron de generación en generación cómo se debía de orar y cómo se debía de preparar para que la madre de todas las plantas nos concediera el favor de usarla para abrir nuestra conciencia y ver con los ojos del espíritu. Rendimos homenaje a todos los chamanes que transmitieron toda su sabiduría hasta nuestros días.

—Paripé entonces.

—Bueno, sí, algo así. Aunque el quichua es nuestra lengua materna.

—No, si me parece genial, queda mucho mejor todo en quichua, desde luego —respondió en tono socarrón.

—Bueno, como te decía antes de entrar a debatir sobre cosas sin importancia, eres un ser muy especial.

—¿Por qué piensa eso?

—No lo pienso, lo sé. Nadie alcanza el nivel de conciencia que has adquirido tú en una sola toma de ayahuasca. Lo que has conseguido hoy a la mayoría de las personas le cuesta toda una vida y, a muchas, más de una vida conseguirlo.

—Lo de "más de una vida" lo dice en sentido figurado, ¿verdad?

—No, lo digo en sentido literal. Ya lo hablaremos durante estos dos días. Pero te adelanto que tu alma no es nueva en este mundo, tu alma es vieja y sabia y ha viajado mucho antes de encontrarnos.

—Bueno, vieja… tan solo tengo treinta y tantos —señaló en tono socarrón—. Tranquilo, Kunturi, sólo estaba bromeando. Es que todo esto, ahora mismo, me viene demasiado grande.

—Vayamos a descansar a mi cabaña.

—Pero, ¡si no me puedo levantar! —aseguró.

—Sí que puedes.

—Antes me he caído de culo.

—Era porque pensabas que no podías. Ahora sí puedes. Levántate y ven conmigo.

Samuel se quedó mirando al chamán. Kunturi se levantó y comenzó a caminar hacia la salida de la cabaña. Sin mucha confianza, dobló las rodillas y se apoyó con las manos en la pared para impulsarse. En efecto, podía levantarse, lo hizo casi sin esfuerzo.

—¿Cómo sabía que podía?

—No lo sabía, pero tu mente parece que sí.

Samuel se quedó un momento pensando en la frase que le acababa de decir. Al ver que Kunturi salía por la puerta, corrió para seguirle.

—¿Ves? Ahora tu mente cree que puedes correr —explicó Kunturi sin girar su cabeza cuando Samuel le alcanzó.

Samuel se quedó más asombrado aún con lo que acababa de hacer, sin darse cuenta.

—¿Cómo sabe que mi alma es vieja?

—Porque la mía reconoce a la tuya.

—Es la segunda vez que me dicen esa frase —manifestó Samuel atónito.

—Sin duda quien te lo dijo era una persona despierta.

—¿Despierta? ¿En qué sentido?

—En el único que se puede estar.

—Acabo de volver de la muerte, podría darme más pistas sobre las cosas que le pregunto… creo que me lo merezco.

—¿Cómo ves ahora la vida que estás viviendo, Samuel?

Éste se quedó en silencio, pensando en la respuesta a la pregunta que le acababa de formular el chamán. Siguieron andando por el poblado. Después de varios minutos, respondió.

—Sé que he estado viviendo una vida irreal. Siempre he pensado que yo era un ser independiente y me he sentido muchas veces solo e, incluso, abandonado. Ahora sé que lo único que me pasaba era que no sabía que nunca podría haber estado solo, ni mucho menos ser abandonado.

—En realidad sí lo sabías.

—¿Lo sabía?

—Sólo lo habías olvidado.

—Creo que voy a parar de preguntar por hoy, ya he tenido suficiente con todo lo que he vivido… y ¡muerto! —dijo riendo Samuel.

—Habrá tiempo para todo eso, no te preocupes.

Alma y los integrantes de la expedición habían atravesado rápidamente el tramo de selva que les separaba hasta la orilla del río Pusuno. Qhawachi conocía como la palma de su mano esa zona, así que lo recorrieron en la mitad de tiempo que en el viaje de ida. Alma no paraba de revivir lo que había ocurrido. Se sentía muy triste por haber dejado a Samuel allí y se preguntaba si ya podría levantarse o si, por el contrario, habría empeorado su situación. Iban a ser dos días demasiado largos para ella. ¿Qué iba a hacer sin su hermano? Sin él, nada del viaje tenía sentido.

El resto de integrantes no decía ni una sola palabra. Todos estaban rememorando lo que habían experimentado ese día, cada uno su propia experiencia. Los jóvenes franceses aparentaban estar muy pensativos, aunque, a juzgar por su expresión, nada tristes ni preocupados, simplemente, estaban repasando mentalmente lo que la ayahuasca les había hecho visible.

Tras tomar las canoas y remar suavemente dejándose llevar por el curso del río, llegaron de vuelta al *lodge*.

Al llegar a la playa, Maritza tomó la palabra y dio las gracias a Qhawachi por haberles guiado. Éste, sin bajarse de su canoa, se despidió y siguió río abajo.

Alma no quiso cenar con el resto de la expedición. Con los nervios que había pasado se le había cerrado el estómago. Se despidió de todos y se dirigió a la cabaña. Al cabo de media hora, alguien tocó a su puerta.

—¿Sí? ¿Quién es? —preguntó extrañada.

—¡Buenas noches! —saludó una voz de hombre al otro lado de la puerta— Soy Rubén Morales.

—¿Quién? —preguntó.

—Rubén Morales, el dueño de *Suchipakari Jungle Lodge*.

Alma abrió de inmediato la puerta y, tras ella, se encontró con un hombre con gafas, de unos cincuenta años, con el pelo negro,rizado y muy frondoso, grandes mejillas y ojos rasgados y pequeños. Sonriendo, dijo:

—Buenas noches, siento molestarla.

—No, no se preocupe, no me molesta.

—Soy Rubén Morales, el dueño y fundador de este *lodge*.

—Encantada, soy…

—Alma Calleja… —interrumpió Rubén.

—¿Sabe quién soy? —preguntó Alma.

—Sí, es hija de mi gran amigo Martín.

—¡Usted conoció a mi padre! —exclamó sorprendida.

—Efectivamente. Nos conocimos en Quito, hará un par de años atrás.

—¿En Quito? No sabía que mi padre había estado en Quito —Alma hizo una pequeña pausa— aunque, pensándolo bien, tampoco sabía que había estado en Ecuador.

—Por lo visto él venía desde Miami. Vio un anuncio en la página web de nuestro *lodge* y contactó conmigo. Estuvimos charlando por internet y, finalmente, a las pocas semanas, voló hasta Quito. Yo mismo le recogí en el aeropuerto. No suelo hacerlo, pero sentí una conexión inmediata con él. Y mi intuición no se equivocó.

—Sabe usted que mi padre falleció, ¿verdad? —preguntó Alma con mucho tacto.

—Sí señora. Lo siento muchísimo, era un hombre muy especial. Le envié una carta urgente por correo para darle mi pésame. Quise acudir al entierro, pero no pude organizarlo a tiempo. Coincidió que estaba en el *lodge* y requerían de mi presencia. Lamenté no haber podido asistir, me habría encantado poder despedirme de él.

—Bueno, su testamento nos ha traído hasta aquí, podrá despedirse de él —explicó con voz tranquilizadora.

—Lo sé. Hemos preparado un lugar muy especial para que sus cenizas descansen junto al *lodge* que tanto le enamoró.

—¿Cuánto tiempo estuvo aquí?

—Vino para quedarse una semana, y se terminó quedando dos meses.

—¿¡Dos meses!? —exclamó Alma sorprendida— ¡Uy! Disculpe, que no le he invitado a entrar a la cabaña.

—No se preocupe, en realidad venía, además de a saludarla y conocerla, a invitarle a que nos acompañara a tomar algo al restaurante.

—No me apetece tomar nada, hoy ha sido un día un poco difícil.

—Lo sé, me han comunicado lo ocurrido. Todavía no he acabado de asimilar que el hijo de mi gran amigo haya pasado por todo eso.

—Ni yo tampoco lo acabo de asimilar y eso que lo he vivido en primera persona.

—Es normal. Lo que le ha pasado a su hermano nunca había sucedido desde que abrí este lugar. Estoy muy consternado por todo.

—No se preocupe, ustedes le avisaron de lo que le podía pasar al ingerir la ayahuasca y él la tomó bajo su completa responsabilidad.

—La ayahuasca nunca produce paros cardíacos. Ha sido muy extraño lo que le ha pasado.

—No sabemos muy bien qué es lo que ha ocurrido ni qué se lo ha provocado, pero lo cierto es que ha pasado y está bien. Es lo único verdaderamente importante —dijo levantando la palma de la mano y moviéndola hacia un lado.

—Sí, es lo único que importa. Dios ha querido que volviera, por lo visto todavía le quedan cosas pendientes por hacer en este mundo.

Alma bajó la mirada y sus ojos se humedecieron.

—Tranquila, Alma. Estará bien.

—Esto está siendo muy duro para mí, Rubén… Si llego a perder a mi hermano… ¡buff! es que no quiero ni imaginármelo. Confieso que hoy ha sido el primer día que he sentido que este testamento tan extraño que mi padre nos dejó es un total despropósito. Me han dado ganas, y todavía las tengo, de dejarlo todo cuando Samuel vuelva y volvernos a Miami.

—Venga, sentémonos en aquellas sillas para hablar más cómodamente —invitó Rubén.

Alma, antes de tomar asiento, miró al pájaro de la pared y un escalofrío extraño e incómodo le recorrió todo el cuerpo.

—Alma, lo que ha ocurrido hoy no ha pasado por casualidad. Su hermano estaba destinado a que tomara la ayahuasca.

—¿Para qué? ¿Con qué sentido? —preguntó Alma sin creerse mucho lo que le decía.

—Todavía no lo sabemos. Él mismo lo descubrirá. La ayahuasca jamás se equivoca.

—La ayahuasca puede que no se equivoque, pero lo que le ha ocurrido hoy, no sé si ha sido la ayahuasca o han sido las ganas que tiene de abandonar este mundo y, precisamente, la ayahuasca le ha retenido aquí.

Rubén entendió perfectamente lo que le estaba transmitiendo Alma.

—Fuera lo que fuere, estoy seguro de que le ha ocurrido por algo y la realidad es que sigue con nosotros. La ayahuasca le habrá abierto a una conciencia que antes tenía oculta u olvidada. La ayahuasca nunca se equivoca en lo que te tiene que mostrar para liberarlo. Estoy más que convencido de que su hermano ha vivido esta experiencia tan traumática porque tenía que ver algo que ocultaba en su interior muy profundamente, y que debía dejarlo marchar. Aunque ahora no lo vea así, sé que lo que le ha ocurrido ha sido para que él mejore.

—Ojalá no se equivoque. Hoy he pasado más miedo que en toda mi vida —confesó Alma bajando la cabeza, al mismo tiempo que negaba una y otra vez.

—No me equivoco. Estoy seguro de ello.

—Muchas gracias por sus palabras —dijo con ojos llorosos Alma, pero mostrando una sonrisa de agradecimiento.

—Lo que también estaría muy bien es que nos acompañara a cenar. Cuando vuelva a por su hermano usted debe estar fuerte, física y mentalmente, para poder ayudarlo de la mejor manera posible, si es que lo necesita.

—No tengo mucha hambre, pero, de acuerdo, le acompañaré.

—¡Fantástico! Al menos, se distraerá.

—Sí…

Alma y Rubén salieron de la cabaña. La humedad de la noche en la selva impregnaba el cuerpo de Alma. Se oían miles de sonidos de animales e insectos entremezclados, como una extraña canción tribal nocturna. Alma no podía dejar de pensar en cómo estaría Samuel en aquel poblado perdido en el Amazonas. Dudaba de si se habría podido, incluso, levantar o si habría empeorado. Confiaba en el chamán Kunturi, de otra manera no le habría dejado allí con él, se lo habría traído a rastras si hubiera sido necesario. Además, él fue el que le ayudó a volver a la vida. Pero su faceta de cuidadora le jugaba malas pasadas, bombardeándola con toda clase de ideas negativas de lo que le podría estar pasando a su hermano. Tendría que tener paciencia y fe en que se curaría porque durante dos eternos días no sabría absolutamente nada de él y eso podría atormentarla constantemente.

Recordando algo que aprendió en los cursos de crecimiento personal que había realizado recientemente, tomó la decisión de hacer caso omiso a los constantes pensamientos negativos y decidió pensar que su hermano, en ese preciso momento, ya estaría perfectamente.

El nuevo quichua

La mujer de Kunturi, Diocelina, obsequió a Samuel con distintos manjares. Casi toda la comunidad les había seguido hasta la cabaña del chamán. Lo que le había ocurrido a Samuel se había extendido por todo el asentamiento y numerosas personas quisieron ver quién era el que volvió de entre los muertos. Le señalaban y le llamaban *aya kuti*[2], Samuel parecía que no había comido durante semanas porque se le había despertado un apetito atroz. Sentados los tres en el suelo, alrededor de un hogar, probó todo lo que le ofrecieron, desde unas empanadas de carne y otras de una especie de plátano, pasando por pescado frito y tortitas de maíz. A Samuel le sorprendió tanta variedad.

—Muchísimas gracias por esta maravillosa cena. Me sorprende que, en mitad de la selva, tengan tantos manjares.

—Realizamos numerosos intercambios con los asentamientos cercanos y nos nutrimos de variedad, los unos con los otros. Por otro lado, solemos ir una vez a la semana, en barca, hasta Puerto Misahuallí y allí tenemos absolutamente de todo —respondió Diocelina, sin mostrar ninguna emoción.

—Disculpe, uno tiene todavía la idea romántica del pueblo indígena aislado y lo cierto es que ustedes han cambiado y evolucionado mucho como pueblo.

—Así es —contestó Diocelina sin mirarle.

Diocelina era una mujer indígena de baja estatura, con la piel morena y curtida por años de trabajo férreo. Era muy delgada y sus pómulos estiraban la piel de una cara atravesada por numerosas arrugas. Sus ojos, pequeños y rasgados, destacaban por su viveza a ambos lados de una nariz ancha y redondeada. Sus labios, muy finos, acentuaban su gesto serio. Iba vestida con una blusa de colores vivos, predominando el azul turquesa, con diminutos puntos blancos. El cuello redondeado de la blusa

---

[2] En lengua quichua (kichwa) El que ha revivido, después de estar considerado muerto.

estaba bordado con tiras de distintos colores. Además, llevaba una falda azul oscura que le llegaba a los tobillos, desnudos, como el resto del pie.

Diocelina tenía el semblante muy serio. Samuel no acertaba a averiguar si la mujer era así por naturaleza o es que le incomodaba la presencia de un extranjero, invitado por su marido sin su consentimiento. Samuel pronto lo averiguaría.

La cabaña familiar de Kunturi y Diocelina era casi igual que la que tenían en el *lodge*, sólo que sin puertas. La estampa del pueblo era curiosa porque se mezclaban las ropas occidentales con abalorios y otros toques quichua. Le llamó mucho la atención la camiseta del grupo de rock *Kiss* de un joven indígena con la cara pintada con motivos geométricos en negro. Parecía que los indígenas habían sabido equilibrar perfectamente las influencias inevitables del modo de vida moderno, con tradiciones que conservaban desde tiempos inmemoriales.

—¿De dónde es usted? ¿De dónde es su familia? —preguntó, casi sin entonación Diocelina. Parece que la mujer iba a llevar el peso de la conversación, porque Kunturi no había abierto la boca desde que se sentaron a cenar.

—Pues… yo soy de Estados Unidos, de Miami, Florida. Pero mi familia es de Teruel y de Extremadura, dos regiones de España —contestó orgulloso.

—Lo sabía. Mira que lo sabía —dijo recomponiendo su postura y apretando los labios.

—No le entiendo… ¿Por qué dice eso? —preguntó muy extrañado Samuel.

—Eres un descendiente de los usurpadores —acusó apuntando con el dedo índice de la mano derecha y mirándole fijamente.

—¿De los usurpadores? ¿Mi padre os usurpó algo? —preguntó preocupado.

—No Samuel, no. Es que Diocelina no supera que nos invadieran Henán Cortés y compañía —dijo Kunturi, mirando hacia arriba y cerrando un poco el párpado superior en señal de hartazgo.

—¿De Hernan Cortés? Discúlpeme, pero mi apellido es Calleja. Nada tengo que ver con él ni con sus descendientes.

—Eres medio español, ¡tienes todo que ver! —apuntó de nuevo con el dedo índice a su cara.

—Disculpe señora, sin ánimo de ofender… Yo creo que no había nacido hace… no sé… ¿unos quinientos años? —respondió Samuel arqueando las cejas.

—Da igual. Eres español, hijo de los invasores y de los usurpadores de tierras. ¡Nos robasteis todo!, ¡nos aniquilasteis! —gritó con fuerza Diocelina.

—Diocelina, ¡estás insultando a nuestro invitado! —renegó Kunturi poniendo la palma de la mano en señal de que cesara.

—¡No es nuestro invitado!, ¡es tu invitado! —gritó aún más fuerte.

—Yo tampoco quiero molestar… —dijo negando con las manos abiertas Samuel.

—Tranquilo Samuel. Esto es un tema que se repite una y otra vez —explicó Kunturi mirando a su mujer, que estaba con cara de enfado y con los brazos cruzados— Diocelina, Samuel no tiene culpa de tu manera de pensar, podrías pedirle disculpas.

—¿Pedirle yo disculpas? Que pida disculpas él y todos los usurpadores por los siglos de sometimiento que hemos tenido que soportar.

—¿Me permite que le diga algo, señora? Desde mi más profundo respeto —propuso Samuel colocándose las manos en su corazón.

—Eres libre de hablar —señaló Diocelina girándose al lado contrario de donde estaba Samuel y apretando aún más sus brazos.

—Déjeme que le haga una pregunta: ¿Usted cree que todos estamos conectados?

—Pues claro que estamos conectados. Todos lo estamos y lo estamos con todo.

—Se podría decir que lo que se hace a uno, ¿lo notaría o le afectaría al resto?

—Eh…. sí, supongo que sí.

—Según nos ha contado el guía Qhawachi, ustedes tienen la creencia de que toda la selva no sólo está viva, sino que en ella habitan espíritus y que todo forma parte de un conjunto, al que algunas tribus llaman *Mama Pacha*, ¿no es cierto?

—Sí, así es —contestó Diocelina manteniendo los brazos cruzados, aunque fue girando su cabeza hacia Samuel.

—Y que nosotros formamos parte de ese conjunto, ¿verdad? —Diocelina asintió con la cabeza— y que lo que hagamos a algo o a alguien, afecta al conjunto, que somos todos, ¿cierto?

—Sí, cierto... eso es cierto... ¿A dónde quieres llegar?

—Entonces, si usted, sin conocerme de nada, me llama usurpador y no sé qué otras cosas más, sólo por el hecho de que soy del mismo país que un hombre que quiso quedarse con el oro y las riquezas del imperio Inca, hace ¡quinientos años!, ¿afectará esto al conjunto?

—Supongo que sí... —Diocelina miraba ya a Samuel y comenzaba a aflojar sus brazos.

—Y si, por cada persona que a usted le parezca que es descendiente de Hernán Cortés, le lanza su odio acérrimo por el simple hecho de que a usted le parezca que es un hijo de algún usurpador, eso, ¿cómo afectará al conjunto?

—Pues... —bajó la cabeza, dándose cuenta de lo que provocaba su comportamiento.

—Y más aún, si todos estamos conectados y usted me ataca a mí, entonces, está atacando a todos los demás, incluida a usted misma.

—Eso... eso es muy cierto... —Diocelina bajó aún más su mirada y abrió sus brazos. Kunturi observaba sorprendido a Samuel y asentía con la cabeza a cada una de sus disertaciones.

—Y, piense una cosa: Hernán Cortés, una persona que ni siquiera tenía formación militar, con sólo los hombres que cabían en un barco y que en su mayoría tampoco eran militares formados, ¿cree posible que acabara con todos los indígenas de América? ¿Sólo ellos? ¡Pero si creo que eran menos de un millar!

—¿Cómo sabes eso?

—Porque lo estudié en su día en historia, en el instituto, y me fascinó tanto su figura que lo investigué en profundidad por mi cuenta. Hay numerosos escritos de la época relatando lo que ocurrió. Creo que lo que os han transmitido es directamente falso y hay varias razones que lo atestiguan.

La primera es que, o bien Hernán Cortés se unió a miles, no a cientos, sino a miles de indígenas americanos para acabar con el imperio azteca que les esclavizaba, o habría sido claramente imposible vencer a un ejército de decenas de miles de soldados como el que tenía el emperador azteca en ese momento. Y, otra razón de mucho más peso es que, si hubiera acabado con toda la población indígena, el solo, con la ayuda de sus pocos hombres, cosa claramente imposible, usted no sería indígena, los indígenas habrían desaparecido por completo y eso, como salta a la vista, no es así.

Aquí les han contado una historia inventada que no se sostiene por ningún lado. La mayoría de los indígenas de la época murieron porque los españoles trajeron enfermedades que aquí no existían. De ahí a decir que Hernán Cortés fue un genocida, hay un mundo, es obvio que Hernán Cortés no trajo las enfermedades metidas en frascos y las fue repartiendo por todo Latinoamérica, ¿verdad que no? Fue algo que ocurrió sin control de los españoles, ellos no tenían ni idea de que eso podría pasar.

Diocelina escuchaba atentamente lo que estaba contando Samuel.

—Con el imperio Inca, que gobernaba esta zona cuando llegaron los españoles ocurrió casi lo mismo que con el imperio Azteca. Numerosas tribus indígenas, hartas de la esclavitud y de los desmanes de los incas, se unieron gustosamente a los nuevos invasores, los españoles con Francisco Pizarro a la cabeza, quien acabó con Atahualpa de forma fugaz porque el imperio ya estaba sumido en sus propias guerras internas.

Kunturi estaba sorprendido de la locuacidad de su invitado.

—Y, le puedo decir aún más cosas. Por ejemplo, en España podrían odiar a los italianos porque estuvieron bajo el yugo de los romanos y, al menos a mí, me sonaría ridículo —Diocelina seguía escuchando sin pronunciar ni una palabra ni hacer un gesto—. De hecho, ni España existía cuando Hernán Cortés pisó lo que es ahora México, estaba formado por dos reinos diferentes.

Por último, quería decirle que nadie elige donde nacer. De hecho, hoy he muerto y renacido aquí, así que puede considerarme ecuatoriano, ¡de la Amazonía, para ser exactos! —Kunturi comenzó a reír a carcajadas.

—Creo que ha quedado suficientemente claro, ¿verdad Diocelina? —preguntó Kunturi, mirando a su esposa.

—Sí…. la verdad es que sí… —respondió tras varios segundos pensándoselo.

—¿Una disculpa? —sugirió Kunturi.

—Sí, es cierto, lo siento Samuel. No era consciente de todo lo que acabas de decirme. Tu clarividencia me sorprende en un descendiente de usurpadores, ¡ja, ja, ja! —dijo Diocelina, provocando la carcajada de los tres.

—Samuel, has conseguido lo que yo jamás he podido.

—¿Que entendiera que no somos descendientes de Hernán Cortés?

—No… ¡Que te diera la razón! —vitoreó Kunturi dándole la mano a Samuel. Los tres rieron a gusto, consiguiendo que se relajara el ambiente por completo.

A Samuel le pareció ver algo en la pared de detrás de Kunturi. Se inclinó hacia un lado, tapó con su mano el reflejo de la llama del fuego y vio que tenían una guitarra española colgada de la pared.

—¿De quién es esa guitarra? —preguntó Samuel señalándola.

—Es mía —respondió Diocelina.

—¡Ja, ja, ja! Esto sí que es curioso… así que… ¡Te gusta la guitarra española! —dijo silabeando la última palabra para remarcarla.

Diocelina se quedó con los ojos abiertos de par en par, mirándola.

—No me había dado cuenta hasta ahora.

—¡Ja, ja, ja! ¡Ésta sí que es buena! Por favor, Samuel, ¡quédate todo el tiempo que desees! —dijo desternillándose Kunturi.

—¿Sabe tocarla? —preguntó Samuel.

—Pues claro, ¿para qué si no tendría yo una guitarra? —dijo levantándose y descolgándola de la pared— ¿Quieres que toque algo?

—¡Sí, por favor! —exclamó Samuel

Diocelina tocó varias melodías lentas acompañándolas con el susurro de su voz. Samuel disfrutó de ese momento, en el que fue plenamente consciente de que había sido, probablemente, el día más importante de su vida. Había sentido a Dios y su Amor, después de tomar la ayahuasca y estar muerto durante algunos minutos. Estaba en mitad del Amazonas, cenando con una familia de un chamán quichua, disfrutando de una bella melodía, con los sonidos de la selva de fondo. Desde luego, había sido un día como para escribirlo en un libro.

—Gracias por la preciosa música —dijo Samuel asintiendo con la cabeza—. Yo también solía tocar la guitarra.

—¿Ya no la tocas? —preguntó Diocelina.

—No… hace mucho que la abandoné —respondió cabizbajo Samuel.

—Entonces es hora de volver a sentir la conexión con ella —dijo Diocelina ofreciéndosela, con una sonrisa.

Samuel se quedó pensativo tras la frase de Diocelina.

—Volver a sentir la conexión… —dijo para sus adentros. Quizás por eso quiso dejar de tocar, no quería sentir la conexión con su padre.

Tomó la guitarra entre sus manos, la observó con detenimiento. La vio extrañamente familiar. Se levantó y se sentó en una silla que había detrás de él. Se colocó la guitarra y la comenzó a observar. Hacía tantos años que no se acercaba siquiera a una, que no sabía si era capaz de tocarla mínimamente. Por costumbre, que parecía tener interiorizada, comprobó que estuviera afinada. Ajustó varias cuerdas sin percatarse de que Diocelina le miraba con cara de enfado, puesto que ella creía que tenía suficiente buen oído como para tenerla bien afinada. Por unos instantes se quedó pensativo, buscando con qué deleitar a sus nuevos amigos. De pronto, una melodía pasó por su cabeza, la última pieza musical que aprendió: *Entre dos aguas*, del mayor maestro de guitarra que nunca ha existido, Paco de Lucía. Estuvo perfeccionándola durante más de dos años para darle una sorpresa a su padre, ya que era su canción preferida, pero, no recordaba muy bien por qué razón nunca se la llegó a tocar. Pensó que sería un buen momento para interpretarla, pese a su gran dificultad en la ejecución. Era la canción perfecta para retomar la conexión con su padre, a través de la guitarra…. Todo, una vez más, estaba conectado…

Samuel estaba un poco dubitativo en un inicio. Desentumeció sus dedos haciendo un par de riffs y cuando hubo calentado suficientemente sus manos, se lanzó a la ejecución de la maravillosa pieza. Cuando Samuel ensayaba esta canción para dedicársela a su padre se aprendió hasta los gestos que hacía Paco de Lucía cuando la interpretaba. Los había interiorizado tanto que salieron al exterior con cada nota de la canción. Samuel tocó como un auténtico profesional. Diocelina se quedó completamente boquiabierta… Jamás había oído salir esa música de su guitarra, nunca se había imaginado que pudiera emitir tales sonidos. Llegó un momento en el que, lo que le transmitía, le hizo comenzar a llorar. Hasta Kunturi, que nunca había prestado mucho interés a la música, se quedó absorto escuchándole, balanceándose al ritmo del compás que marcaba Samuel con el pie izquierdo.

Tras unos cinco minutos interpretándola, Samuel paró de golpe para acabar la canción. Había estado tocando con los ojos cerrados, completamente conectado con aquella melodía y con la guitarra, como en trance, recordando una y otra vez las imágenes de su padre llevándolo a practicar sus clases de guitarra y reviviendo la ilusión con la que se empeñó, pese a su gran dificultad, en aprender esta canción. Samuel estuvo tan concentrado, que al abrir los ojos se dio cuenta de que mucha gente del pueblo se había asomado por la entrada y las ventanas de la cabaña. Cuando acabó, nadie decía nada, nadie se movía. Diocelina lloraba abundantemente. Samuel miró a todos, extrañado. De pronto, Kunturi comenzó a aplaudir y el resto le secundó. Samuel supo entonces que había tocado la guitarra y conectado con su alma, como lo hacía Paco de Lucía.

—Para ti papá —pensó para sus adentros, besando la guitarra y alzándola con ambas manos en señal de ofrecimiento.

Diocelina se levantó profundamente conmovida y le abrazó.

—Gracias Samuel, Dios ha hablado a través de ti, de tu boca y de tus manos. Me siento profundamente agradecida de que mi esposo decidiera traerte con nosotros. Gracias por la lección de vida que me has hecho aprender hoy —dijo Diocelina.

—No Diocelina, no he sido yo… la ha aprendido usted sola. Si no hubiera estado dispuesta a aceptarla, la lección habría pasado inadvertida.

—Agradezco a Dios por haberte traído hasta aquí.

—He dado un buen rodeo hasta llegar, ¡no crea! —apuntó en tono chistoso— ¿Puedo hacerle una última pregunta?

—Claro, lo que desees.

—¿Cómo es posible que usted tenga una guitarra fabricada por *Sanchís Carpio*?

—Es un regalo.

—¿Un regalo?

—Sí, vino un hombre hace un par de años, a visitar el asentamiento, con una excursión, igual que tú, desde el *Sukipachari lodge*. Vio que teníamos una guitarra vieja que compró mi padre a un comerciante. Estaba colgada de la pared de la cabaña donde habéis estado realizando el rito de la ayahuasca. El hombre, estando muy agradecido por el trato que recibió y al ver el estado tan deplorable en el que estaba aquella vieja guitarra, nos prometió que nos enviaría una nueva —relató Diocelina— Yo ni me acordaba de aquello, cuando, casi un año después, llegó esta guitarra, desde España, con un mensaje dentro de un sobre. Todavía lo debo tener en la funda de la guitarra.

Diocelina se levantó, escudriño apartando algunas cosas que tenía en un rincón, hasta que dio con la funda. La tumbó en el suelo y la abrió. Efectivamente, la nota estaba dentro. La cogió y se la dio a Samuel.

Samuel comenzó a leerla, era una nota en español. Se quedó paralizado. Un escalofrío recorrió todo su cuerpo. Su corazón comenzó a desbocarse y su respiración se aceleró. Miró a Diocelina, con la nota todavía en su mano.

—Hijo, ¿estás bien? ¿Qué te ocurre? —Samuel no le respondía.

Alma no pudo cenar mucho aquella noche, pero al menos, la cena le sirvió para dejar de pensar constantemente en cómo estaría su hermano. La conversación con Rubén, Maritza y Andrés fue muy amena. Maritza no pudo dejar de relatar, al principio de la cena, lo que habían vivido esa tarde con Samuel. Todos los presentes estaban de acuerdo en que la ayahuasca no había podido ser capaz, por sí sola, de provocarle el paro cardíaco, si es que lo fue. Después de dejar a un lado el tema más candente del día, le contaron a Alma, cómo y por qué fundaron el *Sukipachari jungle lodge*.

—Yo soy un enamorado de mi país —proclamó Rubén—. Siempre había vivido en Quito, una ciudad que te seduce mientras recorres cada rincón del casco viejo. ¿La ha visitado alguna vez, Alma?

—No, la verdad es que pensaba que lo haría en este viaje, pero mi padre nos tenía reservados otros sorprendentes planes —dijo sonriendo y señalando su entorno.

—No se preocupe, cualquier día que lo desee está invitada usted y su familia a nuestra ciudad. Estamos muy cerca de Miami, así que cualquier fin de semana no dude en visitarla, le encantará —afirmó Rubén.

—No dudo de que volveré, estoy gratamente sorprendida por este país y eso que, ¡llevamos aquí tan solo un día!

—Pero… ¡menudo día! —añadió Maritza, provocando la risa de todos.

Rubén continúo con su exposición:

—Como le decía, yo siempre he sido un enamorado de Ecuador y un urbanita desde mi nacimiento. Pero, un día, tomamos el auto mi esposa, mis hijos y yo mismo y nos fuimos a recorrer esta zona, atravesando Riobamba, nos plantamos en el Napo, en Puerto Misahuallí. Desde Riobamba no parábamos de decir: ¡mira allí!, ¿¡has visto eso!?, ¡no te pierdas aquello! Imaginad, una familia de urbanitas que entraban en contacto con la naturaleza de esta zona de Ecuador. Pero, cuando cruzamos el puente de hierro de Puerto Misahuallí todo cambió. La naturaleza se hizo aún más salvaje. La pequeña ciudad, que ya en aquella época era un centro vacacional para el país, era la puerta de entrada a la selva amazónica, agreste, salvaje, inmensa, llena de vida. Estuvimos durante tan sólo una semana, pero nos cambió la percepción que teníamos de la vida hasta entonces. No sé si le pasará a usted, pero antes de pisar un sitio como éste, para mí, la naturaleza eran los árboles del parque de mi barrio y las montañas cercanas a Quito, nada más. Decidí, junto a mi esposa, que nunca volveríamos a permitirnos vivir a espaldas de la naturaleza. Estuvimos dando vueltas sobre qué podríamos hacer, hasta que, finalmente, decidimos que podríamos emprender un negocio aquí.

—Y, por lo que veo, lo consiguió —afirmó Alma.

—Efectivamente, no sin muchos contratiempos, no crea.

—No lo dudo, seguro que fácil no fue.

—Nosotros no queríamos crear un sitio como los que ya había en la ciudad, sitios muy atractivos, pero que eran como cualquiera de los hoteles que pueden encontrar en cualquier parte del mundo. Queríamos crear algo único, que fuera una experiencia que cambiara la percepción de cualquiera que se hospedara aquí, para que, cuando se volvieran a sus zonas de origen, se llevaran consigo el amor por la Naturaleza.

—Es un propósito muy bonito el suyo… —dijo Alma juntando sus manos y entrecruzando los dedos.

—Tampoco queríamos quedarnos en Puerto Misahuallí, ya estaba demasiado saturada de establecimientos turísticos. Buscábamos una experiencia plena, alejada de la civilización, de los coches, en plena selva. Estuvimos buscando tierras para iniciar la construcción del hotel durante meses. Primero fue muy complicado encontrar algo que nos gustara de verdad, que tuviera, además, fácil acceso y, por último, que estuviera en plena selva. Encontramos varias localizaciones, pero era casi imposible averiguar el paradero de los dueños de los terrenos, hasta que, por fin, hace casi veinte años ya, compré los terrenos donde ahora se levanta este *lodge* al que me gusta más llamar reserva de la naturaleza —explicó con gran entusiasmo Rubén.

—Pues le doy mi enhorabuena, porque el sitio cumple con todo lo que planificaron. Es excepcional y único —alabó Alma.

—Sí que lo es —afirmó también Andrés.

—Pues casi lo damos por imposible, menos mal que conversé con un lugareño, llamado Marco, con el que todavía mantengo una profunda amistad. Fue él quien me habló de un lugar privilegiado, junto a una laguna, que es la que está al lado de la entrada. Él sólo me dijo que existía cuando le conté qué quería hacer en él. Hasta que no me escuchó y le convenció mi proyecto no me dijo que existía esta maravilla de la Tierra. Me trajo andando, siguiendo el curso del río Pusuno. Todavía recuerdo la primera vez que vi la laguna y la naturaleza salvaje llena de vida que la rodeaba. ¡Miren! ¡Si es que aún se me eriza el vello de los brazos cuando lo pienso! —dijo enseñando sus antebrazos a los presentes.

—No hay nada como vivir tu sueño… —expresó Alma con voz suave.

—Sí, pero los sueños se han de perseguir… y ¡mucho! ¿Sabe cuánto tiempo me costó levantar los primeros cuatro alojamientos, además del restaurante y las estancias para nosotros?

—Supongo que mucho…

—Nada menos que tres años. Tres largos y maravillosos años.

—¡Madre mía!

—Imagínese el esfuerzo por parte de nuestra familia. Seguíamos viviendo y trabajando en Quito y teníamos que venir muy a menudo, siete horas de coche, atravesando los Andes en invierno… Fueron años muy difíciles que pusieron contra las cuerdas a nuestro sueño —Rubén hizo una pequeña pausa para continuar después—. Después nos dimos cuenta de que ese tiempo fue crucial para que nuestro negocio tuviera la orientación adecuada y fue porque, para llevar el material para la construcción a la reserva, conocimos todos los asentamientos indígenas que nos rodean y creamos lazos fuertes de amistad y de cooperación que todavía nos unen fuertemente, compartiendo un sólo propósito: amar y proteger esta gran naturaleza que nos rodea, cumpliendo una labor primordial de educación y concienciación con todo aquel que pase con nosotros sus vacaciones.

—Es fantástico. Todo lo que transmite, lo que dice… usted está viviendo su propósito de vida. Es admirable lo que ha conseguido. Enhorabuena.

—¿Y usted? —preguntó Rubén a Alma, que estaba bebiendo un trago de agua en ese momento.

—¡Humm! ¿Yo? —dijo casi atragantándose ante una pregunta que no se esperaba.

—Sí, ¿está usted viviendo su sueño?

—¿Mi sueño? Supongo que sí… estoy criando y educando a mis tres maravillosas hijas. Es mi propósito de vida y estoy muy feliz de llevarlo a cabo.

—¡Ah! ¡Fantástico! Eso tampoco es nada fácil, desde luego y ¡cuesta más de tres años!

—Sí… ¡por ahora van trece!

—¡Nada menos! Y… ¿Ha pensado qué va a hacer cuando se marchen de casa?

Alma se quedó parada, pensando qué respuesta dar a esa pregunta que tantas veces se había hecho y que hacía tanto tiempo que no se respondía.

—Pues, la verdad, supongo que buscar un trabajo y volver al mundo laboral —señaló sin mucha convicción.

—Y, disculpe que le pregunte de nuevo…

—Sin miedo, adelante, pregúnteme.

—¿No va a buscar su propósito en la vida?

—Mi propósito son mis hijas.

—Disculpe que insista, pero, cuando sus hijas tengan su propia familia, ¿qué va a hacer usted?

—Pues… —dudó algunos segundos—, supongo que cuidar de mis nietos cuando me necesiten.

—¿Y si no tiene nietos?

—Eso es imposible. Los tendré seguro.

—¿Cómo está tan convencida?

—Porque lo estoy…

—¿Y si viven a miles de kilómetros de distancia?

Alma bajó la mirada. Había pensado muchas veces en esa posible situación, pero no había encontrado respuesta alguna. En realidad, estaba segura de que no sabía cuál era su propósito en la vida. En no pocos talleres de crecimiento personal le habían hablado de que la vida, viviendo un propósito, es el fin último del crecimiento personal, porque acarreaba todo lo demás. La teoría la tenía clara, pero no así la práctica. Había intentado una y otra vez encontrar su camino, pero por alguna razón se le había resistido hasta entonces. Era un tema que le agobiaba, porque cada vez que lo intentaba le resultaba imposible llegar a alguna conclusión y se le hacía cada vez más costoso, llegando hasta el punto de bloquearlo en su mente, para evitar sufrir.

Rubén, comprendiendo perfectamente su respuesta, le dijo:

—No se preocupe, Alma, no importa que ahora no sepa cuál es su propósito, lo importante es no dejar de buscarlo. Tarde o temprano, si no ceja en su búsqueda, aparecerá sutilmente y su vida será absolutamente extraordinaria.

—Pero no tengo por qué tener un sólo propósito, ¿verdad?

—¡No, claro que no! Un propósito le puede llevar a otro mayor, lo importante es ir haciendo caso a su interior y dejar a un lado los miedos por las limitaciones y por el qué dirán y lanzarse a por todas a vivirlo. Dios siempre nos ayuda cuando estamos enfocados en un propósito, siempre. Una vez que lo encuentras, tu vida ya no vuelve a ser la misma, y sientes en tu interior que lo estás viviendo, lo sabes sin ningún tipo de duda.

—Pero pueden surgir dudas cuando se presentan dificultades para poder vivirlo, ¿no es así?

—Sí, dudas de cómo lo harás sí… muchas, constantemente, pero el deseo de conseguirlo es mucho mayor. Aunque, no le voy a engañar, mucha gente lo abandona y se resigna a vivir una vida sin propósito propio, viviendo el de otra persona. Y, por desgracia para todos, son la gran mayoría.

Esas palabras sacudieron el interior de Alma como un terremoto. ¿Vivir ella el propósito de otra persona? Ninguna otra frase podría haberle causado tanto dolor como la de pensar que ella pudiera terminar viviendo el propósito de otro y no el suyo propio. Sabiendo todo lo que sabía, después de tantas formaciones y talleres, esas palabras le hicieron recapacitar sobre su continua negativa a pensar sobre su propósito. El dolor que sintió al imaginarse en una vida sin ilusión, sin un objetivo claro, sin aportar nada que ella realmente quisiera, era mayor que el miedo que le causaba el no encontrar su camino. En su vocabulario ya no contemplaba palabras con una connotación tan negativa como "resignarse", hacía tiempo que las había desterrado junto a otras como "conformarse", "mediocridad" o frases como "la vida es así, es lo que hay".

Después de tantas conversaciones con distintas personas que conocieron a su padre, Alma todavía seguía sorprendiéndose de la capacidad de transformación que tenían las palabras. Ella se había imaginado que viviría todo tipo de aventuras a lo largo de los viajes, como visitar ciudades de antiguas civilizaciones, hacer excursiones con dromedarios cruzando algún desierto, o escalar grandes cumbres, pero lo cierto es que las aventuras las estaba viviendo en su interior, con simples conversaciones. Estaba asombrada por cómo se estaban desarrollando los acontecimientos y profundamente agradecida a su padre.

Samuel se quedó paralizado, en estado de shock, durante varios minutos. El pulso le temblaba cuando Diocelina le pidió que le dejara releer la nota que ella misma le había dado antes. El texto decía: *'Por un mundo unido por la música de la guitarra, con cariño, Martín'.* Cuando acabó, levantó la mirada y se cruzó con la de Samuel.

—Martín era mi padre —dijo titubeante.

—¡Dios mío! —exclamó con estupor Diocelina. Kunturi miraba incrédulo a ambos.

—Esto…. esto no puede ser casualidad… Dios mío… en mi vida realmente encaja todo, cada momento, cada palabra, cada encuentro, nada está fuera de lugar, es todo como una armonía de guitarra en la que no sobresale ninguna nota por encima del resto. Toda mi vida creyendo que me pasaban cosas malas o buenas dependiendo de lo que hiciera o pensara, o si tenía más o menos suerte y resulta que no hay nada de eso, nada es bueno ni malo, todo pasa por una razón y ésta me va llevando por el camino por donde discurre mi vida —dijo con los ojos abiertos de par en par, sin pestañear siquiera una sola vez, mirando al horizonte, como si estuviera leyendo interiormente lo que acababa de decir—. La cuestión que se me plantea es la siguiente: ¿ese camino ya lo tenía Dios pensado con anterioridad, o se va dibujando a medida que cada uno toma ciertas decisiones o realiza ciertas acciones?

Samuel se quedó en silencio durante unos segundos, luego, continuó:

—Ustedes no lo saben, pero yo estoy aquí, junto con mi hermana, para despedirnos de mi padre, pero él parece que desea lo contrario, no deja de estar con nosotros. A cada lugar al que vamos, cada vez que nos despedimos de él y de mi madre, depositando sus cenizas en cada sitio, él está más presente en nuestras vidas, a través de encuentros casuales con personas que luego no puedo volver a encontrar, a través de objetos, como un diario, una cámara o una guitarra. Tengo la sensación de que todo esto forma parte de un plan mucho mayor, mayor que mi vida, que la de mi padre o que la de todas las personas que conozco. Hoy, la ayahuasca me ha permitido ver la unión que tenemos todos los seres humanos, pero no directamente entre nosotros, la unión es siempre a través de Dios. La he visto y sentido claramente. Si lo que he visto es cierto, si lo que he sentido es verdadero y no ha sido parte del efecto alucinógeno de la planta, Dios tiene un plan maestro, no sólo para cada persona, sino para todos nosotros como conjunto. Desconozco con qué motivo o por qué razón, pero ahora sé y lo veo con una claridad que hasta podría tocar, que ¡Dios tiene planes para cada uno de nosotros! —gritó en voz alta, sorprendiéndose a sí mismo de hasta dónde le había llevado su deducción.

Diocelina miró con ojos de estupefacción a su esposo. Kunturi tenía la mirada clavada en Samuel desde hacía minutos, con cara de estar atónito por el grado de consciencia que Samuel había adquirido en tan poco tiempo. Sospechaba que una cosa así podría pasar, sobre todo viendo el cambio de intensidad y de tonalidad de su aura. Pero, aun así, estaba realmente sorprendido por todos los pensamientos que había exteriorizado Samuel. A él le había costado décadas de meditaciones y oraciones llegar a intuir lo que Samuel explicaba con una claridad asombrosa. No sabía qué pensar, había superado todas sus expectativas. En realidad, estaba deseoso de que se quedara aún más tiempo, para poder aprender de la sabiduría interior que parecía que había emanado de la nada.

Alma se despertó empapada en sudor y casi sin aliento. Miró a su alrededor y no reconocía el entorno. Palpó a oscuras a ambos lados de la cama, hasta que su mano chocó con lo que parecía ser una lámpara sobre una mesilla. Tanteó hasta encontrar el interruptor que la encendía. El resplandor repentino de la bombilla pilló desprevenidas a las dilatadas pupilas de Alma. Tardó varios segundos, en los que no hizo otra cosa que frotarse los ojos, hasta que comenzó a intuir dónde se había despertado. Enseguida reconoció la cabaña del *lodge* donde, ahora sí, recordaba que estaba alojada.

Todavía estaba nerviosa por el sueño que acababa de tener. Se apartó el cabello de la cara, cogió una goma de pelo que había dejado antes de dormirse en la mesilla y se recogió la melena morena. Empezó a abanicarse con la palma de la mano, el calor y la humedad se habían hecho más patentes. Pensó en ir al baño y mojarse la cara y el cuello, pero todavía estaba algo confusa y un poco mareada. Intentó recordar por qué se había puesto así.

En su sueño, ella se había convertido en un ave. Sentía sus patas, apoyadas en la roca, en lo alto de una montaña. El aire que azotaba su cuerpo era fuerte y frío, pero ella no lo sentía porque su plumaje, muy frondoso, le protegía. Se sentía ciertamente bien, admiraba desde esa posición, a gran altura, todo un valle verde, surcado por numerosos ríos, todo era un remanso de gozo y paz. Pero, de repente, el suelo comenzó a temblar. Primero fue un movimiento muy suave, como un cosquilleo, para después notar una sacudida que la tiró al suelo. Tumbada, giró su cabeza hacia la montaña donde se encontraba y se percató de que estaba sobre la cima de un volcán que se estaba abriendo. Ella, apoyándose con su pico y un ala, intentó a duras penas levantarse. Por fin, tras otra gran sacudida, logró incorporarse de nuevo. Enseguida extendió sus alas para lanzarse a volar y alejarse cuanto antes del volcán que parecía entrar en erupción. Una gran grieta se abrió de repente. Alma comenzó a batir sus alas, pero no podía alzar su vuelo. Batió con más y más fuerza, todo lo rápido que pudo, pero no consiguió alzarse ni un sólo centímetro, parecía estar pegada a la roca que tanto gozo le había proporcionado hacía unos instantes. De pronto, miró el cráter del volcán y vio cómo en milésimas de segundo, de la grieta salió disparada una gran roca de lava candente que chocó directamente contra ella. Ése fue el momento en el que se despertó.

Tras despejarse un poco, decidió levantarse para ir a lavarse la cara y secarse el sudor. Cuando volvió, se quedó de pie, mirando el suelo, recordando, una vez más, el sueño que acababa de tener. Decidió que dejaría para mañana la búsqueda de una explicación, si es que la tenía, cuando, al alzar su mirada, vio el pájaro que tan mala sensación le había causado cuando llegó el día anterior.

—Un pájaro… el cóndor de los Andes, el símbolo de libertad… Pues parece que he tenido poca libertad convirtiéndome en un cóndor esta noche —pensó en tono chistoso, Alma.

Se sentó durante algunos minutos, volviendo a repasar las imágenes que recordaba del sueño, hasta que decidió intentar volver a dormir.

Samuel no podía conciliar el sueño. Demasiadas emociones habían hecho mella en su equilibrio interior. Tumbado en la cabaña, escuchaba cómo Kunturi roncaba plácidamente, emitiendo unos sonidos que bien se podían confundir con alguna bestia de la selva.

Tras muchos intentos sólo consiguió relajarse un poco. Cuando faltaban un par de horas para amanecer, el cansancio pudo con el nerviosismo y cayó rendido.

Cuando Samuel abrió poco a poco los ojos, la luz del sol entraba por todos los huecos de la cabaña. Parecía que hacía tiempo que había amanecido. Se sentía bastante entumecido, no estaba acostumbrado a dormir sobre el duro suelo. Cuando su vista se aclaró, y por fin pudo enfocar con los ojos entreabiertos lo que tenía delante, varias cabezas asomaban por el quicio de la puerta y por el borde inferior de la ventana. Varios niños estaban observándole. Samuel supuso que era la nueva atracción del pueblo, no estaban acostumbrados a que un forastero durmiera en una de sus casas y mucho menos, alguien que había vuelto del mundo de los muertos. Pese a lo poco que había dormido, se encontraba descansado. Pensó en darles un susto a los niños, cuando decidió, de un bote, sentarse al grito de '¡¡¡UHAAAAAA!!!'. En ese instante, Diocelina, que estaba a su espalda, dio un salto, cayéndose hacia atrás y tirando toda la yuca que estaba preparando, acompañando la caída con una cara de terror como si un espíritu viniera a reclamar su alma. Los niños, que en un principio se habían asustado mucho, volvieron poco a poco a asomar de nuevo sus cabezas, para ver lo que le había pasado a Diocelina. Al verla, no pudieron parar de reír. Samuel, que ni siquiera había visto a la pobre mujer, se percató de que alguien más estaba en la cabaña, cuando oyó el golpe del recipiente de yuca contra el suelo.

—¡Dios mío! ¡Discúlpeme! ¿Está usted bien? —dijo Samuel levantándose rápidamente para ayudar a la mujer.

—¡Qué susto hijo! ¿Quieres que haga el mismo viaje que hiciste tú ayer? —dijo agarrándose de las manos de Samuel para incorporarse.

—¡Ja, ja, ja! ¡No la había visto! ¡Madre mía se ha caído todo lo que estaba preparando! ¡Discúlpeme!

—Sí… anda, ayúdame a recogerlo —propuso Diocelina mientras se recomponía y se disponía a recogerlo de rodillas—. Ten cuidado, que todavía está muy caliente.

—¿Qué es esto? —preguntó Samuel mientras recogía una especie de tubérculo blanco.

—Es yuca. Estaba preparada para ser triturada y hacer una pasta con la que obtenemos una bebida que aquí llamamos 'chicha de yuca'. ¿Conoces la yuca?

—Me suena haberla visto en algún supermercado de Miami, pero la recordaba marrón, ¿puede ser? —preguntó mientras se agachaba para recogerla.

—Sí, la acabo de pelar con este cuchillo —dijo señalando un cuchillo enorme que estaba apoyado contra la pared.

—¡Menudo machete! —exclamó asombrado Samuel al ver el tamaño de aquel cuchillo— ¡Me he jugado la vida dándole el susto! —dijo Samuel, provocando una carcajada de Diocelina.

—No me la juegues la próxima vez, hijo de usurpadores, que sino ya sabes… —apuntó bromeando mientras hacía el gesto de pasarse el cuchillo cerca del cuello.

—Diocelina…. y, ¿cómo cocináis la yuca?

—Bueno, se pueden hacer tortitas con ella, pan y lo que estoy haciendo yo ahora, la chicha.

—No sé lo que es la chicha.

—Espera —Diocelina se levantó y abrió una tapa de un recipiente. Metió la mano y depositó un poco de la pasta con líquido blanco en un bol de barro, la apretó y la amasó varias veces. Repitió la misma acción un par de veces más y luego metió la mano en el bol para sacar todos los restos que quedaban de la pasta. Samuel no solía ser muy escrupuloso, pero ver cómo metía la mano en el líquido tampoco es que le hiciera gracia—. Toma, pruébala.

Samuel probó un trago de aquella bebida. Sólo por el hecho de acercarse el bol con la chicha, su estómago le recordó que no había desayunado. La probó y su sabor, fuerte y ácido, en un inicio le produjo rechazo.

—Es algo fuerte su sabor, ¿verdad?

—Sí, algo sí… parece que tiene alcohol… pero cuando la tragas… te deja un gusto agradable… ¡me gusta!

Samuel se bebió toda la chicha que había en el bol poco a poco. Al final le había resultado quizás demasiada cantidad, pero suponía que ese iba a ser su único desayuno, así que no perdió la oportunidad de tomar energía por si las moscas.

—¿Quieres ver cómo la hago y me ayudas? —propuso Diocelina.

—¡Claro! ¿Qué hay que hacer? —dijo Samuel predispuesto.

—Mira, echa cada trozo de la yuca en este recipiente de madera, así, repartido por todo, a lo largo —explicó señalando un recipiente de madera grande, en forma de canoa.

Samuel colocó, de la mejor manera que supo, todos los trozos de yuca. Después, Diocelina con la ayuda de un mortero de madera, de un metro de alto, comenzó a machacarla hasta convertirla en una pasta.

—¿Ves? Hay que darle fuerte, hasta que se deshagan todos los trozos. ¿Quieres hacer tú el resto que queda por machacar?

—¡Sí! ¡Claro! —respondió con ilusión.

Cuando ya había aplastado una gran parte de toda la yuca, Diocelina metió su mano en la pasta y extrajo una bola que amasó con la mano. Lo que hizo a continuación le revolvió las tripas a Samuel, porque, pese a que no era demasiado aprensivo tenía ciertos límites y con lo que acababa de hacer Diocelina, los había traspasados todos de golpe. Se metió la bola de yuca machacada en la boca, la masticó durante unos segundos y la escupió de vuelta, esparciéndola con el resto. Samuel se quedó clavado mirando cómo todavía tenía restos de la yuca en la boca y recordando que acababa de beberse todo un bol enorme de chicha. Sin vacilar, tomó otra bola y volvió a hacer lo mismo. Lo repitió varias veces hasta que se percató de que Samuel había dejado de machacar la yuca y estaba mirándola con cara de espanto.

—¿Ya te has cansado, hijo? —preguntó sin percatarse de su repulsión.

—Eh… no… es sólo que….

—¡Ah! ¡Ya! Que quieres también tú masticarla, ¿verdad?

—¡No, no! No me apetece, de verdad… —dijo agitando la mano izquierda.

—Entonces… ¿Qué te ocurre? Todavía hay yuca por triturar, ¿no me vas a ayudar más? —preguntó sin entender muy bien qué le ocurría.

—Sí, sigo ayudándola, sólo que…. ¿por qué hace eso?

—¿El qué? ¿Masticarla?

—Y escupirla —añadió Samuel arqueando una ceja, capacidad que adquirió desde que tenía tres años.

—Es la mejor manera de que fermente bien la yuca.

—Ya… pero resulta un poco….

—¡No te preocupes! ¡El proceso de fermentación lo limpia todo!

—No sabe lo que me alivia eso… —dijo Samuel, retomando el proceso de machaque del tubérculo.

—Entonces, ¿no quieres probar? —insistió una vez más.

—No, se lo agradezco, pero se lo dejo a usted, que es la experta.

—Como gustes…

Samuel terminó de machacar la yuca y ayudó a Diocelina a verterla en otro recipiente, para que fermentara durante un día entero, antes de poder tomarla.

De repente, se dio cuenta que Kunturi no estaba por la cabaña.

—¿Y Kunturi?

—Salió de pesca con el resto de hombres antes de que saliera el sol. Estarán a punto de volver.

—Hasta que llegue, creo que voy a aprovechar a dar una vuelta por la comunidad y a hacer unas fotos, que, por suerte, me traje la cámara. ¿Quiere que le haga una foto?

—¡Uy! ¡No hijo, no! ¡Qué no estoy nada elegante! —renegó meneando la cabeza.

—¡Usted lleva la elegancia siempre consigo! —replicó Samuel sonriendo.

—¡Muchas gracias hijo! En otro momento me la haces, si quieres.

—De acuerdo, en otro momento entonces. Me preguntaba, donde estaba el baño…

—¡Ah! ¡Sí! mira, ven —Diocelina se acercó a una ventana de la parte trasera de la cabaña y se asomó por ella— ¿Ves esos árboles de allí?

—Sí, los altos.

—Esos. Pues a partir de allí, donde más cómodo te encuentres.

Samuel se quedó rojo de vergüenza, no porque tuviera que irse a la selva a hacer sus necesidades, sino por pensar que, en mitad del Amazonas, tuvieran un retrete.

—Si deseas lavarte, en la parte de atrás tienes cubos de agua y una pastilla de jabón natural. No gastes mucha agua, o tendrás que ir a reponerla al río, y no está muy cerca —informó Diocelina.

—De acuerdo, lo tendré en cuenta.

Samuel decidió acicalarse un poco. Le habría encantado darse un buen baño, pero no quería gastar los cubos y, además, seguía teniendo admiradores. Los niños volvieron a aparecer de nuevo en cuanto puso un pie fuera de la cabaña.

Se lavó como pudo, ante la atenta mirada de los niños, que reían y hablaban sobre la piel blanquecina del extranjero. El calor era intenso, así que se secó rápidamente al aire. Tras una fugaz visita más allá de los árboles altos, Samuel se dio una vuelta por el pueblo. Hizo una foto a una mujer que portaba en un costado a un niño de no más de un año de edad, sostenido por una tela gris anudada por delante. En la frente sostenía una cinta de cuero que estaba atada a una especie de red, con decenas de raíces de yuca recién recolectadas que todavía conservaban la tierra húmeda. Con todo el peso que llevaba, aún tuvo fuerzas para sonreír cuando Samuel le hizo señales para pedirle permiso para hacerle una foto, a lo que accedió gustosamente. Samuel pensó que acababa de hacer una foto fantástica, pues la sonrisa de la mujer era preciosa y, justo en el momento del disparo, el niño de ojos oscuros y grandes miró directamente a Samuel.

Samuel fue saludando a todos los que salían a su paso. Sólo había mujeres en el poblado a esa hora, porque todos los hombres se habían ido a pescar al río, todos juntos, cosa que sólo hacían cada cinco o seis meses, para que la pesca fuera respetuosa con los ciclos de reproducción de las especies que habitaban el río. Cuando llegó al final del pueblo, la selva salvaje apareció en su máximo esplendor. Había vegetación por todas partes. No se intuía ni un sólo camino por el que transitar. Desde fuera, se divisaban unos árboles que medirían, según calculó a ojo Samuel, cerca de cien metros de altura, con gruesas y verdes lianas que se enredaban y abrazaban el tronco. Quiso acercarse a ver la fastuosidad de aquellos troncos que sostenían las copas que sobresalían del resto, pero luego pensó que adentrarse en la selva, con los miles peligros que se podría encontrar, desde reptiles, hasta insectos venenosos, no era muy conveniente para un urbanita como él, así que decidió dar media vuelta y volver a la cabaña con Diocelina.

Alma se despertó tarde esa mañana. Cuando despertó sintió que su cuerpo pesaba una tonelada, como si hubiera estado corriendo una maratón mientras dormía. Se sentó en el borde de la cama y, súbitamente, le vino el recuerdo del sueño que había tenido durante la noche. Recordaba perfectamente la sensación de tener el cuerpo recubierto de plumas y el tacto de la piedra en sus fuertes garras. Giró la cabeza y vio el fastidioso pájaro de madera. Pensó que, quizás, se estaba sugestionando con él y que por eso había tenido la pesadilla en la que la erupción de un volcán la engullía.

Miró el reloj de su móvil y marcaba las diez de la mañana. Ella seguía sin cobertura, cosa completamente comprensible en un lugar así. Se acordó de Samuel. Se preguntaba cómo habría pasado la noche en mitad de la selva. De pronto, se sintió sola y tuvo ganas de hablar con sus niñas y con Robert. Tomó una ducha rápida y salió de la cabaña en dirección al restaurante. Todavía quedaba algo para desayunar, pero Alma tenía otras prioridades.

—Buenos días Alma. ¿Cómo has descansado? —preguntó Maritza desde detrás de la barra del buffet.

—Buenos días Maritza, pues regular, la verdad. Demasiadas emociones en un solo día —respondió Alma encogiéndose de hombros.

—No es de extrañar. Yo he estado dando vueltas toda la noche, casi sin conciliar el sueño, recordando lo que le pasó a tu hermano.

—Espero que esté bien… tengo muchas ganas de ver cómo está —dijo Alma cabizbaja.

—Lo estará, de eso estoy segura. Kunturi es un chamán muy experimentado, seguro que lo ha cuidado a la perfección.

—Dios te oiga, Maritza… Por cierto, ¿tenéis teléfono para poder llamar a Estados Unidos?

—Sí, pasa por aquí, toma —Maritza le entregó un teléfono inalámbrico *Panasonic*.

—Luego me hacéis el cargo de lo que cueste la llamada, ¿de acuerdo?

—No te preocupes por eso, Alma. Habla con toda tranquilidad.

—Muchas gracias, Maritza.

—No hay de qué, ¿te pongo un café o un zumo?

—Las dos cosas… ¡muchas gracias!

Alma marcó el prefijo de Estados Unidos y, a continuación, el número del fijo de su casa. Nadie respondió. Mirando la hora, y siendo entre semana, era normal que no hubiera nadie. Colgó y llamó al móvil de su marido, pero dio tono hasta que se cortó. Suponía que Robert se había ido a algún juicio, de las decenas que tenía planificados para esa semana. Decidió hacer el último intento y hablar con Flora. Descolgó el teléfono al primer toque.

—¿Sí? ¿Quién es? —respondió con su peculiar acento.

—¿Flora? ¡Soy Alma!

—¡Alma, cariño! ¿Cómo estáis?

—¡Flora! ¡Qué alegría oírte! ¡Parece que me fui hace una semana!

—¿Tan intenso ha sido?

—No lo sabes bien.

—¿Y Samuel? ¿Cómo lo lleva?

—Bueno….

—¿Qué ocurre? —Flora lo intuyó al segundo.

—Está bien, no te preocupes.

—¿Le ha ocurrido algo?

—¡Buff!…. Flora, ayer fue un día muy duro —Alma estalló en llanto.

—Alma, ¿Qué ha ocurrido? ¿Dónde estáis?

—Tranquila, Flora, está bien. Estamos en la selva del Amazonas.

—¿¡En la selva!? ¿¡Cómo que en la selva!? —gritó Flora asustada.

—Sí, pero tranquila, estamos en un hotel, bueno, al menos yo.

—¿Dónde está Samuel? Alma cuéntamelo que ya estoy mayor para aguantar esta tensión.

—Samuel está en un poblado indígena, en el interior de la selva.

—¿Lo han raptado los de una tribu?

—¡Ja, ja, ja! ¡No, Flora! ¡Menudas ideas tienes!

—¡Yo que sé! ¡Me tienes asustada y se me ocurren todo tipo de cosas!

—Samuel decidió tomar ayahuasca hoy.

—¿Ha tomado ayahuasca? —preguntó sorprendida.

—¿Sabes qué es?

—Claro que lo sé.

—¡Vaya! yo lo desconocía antes de venir aquí.

—Y ¿qué le ha pasado?

—Samu… —a Alma se le había puesto un nudo en la garganta que le impedía hablar, hasta que volvió a llorar y consiguió liberar la tensión —Samuel ha tenido una experiencia muy traumática después de tomarla.

—Tengo entendido que te introduce en alucinaciones que a veces son bastante fuertes.

—No ha sido sólo eso, Flora….

—¿Por favor, me lo quieres contar de una vez? ¡Me va a dar algo!

—Pues… Samuel ha tenido un paro cardíaco durante los efectos de la alucinación, pero tranquila que el chamán ha reaccionado rápidamente y le ha dado un brebaje y, enseguida ha vuelto a respirar… Flora, Samuel ha estado muerto durante unos minutos, ha sido lo peor que me ha pasado en mi vida. Estoy aterrada.

—¡Dios mío! —Flora comenzó a llorar también—. Mi Sam… Dios mío…

—Tranquila Flora, Sam está bien. Cuando volvió en sí estaba algo débil, pero aparentemente bien. Ha estado hablando conmigo durante un buen rato y no le he notado ningún problema

—Entonces, ¿por qué se ha quedado en un poblado indígena?

—Porque el chamán ha preferido cuidarle durante esta noche y mañana, para asegurarse de que estaba bien —Alma no quiso contarle que Samuel todavía no se tenía en pie cuando se marchó.

—¿Y no sería mejor llevarle a un hospital?

—No creo que haya ningún hospital a cientos de kilómetros a la redonda. Pero te aseguro, Flora, que el chamán que le trajo de vuelta es la persona más adecuada para que le cuide ahora.

—Dios mío… "trajo de vuelta" es que no me lo puedo creer…

—¿Y no te has quedado con él?

—El chamán no me ha permitido que me quedara. Le he insistido una y otra vez y no me ha dejado quedarme.

—¿Y te ha dicho por qué?

—No me ha dado ni una sola explicación.

—Bueno, si crees que es quien mejor le puede cuidar ahora, estará bien allí… pobre Sam…

—Eso es lo que deseo creer con todas mis fuerzas, Flora. Estoy muerta de miedo. No quiero perder a mi hermano, no quiero quedarme sin nadie de mi familia... —hizo una pequeña pausa —bueno, ya me entiendes...

—Claro que te entiendo, Alma. Estará bien, presiento que se encuentra bien y ya sabes que yo suelo acertar con mis intuiciones.

—Eso es cierto, Flora. Ojalá tampoco te equivoques esta vez.

—¿Cuándo te reunirás con él?

—Mañana.

—Llámame en cuanto vuelvas, para saber cómo está. ¿Sabe algo Robert?

—No, no sabe nada, le he llamado antes y no me lo ha cogido.

—Está en el juzgado, hoy era el juicio contra la empresa química.

—¡Es cierto! no me acordaba... No le digas nada, Flora, que bastante lío tendrá en su cabeza, como para que piense en todo esto.

—No te preocupes, le diré que has llamado para decirnos que estáis muy bien, porque verá la llamada desde un número extranjero y quizás se preocupe. Así se quedará tranquilo.

—¿Y las niñas? ¿Cómo están mis pequeñas?

—Muy bien, Alma. Te echan mucho de menos, pero están bien. Pasado mañana se irán con la madre de Robert.

—Lo sé... ¿Dónde están ahora?

—En casa de Claire, que va a montar una fiesta por su décimo cuarto cumpleaños y le están ayudando a decorar la casa.

—Madre mía, Flora... catorce años ya... qué mayores se están haciendo...

—¡La vida corre veloz! Y dentro de nada, ¡a la universidad!

Alma, teniendo todavía en su mente la conversación de la noche anterior, se quedó pensativa durante unos segundos.

—¿Alma? ¿Sigues ahí? —preguntó Flora al no oír nada por el auricular.

—Sí, sí, estoy aquí... Bueno Flora, te dejo. Mañana te llamo y te cuento cómo está Samuel.

—De acuerdo, Alma. No te preocupes, tu hermano es muy, muy fuerte, seguro que estará bien. Hasta mañana, cariño, cuídate.

—Gracias, Flora. Cuídate tú también. Hasta mañana.

Alma colgó el teléfono. Tras la conversación, se quedó mucho más tranquila. Flora tenía esa capacidad, siempre la había tenido, pero ahora, con más edad, la había desarrollado y perfeccionado. Alma siempre creyó que Flora tenía un sexto sentido para ciertas cosas, no en vano había acertado numerosas veces con su intuición, como cuando le dijo que un novio que tuvo cuando era más joven no era lo que aparentaba, nada más presentárselo; o como cuando intuyó, días antes de que su madre enfermara y sin dar ninguna señal visible que le hiciera sospechar, que Blanca no estaba bien.

Inspiró profundamente, cerró los ojos y, en ese instante, se dio cuenta de que estaba respirando el aire más puro que jamás había tenido la oportunidad de respirar. De pronto, los sonidos de los pájaros y de otros animales que habitaban el entorno selvático comenzaron a hacerse notar. Alma se sorprendió de que, hasta ese preciso instante, los había ignorado por completo. De hecho, había salido de la cabaña y ni había mirado la maravilla que le rodeaba.

Decidió pensar en todo lo bueno que tenía en ese momento. Su hermano estaba vivo. Sus niñas estaban perfectamente, tenía un marido que era un regalo del cielo, la mejor consejera del mundo, Flora, y ella estaba en mitad de un auténtico paraíso. De pronto, reparó en que era una afortunada, que, en verdad, era una mimada de la vida. Solamente con cambiar de mentalidad, todo a su alrededor le pareció más luminoso, más vivo. Se llenó de vitalidad y de energía. Decidió que ese día se lo iba a dedicar a ella misma, que se lo merecía, después de tantos años de dedicación plena a su familia. Así que volvió a las mesas del restaurante y le pidió a Maritza un gran desayuno. Estaba dispuesta a hacer de aquel día, un día especial.

Cuando Samuel estuvo de vuelta en la cabaña de Diocelina y Kunturi, éste acababa de volver de la pesca colectiva. Se había traído una red entera de peces, unos peces que Samuel no había visto nunca.

—¡Buenos días, Kunturi!

—¡Buenos días, Samuel! ¿Has descansado bien?

—Sí, la verdad es que sí. Me costó mucho dormirme y finalmente caí en un sueño profundo.

—¿Te has levantado con energía?

—¡Sí! ¡Bastante!

—Eso es muy buena señal, sí… —asintió Kunturi —¿Has tenido algún sueño?

—Creo que no, y si lo he tenido, ni me acuerdo.

—Bien… eso es muy bueno…

—Kunturi, ¿qué peces son esos? —dijo señalando la cesta.

—Mira, ¿ves? —le indicó unos pequeños, dorados, con una especie de bigote color tierra— Estos son dinosaurios de agua. Se llaman "carachamas".

—No los había visto en mi vida y ¡mira que he visto peces de miles de especies! —dijo Samuel sorprendido, mientras inspeccionaba uno de ellos— ¡Esos de allí parecen pirañas!

—En efecto son de la misma especie que las pirañas y, de hecho, se parecen bastante, pero son inofensivos. Son los 'kapawari' y, ¡están deliciosos! Mira… —añadió señalando unos peces de unos treinta centímetros de largo, de tonalidad marrón verdoso, con manchas negras y largos bigotes— Estos son los "mota". Se les llama así por las motas negras de su piel. Son los más deliciosos de todos los que hemos capturado hoy. Ha sido un buen día de pesca, ¡ya lo creo! Hacía años que no capturábamos tanta cantidad. ¡Parece que tu visita ha bendecido al poblado! —declaró sonriente Kunturi.

—¡Vaya! ¡Pues me alegro mucho de haber podido colaborar! —bromeó Samuel.

Después de degustar parte de la pesca, Kunturi se levantó y sin perder un minuto, le dijo a Samuel:

—Vente conmigo, te voy a enseñar un arma muy antigua que usamos para cazar.

Al decirle aquello, Samuel se imaginó un cuchillo de dimensiones enormes, mayor que el que usaban para pelar la yuca. Si se las gastaban así con la yuca, ¡qué no tendrían para cazar!

Kunturi se acercó a un rincón de su cabaña y sacó un palo estrecho de unos tres metros de largo. Samuel se quedó un poco desilusionado, le pareció un arma demasiado simple para lo que se había imaginado.

—¿Qué es eso? ¿Una lanza?

—De armas sabes menos que de peces… —dijo sonriendo— Esto es una cerbatana.

—¿Una cerbatana? ¿En serio? Yo, de pequeño, ¡hacía cerbatanas con los bolígrafos vacíos!

—Y, ¿tirabas dardos envenenados?

—¿Dardos envenenados? ¡No! ¡Qué va! Tirábamos granos de arroz.

—¿Granos de arroz? ¿Con qué intención? Con eso no cazas ni una mosca… —Samuel se quedó perplejo con el comentario de Kunturi.

—¡No, no! ¡No es para cazar! ¡Es para jugar!

—Estaba bromeando… —dijo Kunturi sonriendo de medio lado.

—¡Ah! ¡Ja, ja, ja! ¡He caído en la trampa de lleno!

—¡Totalmente! ¡Como una alimaña de la selva! —se carcajeó Kunturi— ¿Quieres ver cómo funciona?

—¡Claro! ¿Con qué tipo de dardos dispara?

—Mira, con estos… —Kunturi le enseñó unos dardos hechos con puntas de madera afilados y finos, con unas plumas de ave de aspecto esponjoso, pegadas en el extremo.

—¿A ver cómo son? Tienen pinta de ser muy, muy afiladas… —dijo Samuel tomando una con dos dedos pillando a Kunturi desprevenido.

—¡Cuidado! —gritó de repente Kunturi

—¿Qué? ¿Qué he hecho? —dijo asustado Samuel.

—Si tocas la punta, estás muerto —siguió gritándole.

—Sí, claro. Dos veces tan seguidas no voy a caer en la trampa, ¡podría haberse esperado un poco al menos! —afirmó socarronamente Samuel.

—Samuel, te aseguro que ahora no estoy tratando de engañarte. Si rozas la punta de uno de estos dardos no habrá planta que te salve esta vez. Está impregnada de curare, una mezcla que es mortífera.

—¿Qué es curare? ¿Una planta?

—Son varias plantas cocinadas y preparadas para que el veneno sea letal.

—Y dice que estos dardos lo llevan —dijo medio en broma Samuel.

—Samuel, si lo tocas, primero notarás que tu cuerpo deja de responderte, no te podrás mover, hasta el punto de que tampoco podrás mover tus pulmones…

—Esto…. Casi mejor lo dejo con cuidado en esta tabla, ni siquiera quiero arriesgarme de dársela en la mano.

—Sí, mejor…. Mira, para usarla… —depositó los dardos encima de la tabla y tomó uno con cuidado— debes colocar la cerbatana en posición horizontal y luego introduces el dardo con mucha precaución para que no se te caiga en un pie. Y luego, apuntas y soplas con mucha fuerza. Si quieres, lo podemos probar con una papaya —señaló depositando de nuevo el dardo y apoyando la enorme cerbatana en la pared de la cabaña.

Entró dentro y sacó una enorme papaya que colocó a unos cincuenta metros.

—Está un poco lejos, ¿no cree? ¡No sé si tendré suficiente capacidad pulmonar para poder alcanzarla! —dudó Samuel.

—Con esta cerbatana puedes llegar a las copas de los árboles de papaya de allí —aseguró señalando unos árboles que estarían a más de cien metros de distancia—. Prueba a darle tú —le dijo acercándole la cerbatana.

Samuel la levantó para ponerla en posición horizontal, como Kunturi le había enseñado y éste introdujo un dardo dentro de ella. Samuel intentó apuntar como pudo con la enorme cerbatana, que pesaba lo suyo y resultaba poco manejable, debido a su envergadura. Cuando creyó tenerla en su punto de mira, tomó aire y lo soltó de golpe con toda la fuerza que pudo… tanto que se fue hasta los troncos de los árboles que antes le había señalado Kunturi.

—¡Madre mía! ¡Pero qué potencia tiene esto! Menos mal que no había nadie detrás, pero si he llegado a más de cien metros y ¡se ha clavado con muchísima fuerza!

—La has disparado bastante bien, para ser la primera vez. Un tiro muy poco preciso aunque potente.

—¡Con esto es muy complicado acertar a algo tan pequeño como la papaya esa! —protestó Samuel.

—Dame la cerbatana, observa cómo se hace.

Kunturi levantó la cerbatana y la colocó paralela al suelo. Introdujo el dardo en ella y apuntó a la papaya.

Disparó y se clavó con tanta fuerza que el fruto se cayó al suelo del impacto. Samuel se quedó asombrado por la puntería que tenía Kunturi.

—Impresionante, Kunturi, le ha dado justo en el medio y casi sin apuntar….

Sin decir ni una palabra, Kunturi introdujo otro de los dardos dentro de la cerbatana, dio tres pasos para adelante y apuntó a los árboles donde Samuel había clavado el dardo con su tiro. Esta vez, hinchó mucho más los pulmones y sopló con mucha más fuerza. El dardo salió con una trayectoria rectilínea, como si fuera una bala e impactó en una papaya que había en una de sus ramas.

—Estoy realmente impresionado…

—Hay que entrenar mucho si se quiere capturar algún mono para comerlo.

—¿Mata monos con esta cerbatana?

—Sí, está especialmente hecha para alcanzar las copas de los árboles, donde suelen estar.

—Pobres monos…

—Nosotros no matamos por diversión, Samuel. La selva nos ofrece todo lo que necesitamos para subsistir. La carne de mono representa un alimento esencial para nuestra tribu. El hombre occidental sólo piensa en los pobres animales, pero lo que desconoce, es que cada planta, cada árbol, cada insecto, forma parte del espíritu de la selva. Todo está conectado, hasta el agua que le da la vida y el viento que la atraviesa. Los humanos formamos parte de este espíritu, no estamos al margen de él.

La comunidad indígena cuida de este espíritu y mantiene el equilibrio de la selva, al igual que lo hace un cocodrilo, un jaguar, un mono, una serpiente o una araña. El hombre occidental, en cambio, lo único que hace es compadecerse de ciertos animales, sólo de los que le provocan ternura, pero, por el contrario, destruye sus hogares, mata por diversión, contamina el agua y el aire y sobreexplota la tierra, desequilibrando al espíritu constantemente. Vosotros los hombres occidentales siempre queréis imponer a la selva vuestras normas, sólo la veis como un proveedor infinito de recursos. Nosotros, en cambio, habitamos en armonía con ella y aceptamos sus normas.

—Discúlpeme Kunturi… tiene toda la razón. Yo no soy quien para juzgar a nadie. Lo siento mucho.

—Bueno, está bien que todos tomemos conciencia mutua de lo que creemos saber el uno del otro, pero que, en realidad, es falso. Ayer le tocó a Diocelina, hoy es tu turno.

—Sabias palabras, Kunturi. Me ha hecho reflexionar mucho sobre mi manera de pensar —Samuel hizo una pausa durante varios segundos frotándose la barba, para después añadir—. Creo que nosotros, los occidentales, vivimos tan desconectados de la Naturaleza que, cuando somos fugazmente conscientes de ello, intentamos defender causas puntuales y de forma temporal, y no vemos casi nunca el cuadro completo, no sentimos el espíritu del que habla, solo nos fijamos en una parte diminuta y con eso nos sentimos satisfechos —Samuel volvió a reflexionar unos segundos sobre lo que acababa de expresar—. Gracias, gracias, gracias Kunturi por esta enseñanza. Para mí, es muy valiosa.

—Tú no lo sabes todavía, Samuel, pero lo que ocurrió ayer te ha abierto una puerta que había permanecido cerrada para ti hasta entonces. Tu percepción ha cambiado, lo irás notando paulatinamente, pero de forma imparable. Ayer sanaste tu espíritu y él te lo agradece abriendo una vía de comunicación que antes estaba cortada.

—¿Una comunicación con qué, Kunturi?

—Con el mundo de los espíritus.

Samuel se quedó mirándole a los ojos. Kunturi observaba al horizonte, convencido de lo que estaba diciendo. Se giró hacia él, sostuvo su mirada y le sonrió.

—Samuel, no estás aquí por casualidad.

—Lo sé, Kunturi, ahora lo sé.

—Tu aura se entremezcla con la mía. Eso no es nada habitual y mucho menos de alguien, a priori, tan poco espiritual como tú. Tu energía ahora es una energía de amor y de unión fraternal. Noto cómo me atrae, cómo llama a mi espíritu para que confíe.

—Supongo que es a lo que nosotros llamamos, conectar. Yo siento que tengo una conexión muy especial contigo. No te conozco de nada, pero siento que puedo entenderme perfectamente y sin necesidad de palabras de por medio. Fíjate qué curioso que, de repente, me apetece tratarte de tú, en lugar de usted, te siento realmente cercano...

—Hablamos la misma lengua, la espiritual. Hablan nuestros espíritus a través de nuestra boca. Nuestras energías se entremezclan, se entienden, se suman. Todavía no soy capaz de asimilar cómo es posible que hayas cambiado tanto tu aura en tan sólo un día, aunque ese día fuera tan especial. Nunca había visto cambiar el color de un aura así, es que... no logro entender lo que ven los ojos de mi espíritu....

—Ayer oí a Qhawachi hablar sobre el color de mi aura. ¿Cómo la ves tú ahora, Kunturi? ¿Cómo era antes?

—Tu aura desprende una luminosidad apabullante, Samuel. Viniste como casi todos los occidentales que vienen a hacer el rito de la ayahuasca por curiosidad o buscando respuestas a una pregunta que ni ellos saben formular. Viniste con una energía que apenas sobrepasaba tu piel. Era gris, nada luminosa, triste, apagada. Ahora es de una intensidad tal que tengo que apartar mi vista de vez en cuando porque me deslumbra —dijo girándose al frente para evitar mirarle—. Tu aura, ahora, es de un color muy especial que rara vez he tenido la oportunidad de apreciar en personas que no fueran como yo, chamanes. Tu aura desprende un color púrpura muy intenso.

—Y ¿qué significa ese color, Kunturi? —preguntó Samuel con gran curiosidad.

—Este color es porque tu aura, como la mía, están preparadas para hacer de intermediarias entre este mundo y el de los espíritus.

Samuel se quedó boquiabierto.

—Pero… ¿Cómo es eso posible? —se preguntó incrédulo Samuel— Siento que es así, siento una conexión que antes no tenía, siento que esto que veo en este mundo es sólo una parte de una gran realidad que se oculta ante nuestros ojos humanos. Pero… Dios mío, repasando tantas cosas que me han ocurrido en mi vida, tantas casualidades, tantos sueños cumplidos, tantos aprendizajes con los sueños no realizados, que ahora sé que esta realidad invisible ha estado siempre junto a mí, junto a todos nosotros. Ese cosquilleo que siento de vez en cuando, esa llamada de una persona que llega justo después de pensar en ella, aunque hubiera pasado mucho tiempo desde la última vez que hablamos…. todo tiene un sentido tan claro ahora… ¡Dios, mío! ¡Pero qué ciego estaba!

—No te culpes Samuel. El ser humano nace con esta conexión y, según va transcurriendo la existencia, la va olvidando. Hay veces que las experiencias que te ocurren en esta vida seccionan por completo esa conexión con lo espiritual. Te aíslas, te crees tú mismo la mentira que te has contado, crees que estás aquí por puro azar, por pura evolución y que eres un individuo independiente de todo y de todos, que no estás conectado a nada. Según vas teniendo más años, esa sensación de individualismo va creciendo hasta convertirse en tu única realidad y, además, la contagias a otros —afirmó Kunturi con gran contundencia y solemnidad. Samuel le miraba con gran atención—. Pero jamás quedas desconectado, es imposible. El espíritu que alberga cada ser humano es mucho mayor que este afán por creerse autosuficiente e independiente, siempre te está llamando, siempre está reclamando que lo atiendas. Te lo dice constantemente, pero la mayoría de los seres humanos eligen no escucharlo. Cuando esto ocurre pasa lo mismo que con el espíritu que habita en la selva, nuestro espíritu se desequilibra y comienza a debilitarse el conjunto, tu persona.

Samuel sabía perfectamente de qué hablaba Kunturi, lo había experimentado en él mismo. Su cuerpo, debilitado por su pensamiento, le indujo a caer en una profunda depresión. Exactamente igual que lo que le pasó a su padre… Justamente, esa fue la época de su vida en que más desconectado estaba del mundo, de su esencia o de ambas cosas. Se sentía separado de sí mismo, fuera de todo lugar, desorientado, perdido… Su mente le había hecho pensar todo aquello, le hizo creer que aquello era la realidad. Pero nunca lo fue, él seguía conectado a todo, conectado a Dios, a la fuente creadora, a su espíritu, a todo lo que le rodeaba, como siempre lo había estado… ahora lo veía claramente.

—Ven, acompáñame. Vamos a adentrarnos en la selva —propuso Kunturi.

Samuel siguió los pasos del chamán que se adentró sin pensárselo dos veces en la selva que tenían más próxima. Desde fuera, la selva era casi impenetrable si no se usaba una herramienta, como un machete, para abrirse paso, pero Kunturi se deslizó en su interior sin esfuerzo alguno. Según iba avanzando, un camino que antes no se percibía comenzaba a dibujarse claramente. Samuel aprovechó para hacerle una foto de espaldas a Kunturi, atravesando la vegetación. Llegaron hasta la base de un enorme árbol. Kunturi se acercó a su tronco y lo tocó con ambas manos. Samuel, imitándole, hizo lo mismo. Desde la base del árbol, admiró toda su grandeza. Su copa apenas se atisbaba, se perdía entre sus ramas, a decenas de metros de altura. El tronco era muy ancho, se necesitarían al menos seis personas para abarcar su contorno.

Kunturi se sentó en una de sus grandes raíces que sobresalían de la tierra. Le hizo una señal para que se sentara a su lado.

—¿Qué ves Samuel?

—Veo…. la naturaleza en el estado más virgen que he visto jamás.

—¿Ves algo más? —insistió de nuevo.

Samuel, haciendo el esfuerzo de fijarse más detenidamente, observó todo su entorno.

—Veo unas plantas con frutos rojos. Veo la tierra, sin vegetación alrededor de este árbol. Veo los rayos de sol colándose entre las ramas de todos los árboles… —hizo una pequeña pausa— Eso es lo que veo.

—¿Y no ves nada más?

—Bueno, veo muchas cosas, pero nada reseñable, diría yo.

—¿No ves esa pareja de monos que nos observan desde lo alto de aquel árbol?

—¿!Dónde!? —preguntó con sorpresa Samuel. Kunturi le señaló una rama de un árbol. Samuel escudriñó la rama, pero no vio nada, hasta que, de pronto, uno de los monos se movió— ¡Allí! ¡Ya lo veo! —los monos, al oír el grito de alegría de Samuel, se esfumaron rápidamente.

—¿No ves el insecto palo que hay en la planta de frutos rojos que has señalado antes? —Samuel se quedó muy sorprendido de que estuviera allí— ¿Tampoco ves las hormigas que tienes delante? ¿Ves la araña que trepa por aquella tela? —le indicó señalando un poco más arriba de donde estaban— ¿Ves aquel pájaro, que estaba al lado de los monos y que todavía nos observa? ¿Ves cómo se mueven aquellos matorrales, señal inequívoca de que un reptil, probablemente una serpiente está merodeando? ¿Ves aquella nube de mosquitos?

—Mis ojos no están entrenados para la selva…

—Tus ojos lo ven todo, pero es tu mente la que elige lo que quiere ver, el resto, lo obvia, como si no estuviera.

—Bueno, hay cosas que son muy pequeñas, como para haberlas visto…

—¿Sí? ¿Ves aquella bola marrón de allí? Eso que parece parte de la rama del árbol —dijo señalando al árbol que tenían a su derecha, como a unos diez metros de altura.

—Sí… ¿Qué es?

—Es un perezoso. Fíjate bien, porque nos está mirando desde que hemos llegado.

—¿En serio? —Samuel frunció el ceño, intentando enfocar en la distancia. El perezoso no se movía, pero de pronto, consiguió intuir un par de ojos pequeños y brillantes que les observaba.

—Pero ¿cómo no lo he podido ver antes? ¡Pero si se ve claramente!

—Como ves, Samuel, no podemos mirar sólo con los ojos del cuerpo, porque nos perderemos la mayor parte de lo que está ahí y que nos empeñamos en no ver. Puedes entrenar tu vista, pero nunca verás todo lo que está ante ti. Prueba tú, intenta decirme algo que yo no haya visto y que esté ahora ahí delante.

Samuel se quedó sorprendido con la propuesta de Kunturi y, de inmediato, empezó a revisar cada centímetro de lo que había en su campo de visión. No veía nada que no hubieran nombrado ya, hasta que, de repente, sostenido bajo una rama, simulando que era un fruto más del árbol, se intuyeron dos pequeñas patitas.

—¡Allí! ¡Allí arriba Kunturi! ¡Es un murciélago! —exclamó excitado Samuel por su descubrimiento.

—¡Muy bien! ¡Has encontrado algo que mis ojos humanos no querían ver! ¿alguno más?

Samuel estuvo más de cinco minutos escrutando el resto que le quedaba. Cuando estaba a punto de dar por terminada su infructuosa búsqueda, se echó para atrás, contra el árbol, con las manos pegadas al tronco, con gesto de terror.

—¿Qué has visto, Samuel?

—Kunturi, no se mueva, allí, en aquel árbol, a media altura, cerca del tronco —indicó Samuel ladeando la cabeza hacia donde descansaba una pequeña pantera de color amarillo, con manchas negras y con unos ojos que se confundían con el resto de su pelaje—. Hay... madre mía, hay una pantera...

—¡Cierto! ¡Tampoco la había visto yo antes!

—¿No corremos peligro aquí?

—No, tranquilo, ya nos habría atacado de ser así. Mírala, está con la cola relajada, ahora no tiene necesidad de cazar.

—Me asusta un poco, por no decir una palabra peor...

—Tranquilo, no nos hará nada. No la mires.

—De acuerdo —respondió Samuel bajando rápidamente la cabeza.

—¿Ves Samuel? Aunque tengas la vista entrenada como yo, el ojo humano se pierde muchas cosas. De hecho, no has visto ni una sola cosa que tus ojos sean incapaces de ver.

—No te entiendo, Kunturi, ¿Qué quieres decir?

—Los ojos de tu cuerpo son capaces de ver ciertas cosas, todas ellas materiales, pero nunca podrán ver la esencia que subyace dentro de cada una de ellas. Eso sólo lo podrás percibir con los ojos del espíritu —afirmó Kunturi. Samuel le escuchaba atentamente, aunque no podía olvidarse de que había una pantera observándoles—. En nuestra cultura, al ser humano le denominamos *runa*, está compuesto por dos partes muy diferentes, pero complementarias: el *aytsa* que es la carne, el cuerpo, lo material que los propios ojos humanos pueden percibir y el *jayni*, o la parte del espíritu que habita en nosotros y en todos los animales, en las plantas, e, incluso, en las montañas. Para nosotros, el *jayni* es la parte que no puedes percibir con los ojos humanos. Sólo lo puedes ver a través de sus propios ojos, los del espíritu. A lo largo de la historia ha habido muchas personas que han tenido la fortuna de tener la capacidad de ver con los ojos del espíritu y lo describen como que eres tú mismo, tiene tu misma forma, puede hablar, e, incluso cantar, pero no tiene peso, no tiene sombra y, por último, está siempre detrás del cuerpo. Hay personas que dicen que se han girado tan bruscamente alguna vez, que lo han conseguido ver.

Esta parte de espíritu acompaña a nuestro cuerpo, de hecho, nosotros podemos vivir en este mundo porque hay una unión entre el *aytsa* y el *jayni*. Pero, hay ocasiones en las que el *jayni* se separa temporalmente de su *aytsa*. Si esta ruptura se extiende mucho en el tiempo, o es definitiva, pueden producirse enfermedades, o acabar en estado de desorden mental. Sólo existen dos maneras de que el *jayni* se separe del cuerpo. La primera se puede dar cuando dormimos. Durante el sueño, nuestro *jayni*, si lo desea, se separa para sentirse libre del cuerpo. A veces, el *jayni* realiza actividades con un gran esfuerzo y cuando nos despertamos, estamos agotados.

—Mira, eso mismo me ha pasado a mí decenas de veces, aunque haya dormido muchas horas, me levanto como si hubiera estado cortando troncos toda la noche.

—Eso es porque a tu *jayni* le gusta mucho viajar y realizar andanzas sin el peso de tu cuerpo —explicó Kunturi. Samuel puso cara de sorpresa—. También puede producirse una separación de su *jayni* con el cuerpo cuando alguien recibe un gran susto. En estos casos, el *jayni* se separa temporalmente del *aytsa*. Si perdura en el tiempo, la separación enfermará al cuerpo.

—En nuestra cultura occidental esto mismo lo explicamos de forma diferente, aunque en el fondo, vienen a significar lo mismo; cuando nuestra mente no atiende a nuestro cuerpo correctamente porque está enfrascada en pensamientos de preocupación por cosas del futuro, o de dolor por cosas del pasado, puede provocar un desequilibrio que el cuerpo no podría gestionar, creándose una enfermedad que antes no existía. Digamos que la mente se separa del cuerpo y funciona como si éste no existiera, simplemente lo usa para mantenerse viva y poco más. Muchos expertos en mi país insisten en que el origen de casi todas las enfermedades es estrés.

—Sí, absolutamente. El estrés es la manera más común en la que se separa el *jayni* del *aytsa* en la cultura occidental.

Samuel asentía con la cabeza. En su interior estaba asombrado por las coincidencias que existían en la manera de pensar de dos culturas tan aparentemente alejadas una de la otra. Pensó que, en el fondo, todos sentimos y pensamos de manera similar. Recordando lo que vivió y sintió el día anterior y sabiendo que todos estamos conectados a Dios, o como quiera que cada cultura le llame. Todo tenía sentido, porque en realidad, todos somos uno.

—Y, Kunturi, ¿Cómo podemos ver con los ojos del espíritu? —preguntó Samuel.

—Es algo sencillo, que casi nadie consigue.

—¿Cómo puede ser sencillo y complicado a la vez? —preguntó confuso Samuel.

—Es fácil, es un proceso que cualquiera podría llevar a cabo, pero que casi nadie tiene la perseverancia suficiente para conseguirlo.

—Ya entiendo… necesita entrenamiento…

—Esa es la clave: precisa de un entrenamiento constante, cada día. Te voy a poner un ejemplo. Cuando has visto la pantera…

—En realidad la sigo viendo… —dijo mirándola de reojo.

—Bueno, ahora que la estás viendo. ¿Qué ves?

—Veo a un felino con una fuerza descomunal, una mandíbula que asusta, unos ojos penetrantes que sólo con mirarte te paralizan de miedo. También veo sus garras, con sus uñas que desgarran con un movimiento preciso e instantáneo, y unas patas, fibrosas y musculadas, con las que en menos de un segundo podría bajar del árbol y devorarme.

—Perfecta descripción del animal. Pero, ¿te has dado cuenta de que no sólo has descrito lo que veías? Has descrito también lo que pensabas de lo que veías. Y, ¿cuál ha sido la sensación que más se ha repetido? —Kunturi, dejó unos segundos de tiempo para que Samuel pudiera pensar.

—Miedo —respondió susurrando.

—Exacto. Has descrito a un felino con miedo. Eso es ver con los ojos del cuerpo.

—¿Y qué vería si usase los ojos del espíritu?

—Sentirías el propio espíritu de la pantera y verías que no está aislado. Percibirías la energía que emite y la verías fundirse con la del árbol, conectándose la una con la otra. También verías cómo la energía del árbol se conecta con otras muchas, como la de las aves que anidan en sus ramas, el murciélago que descansa en él, las de los insectos que lo recorren y la de la tierra que alimenta sus raíces. Verías que cuando ese árbol une su energía con la de los árboles que tiene a su alrededor, estos a su vez lo hacen con los de su entorno y así, sucesivamente, hasta que puedes ver que todo, absolutamente todo, está conectado a través de la energía que desprende su espíritu. Cada una con su intensidad, cada una con su propio color.

—Pero...Kunturi... ¿Tú eres capaz de verlo así? —preguntó sobrecogido.

—Sí, Samuel, soy capaz de verlo así.

—Entonces, ¿lo ves siempre de esa manera?

—Siempre que me conecto con mi espíritu, cuando estoy meditando o en calma, con mi mente aquietada, plenamente consciente de que él está conmigo.

—Es increíble lo que estás compartiendo conmigo, estoy profundamente agradecido por todo lo que estoy aprendiendo esta mañana, Kunturi.

—Lo sé lo veo en tu energía.

—¿La estás percibiendo ahora mismo? —dijo poniendo la espalda completamente erguida y abriendo los ojos todo lo que podía a la vez que arqueaba las cejas.

—Sí, ahora mi mente está serena, siento tu espíritu cómo emana energía limpia y poderosa que se entremezcla con la mía y la afecta. Mi espíritu se regocija en contacto con el tuyo.

—¡Mira! se me está erizando la piel y siento un cosquilleo en la nuca, ¿eso significa que nuestras energías están conectadas?

—Efectivamente, esa es una de las maneras como lo percibe el cuerpo.

—Esto lo he sentido muchas veces a lo largo de la vida. Yo lo llamaba intuición. Si aparecía esta sensación era, para mí, una señal de que iba por buen camino.

—Pues tu intuición no te ha engañado —afirmó Kunturi—. Muchas personas lo perciben como lo has descrito tú, otras, en cambio, tienen ganas repentinas de llorar. Otras muchas, sienten un nudo en la garganta... todas son señales de que la energía del cuerpo está en contacto con la de otra persona u otro ser vivo. Los perros, por ejemplo, tienen esta capacidad muy desarrollada, por eso el perro tiene tanta conexión con el hombre. Los perros empatizan rápidamente con los humanos con los que conviven, percibiendo al instante el estado de ánimo que tiene en cada momento, porque son capaces de ver su espíritu. En cambio, los felinos, por ejemplo, no la tienen casi desarrollada.

—Yo también creo que los perros tienen muy desarrollada esa capacidad. No en vano, se suele decir que tienen un sexto sentido, ¡al igual que los caballos! Hay casos en los que los perros mueren de pena, al lado de la tumba de sus dueños, cuando estos fallecen. Y es cierto que los felinos, pese a que sí que creo que perciben de alguna manera cómo están anímicamente los humanos, son mucho más independientes. Se nota que no están tan conectados —Samuel tomó aire—. Kunturi, tengo una pregunta.

—Adelante.

—La energía que emite cada ser vivo, ¿puede ser más o menos intensa según se sienta interiormente?

—Eso es. Cuando te vi por primera vez, tu energía era muy tenue, casi extinta. Apenas podía sentirla, en cambio, ahora tu energía es abundante y sobresale de tu cuerpo varios metros —explicó Kunturi haciendo gestos describiendo cómo emanaba la energía de Samuel—. Fíjate que desde que te ocurrió lo que viviste durante el rito de la ayahuasca, me resulta muy sencillo conectar contigo. En cambio, cuando te vi por primera vez fui incapaz, estabas como aislado, desconectado del mundo. ¿Te sentías así?

Samuel pensó la respuesta durante algunos segundos, aunque la supo de inmediato.

—Sí... la mayoría del tiempo me sentía desconectado de todo... y de mí mismo y eso que me encontraba infinitamente mejor que tiempo atrás —Samuel se quedó pensativo—. Kunturi...

—Dime Samuel.

—Entonces, según lo que hemos estado hablando, los ojos del cuerpo nos pueden llegar a confundir, de hecho, lo hacen constantemente, pero, los ojos del espíritu, siempre te enseñan la verdad, ¿es así? Por mucho que disimule exteriormente una persona, cómo es su interior y qué energía e intenciones tiene, su espíritu, su energía lo delatará al instante, ¿cierto?

—Así es. Has hablado sabiamente.

Samuel se quedó recapacitando sobre lo que le acababa de decir el chamán. Pese a que él creía que se había recuperado hacía meses, parece que todavía no había cambiado mucho su interior, hasta entonces. El camino que le abrió la ayahuasca despejó por completo el bloqueo que sufría su energía, pero, para eso tuvo, nada menos, que morir y renacer.

Samuel llevó su reflexión un poco más allá:

—Kunturi, según este razonamiento cuando una persona desprende más energía, ¿experimenta más conexiones con los demás?

—Sí, así es. Y no sólo con los demás, sino también con el entorno.

—Estaba pensando que en la cultura occidental también lo intuimos así. Cuando hay alguien que se le considera un referente, se dice que tiene una personalidad que atrae, que tiene magnetismo. ¿Significa eso que de su interior emana una energía mayor que la de la mayoría y que por eso atrae más?

—Cuando a alguien se le considera digno de ser seguido, las personas que lo eligen afectan, sin saberlo, a la energía de esa persona, mezclándose con ella. Cuando hay muchas personas que entremezclan su energía con la de ese referente, se energiza aún más, con lo que atrae a más gente.

—Y ¿pueden afectar a la energía de esa persona, incluso sin estar cerca de ella, físicamente?

—Efectivamente, así es. Acuérdate que todos estamos conectados a todo, formamos parte de un todo.

Samuel se quedó pensativo, meditando y asimilando lo que estaban hablando. Todo lo que Kunturi le contaba siempre había estado ahí, aunque se percibe y se le denomina de diferentes maneras, al final, era el mismo concepto. De alguna manera, todo lo que Kunturi le explicaba lo tenía ya interiorizado, porque lo había experimentado, como todo el mundo, a lo largo de su vida. Pero, como la gran mayoría de las personas, no lo tenía presente.

—Tengo una duda más. Esta energía del espíritu, ¿es el aura que todos tenemos?

—No del todo, tiene mucho que ver, digamos que el aura es la manifestación, en colores, de nuestra energía interior.

—Pero los colores pueden variar, como me pasó a mí.

—No hay un solo color en las auras, pueden ir variando dependiendo del estado de ánimo de la persona, aunque siempre hay uno predominante. Tu caso es especial, porque llegaste, como ya te dije, con un color gris y ahora tienes ese púrpura intenso, señal inequívoca de que tu interior ha cambiado de forma drástica.

Kunturi se levantó y comenzó a caminar. Hizo un gesto para que Samuel le siguiera.

—Bien, vayamos a otro lugar —le dijo adentrándose en la frondosidad de la selva. Samuel le seguía de cerca. Antes de abandonar el lugar donde habían estado, giró la cabeza para echar una última mirada a la pantera, que mantuvo su mirada fija en la de Samuel durante breves segundos en los que, en un acto de valentía o atrevimiento, fue capaz de soportarlo antes que volver a sentir pánico de nuevo. Le habría encantado hacerle una foto, pero, después de lo que sintió cuando le miró, pensó que sería mejor que guardarse la cámara para otra ocasión menos arriesgada.

Kunturi llegó hasta un pequeño río que atravesaba de lado a lado, cortándoles el paso. Esperó a que llegara Samuel a su altura.

—Mira Samuel. El agua es la que más energía conecta. Todos los seres humanos, las plantas, los animales, los insectos… todos contenemos grandes cantidades de agua en nuestro organismo. Absolutamente todos los seres vivos la necesitan y la consumen para subsistir. Cada vez que bebemos agua, cada vez que entramos en contacto con ella, cada vez que regamos las plantas, el agua, con toda su energía, se entremezcla con la del ser vivo con el que entra en contacto. Es el vehículo por el cual se transporta y se conecta la mayor parte de la energía de la tierra, es como la sangre que transporta la energía al cuerpo.

—Fantástico… siempre había creído que el agua lo era todo y no sólo cumplía su función primordial que es nutrirnos e hidratarnos.

—Bien, ¿Qué ocurriría si yo ahora corto el curso de este pequeño riachuelo y lo cambio de dirección?

—Pues…. que afectaría en muchas cosas a su entorno. Se secarían muchas plantas que antes recibían el agua constante del río. Morirían numerosos peces, insectos, bacterias… todo lo que necesitaba el agua del río para subsistir —Samuel hizo una pausa para seguir pensando y continuó a los pocos segundos—. Muchos animales que dependían de ese río para vivir tendrían que cambiarse de zona para encontrar otro río. Y al marcharse estos animales otros que dependiesen de los primeros tendrían que emigrar. Pero puede ocurrir totalmente lo contrario, podrían permanecer, si encuentran otra fuente de agua cercana y, entonces, crecerían en número.

—Se desequilibraría todo, ¿verdad? y te has olvidado de lo que podría suceder con el terreno que recibiría el agua de un río que acababa de aparecer.

—¡Es cierto! ¡Claro! sería un desequilibrio total también en esta parte, afectaría a miles de cosas más…

—Sólo por cambiar el curso de un riachuelo insignificante.

—Veo por donde vas, Kunturi.

—El hombre occidental es capaz de variar el curso de grandes ríos, secarlos por completo, embalsarlos en zonas donde antes no había agua. ¿Sabes lo que le cuesta al entorno volver a equilibrarse?

—Supongo que mucho, muchísimo…

—Exacto. Cada acción que hacemos, tiene siempre su consecuencia. No hace falta que cambiemos el curso de un río para provocarlo. Por ejemplo, ¿qué ocurriría si yo aplasto esta araña que tenemos aquí? —explicó Kunturi

—Pues… supongo que los insectos de los que se podría haber alimentado ahora sobrevivirían y se podrían reproducir, lo que aumentaría su número. También, las aves que se podrían alimentar de la propia araña, ya no podrían hacerlo, aunque seguro que las hormigas te darían las gracias por el banquete. Definitivamente, se desequilibraría todo.

—Toda acción tiene su consecuencia. Siempre, en todo caso y en todo momento. Lo que ocurre es que puede que no la veamos inmediatamente, pero siempre, siempre, acaba apareciendo, porque, como ya te he dicho varias veces, está todo conectado, incluidos nosotros.

—Se me ocurre una pregunta más…

—Adelante.

—Si toda acción tiene consecuencias y se puede afectar a la energía de todo, sin ni siquiera tocarlo… —se quedó pensando unos instantes en cómo formular su duda.

—¿Sí? —interrumpió Kunturi.

—Me pregunto si, con sólo pensar, con sólo usar el pensamiento, puedo afectar a mi energía y por tanto, afectar a la energía de los demás.

—Estoy asombrado con tu manera de asimilar estos nuevos aprendizajes y el nivel de profundidad que estás alcanzando… —dijo

Kunturi, asintiendo con la cabeza y arrugando la comisura de los labios— Efectivamente, si tus pensamientos cambian tu energía, cosa que ya hemos comprobado que lo hace, y tu energía afecta a todo con lo que entras en contacto. Tu pensamiento puede afectar a la energía de los seres humanos, de las plantas, de los animales… de todo, hasta del aire que respiras y del agua.

—No sé cómo, pero esto, en cierta manera, sabía que era así. Cuando, por ejemplo, estoy molesto o enfadado por algo y tengo una conversación con alguien, que no tiene nada que ver con la causa de mi enfado, sin querer, le contagio el enfado a la otra persona, o al menos le distorsiono su estado de ánimo, digamos que le afecto. Visto desde esta nueva perspectiva, mi energía se mezcla con la de él y, en este caso, la empeora.

—Sí, reduce su intensidad.

—Me acabo de acordar de una expresión que usamos habitualmente que dice algo así como que "hay personas que te consumen la energía". ¡Era literal!

—Ahora ya lo sabes, es literal.

—Creo que en los últimos años he consumido mucha energía de muchas personas…

—El pasado, pasado está y ahora que ya sabes todo esto ¿qué vas a hacer? —planteó con contundencia Kunturi.

—Ahora siento una gran responsabilidad con todo lo que diga o piense a partir de ahora —dijo un poco apesadumbrado Samuel.

—No te dejes engañar por la mente de este mundo, está intentando que no cambies tu manera de ver las cosas. Si te dices a ti mismo que es una gran responsabilidad lo verás finalmente así y no querrás cambiar nada. Trata de mirar siempre con los ojos del espíritu y él te guiará.

—Tienes toda la razón, Kunturi… Gracias —asintió cabizbajo.

—Ahora dime, ¿qué viste ayer en tu alucinación?

—Pues… —Samuel comenzó a hacer memoria, tratando de recordar cómo empezó—. Primero sentí que era un cóndor y que sobrevolaba el poblado. Me elevaba y me elevaba y dejé atrás el Amazonas para adentrarme en el interior del volcán Chimborazo. El volcán se transformó en una puerta que me transportó a otro volcán, por el que salí. Creo que convertido en farolillo. Uno de esos orientales, hechos de papel y que tienen una vela en su interior, no sé si los conoces. —Kunturi hizo un gesto encogiéndose de hombros—. Bueno, no importa. En ese instante, creo que me asusté porque empecé a notar que subía demasiado y, de repente, comencé a caer. Aparecí en una escena que llevo soñando desde hace meses.

—¿Qué escena era esa? —preguntó muy interesado.

—Es una en la que mi familia se va en tren. Yo quiero irme con ellos, pero llevo una maleta tan pesada que no me deja avanzar, así que al final ellos se van y yo me quedo en el andén. ¡Ah! —chilló al acordarse de un detalle más—. Esta vez, descubrí que estaba encadenado a la maleta, con unos grilletes.

—Interesante sueño. Recuerda que, en nuestra cultura, cuando sueñas, es tu espíritu el que viaja. Todo lo que vives en un sueño es tu espíritu el que lo ve y lo siente.

—Pues, Kunturi, ese fue el momento, o al menos, eso creo yo, en el que dejé de respirar. Morí en el sueño y, por lo visto, morí en la realidad.

—¿Qué sentiste durante ese instante?

—Sentí un gran dolor, como si mi corazón se resquebrajara. Oía los quejidos desesperados de mi madre y mi hermana, sentí su sufrimiento y me derrumbé en el suelo —Samuel inspiró con fuerza. Se quedó en silencio, escuchando el rumor del agua que formaba el pequeño riachuelo. Tras unos minutos, continuó relatando lo que le ocurrió—. En el momento en el que morí dejé de sentir el sufrimiento. Me liberé de todas mis preocupaciones y malestares y me elevé muy ligero y sintiéndome libre.

—Sentiste tu *aya* —aseveró Kunturi.

—¿El *aya*? —preguntó Samuel frunciendo el ceño.

—Cuando un *jayni* abandona el *aytsa*, se convierte en un *aya*, el espíritu de un difunto. Es la primera vez que conozco a un *aya kuti*, un revivido de entre los muertos.

—Para ser un zombi, no tengo mal aspecto, ¿verdad? —Kunturi puso cara de no saber de qué hablaba Samuel—. Déjalo, era una simple broma.

—Cuando tu *jayni* se separó definitivamente de tu cuerpo, ¿qué viste, Samuel?

—Estás muy interesado en este tema, o, ¿me lo parece a mí?

—Quiero saber, de primera mano, qué hay tras la muerte terrenal. He oído centenares de historias de todo tipo, de personas que, como tú, consiguen volver desde el mundo de los difuntos.

—Yo no lo expresaría así.

—¿A qué te refieres?

—A cómo lo dices. Yo no diría "consiguen volver" porque eso implicaría que los difuntos quieran volver a este mundo. En mi caso, te puedo asegurar que lo que sentía era tan maravilloso, tan puro, tan perfecto, que no tenía ni el más mínimo interés en volver a este cuerpo.

—Pero, entonces ¿por qué volviste? —preguntó Kunturi arqueando las cejas.

—Porque me obligaron —respondió mirando directamente a los ojos del chamán.

—¿¡Te obligaron!? ¿Cómo que te obligaron? ¿Quiénes? ¿Otros espíritus? ¿Dios?

—Kunturi, esto que te voy a contar te va a sonar extraño, aunque después de la conversación que estamos teniendo, a lo mejor hasta te parece normal.

—¡Cuéntame, por favor! —reclamó ansioso.

—Cuando estaba ascendiendo hacia lo que podemos llamar Dios, con el que estamos unidos mediante un hilo dorado de luz, apareció una persona…. bueno, no como persona, era algo así como el espíritu de una persona que conocí hace poco.

—Qué interesante… continúa por favor.

—De pronto, me saludó afectuosamente, como lo hacía cuando lo conocí y me dijo que no era mi hora todavía, así que me dio un pequeño empujón para que volviera de donde venía.

—¿Cuándo conociste a esa persona?

—Hará unos siete meses.

—¿Y cómo se te presentó?

—Bueno, apareció en el momento más oportuno, Kunturi… justo cuando estaba a punto de quitarme la vida.

—Hum…. Ya veo… —dijo como si le encajara todo lo que Samuel le estaba contando.

—En realidad, sólo le he visto esa vez, cuando evitó que me quitara de en medio. Nunca más le he podido volver a ver, pero le he estado recordando desde entonces, casi a diario. Dejó un poso en mí que todavía perdura.

—Y perdurará….

—¿Sí? ¿Cómo lo sabes? —preguntó extrañado.

—¿Cómo era físicamente esa persona?

—Pues… era un tipo atlético. Llevaba el pelo muy corto y era moreno de piel. Siempre sonreía y tenía una mirada limpia, penetrante, casi hipnótica… Por cierto, su familia proviene de aquí, de Ecuador.

—¿Medía más o menos tu altura? —preguntó de repente el chamán.

—¿Por qué me haces esa pregunta? ¿Sabes de quién te hablo? —Kunturi no respondió y esperó a que Samuel contestara—. Sí, más o menos teníamos la misma altura. ¿Cómo lo sabes?

—Porque está a tu lado.

La laguna

Alma terminó de desayunar, disfrutando de todos los manjares que le ofrecieron en el buffet del restaurante del *lodge*. No sabía qué iba a hacer durante el resto del día. Pensó en darse un chapuzón en la piscina y relajarse por completo, disfrutando del aire puro y de los sonidos de la selva, y, al atardecer, quizás llamaría a Roxy para que la llevara al pueblo a visitarlo y comprar algunos recuerdos para todos, pero sus planes cambiaron cuando apareció Rubén en el restaurante.

—Buenos días, Alma.

—Muy buenos días Rubén.

—Parece que ha descansado muy bien esta noche.

—Yo creo que podríamos tutearnos, ¿no crees?

—Como desee. Digo, desees, Alma.

—Pues, la verdad es que no he dormido muy bien, pero no importa, ¡estoy en un paraíso y hay que disfrutarlo! —alabó Alma, extendiendo sus brazos.

Maritza apareció para llevarse los platos del desayuno de Alma. Portaba con ella una nota.

—Alma, los chicos franceses se han ido esta madrugada y me han dejado esto para ti —dijo Maritza entregando una hoja de papel doblada por la mitad.

—¡Vaya! ¡Qué amables! A ver qué dice... —Alma abrió la nota y comenzó a leerla. Enseguida, una lágrima cayó por su mejilla. Ni siquiera hizo ademán de secársela. Estaba concentrada en lo que leía.

Cuando terminó de leerla, Alma la dobló de nuevo y se la acercó al corazón, mientras lloraba abundantemente.

—¿Estás bien, Alma? —preguntó Maritza.

—Sí... es que... ¡buff!... es que me han escrito una cosa de mi hermano, tan bonita...

—¿Sí? ¿Qué dice, si se puede saber?

—Sí... —afirmó secándose las lágrimas con una servilleta—. Me han dicho que vieron a mi hermano en sus alucinaciones, todos ellos. Y que lo sintieron como de su familia. De hecho, consideran que tienen un hermano más y me aseguran que es un ser muy especial y que ha vuelto para quedarse, que está bien y que se ha recuperado perfectamente. Así lo han sentido ellos durante esta noche.

—Vaya… estoy conmovida con todo lo que está ocurriendo con respecto a tu hermano. Desde luego, creo que teníais que venir aquí. Yo creo que estaba escrito que vendríais ambos para experimentar grandes cosas.

—Pues, por ahora, desde luego no vas desencaminada, porque lo que está pasando desde ayer es extraordinario. Jamás pensé que estos viajes fueran a ser tan, tan intensos como lo está siendo… —dijo Alma, negando con la cabeza—. No sabes cómo te agradezco que me hayas dado la nota, Maritza, ahora me siento aliviada por mi hermano. Estoy convencida de que estos chicos tienen razón y mi hermano está perfectamente.

—No hay de qué, Alma. No he querido dártela antes de desayunar, por si acaso decían algo malo y te estropeaban el desayuno que tanto estabas disfrutando.

—Pues te lo agradezco, de verdad. ¡Qué bien me siento! —resopló aliviada.

—Alma, te quería proponer un plan, si quieres.

—Claro, Rubén, tú dirás.

—Mira, hay un lugar mágico cerca del *lodge*, un paraíso en mitad de la selva, lleno de cascadas y agua cristalina. No está nada lejos de aquí, ¿te apetecería verlo? Yo te haría de guía.

—Suena fantástico. Vale, me apunto. Me preparo y cuando quieras, vamos.

—Perfecto, te espero aquí.

Rubén y Alma salieron del *lodge* en dirección al río Pusuno. Allí, junto a las barcas que usaron para ir a la comunidad indígena el día anterior, estaba varada en la arena una pequeña lancha motora. Rubén, con gran habilidad, introdujo la barca en el agua y ayudó a subirse a Alma.

—Iremos corriente abajo hacia el gran río Napo. Después subiremos por él hasta casi la playa de los monos, en Misahuallí.

—Tú mandas, yo sólo voy a disfrutar.

—Esa es la idea.

Rubén arrancó el motor de la lancha y salieron en dirección al Napo. El caudal de este río nada tenía que ver con el del *lodge*, el Pusuno. Era un río caudaloso y tenía cientos de metros de anchura. Rubén estuvo señalando durante todo el camino las cosas que él creía que eran interesantes. Las orillas estaban llenas de una vegetación muy frondosa, formando una estampa de película. Durante el trayecto vieron todo tipo de monos, tucanes y árboles con formas muy llamativas que sobresalían del resto. El río lo surcaban numerosas embarcaciones de recreo, con los nombres de los *lodge* de la zona. Se notaba que Misahuallí y su entorno era un reclamo turístico, no solo para las gentes de Ecuador, sino, como destino internacional.

Por fin llegaron a una zona frente de Misahuallí, donde desembarcaron. Rubén bajó de un salto y se prestó a ayudar a saltar a Alma, quien imitándole bajó también de un salto y, sin su apoyo, salió de la embarcación.

Rubén sonrió al ver la destreza de Alma. Juntos, se adentraron en la selva. Rubén parecía saber bien el camino, porque la vegetación en esa zona aparentaba estar intacta.

—Esta es selva primaria, se conserva tal y como era desde hace milenios. Nuestra Constitución es la única del mundo que reconoce los derechos de la naturaleza y, gracias a eso, podemos todavía disfrutar de un ecosistema salvaje como éste —explicó Rubén mientras se adentraba más y más en la espesa vegetación, seguido de cerca por Alma.

—No tenía ni idea de eso… Y, ¿qué significa que a la naturaleza se le reconozcan los derechos? —preguntó Alma sin perder de vista donde ponía sus pies en cada paso que daba.

—Implica que a la naturaleza no se la considera como un espacio verde, sin más, como podría ser cualquier parque nacional protegido, sino como un lugar donde habitan seres vivos y hay que respetarlos, igual que a los humanos. Se le otorgan derechos jurídicos y así se protegen. ¡Cuidado! allí hay mucho barro y te puedes quedar encallada —apuntó señalando al suelo.

—¡Muchas gracias! —Alma hizo una pequeña pausa antes de proseguir. Notaba el calor húmedo, mucho mayor que el de la parte de selva que recorrió el día anterior. Tomó aire y afirmó— Creo que Ecuador es ejemplo para el resto de países del mundo. Ojalá todos hicieran lo mismo.

—Sí que lo somos, aunque algunos políticos quieran saltarse estos derechos, con prospecciones petrolíferas en zonas protegidas del Amazonas. ¿Te lo puedes creer? Prefieren el petróleo a esta maravilla, única en el mundo —refunfuñó Rubén levantando los brazos y señalando lo que había a su alrededor.

—Eso ocurre en cualquier parte del mundo.

—Aquí se está luchando por seguir protegiendo a la naturaleza. Es nuestro mayor tesoro —aseveró, reanudando la marcha.

—De incalculable valor, sin duda, mucho más valioso que cualquier hallazgo petrolífero —admiró Alma, observando el entorno. Cerró los ojos e inspiró todo lo que pudo, aquel aire olía a vida, a naturaleza pura, se sentía muy conectada consigo misma en aquella selva.

—Lo has expresado perfectamente —dijo mientras esquivaba la rama de un árbol que se cruzaba en su camino—. ¿Sabías que la población indígena en el mundo sólo representa el cuatro por cierto de la población mundial, pero que conserva el ochenta por ciento de los bosques de la Tierra?

—No lo sabía…

—Los pueblos indígenas están cuidando de todos nosotros, defendiendo selvas y bosques en todo el mundo que son el pulmón de la Tierra. Ellos velan por el equilibrio que el hombre occidental se empeña una y otra vez en desequilibrar.

Tras casi veinte minutos de caminata llegaron a una gran zona rocosa que se abría ante ellos, en la que el agua había hecho un canal natural, horadando la piedra y convirtiéndola en un cortante donde se producía una cascada escalonada. Alma se quedó atónita viendo la escena que parecía sacada de cualquier revista de vacaciones. La forma de la roca provocaba un efecto reverberante del sonido del agua cayendo, que hacía aún más impresionante la escena.

—Mira el agua que cae, Alma. Es completamente virgen, transparente y pura.

Alma se acercó a la orilla del pequeño lago que se había producido por la constante caída del agua de la cascada. El agua era tan cristalina que se podía ver el fondo como si tuviese un cristal colocado sobre ella.

—Se podrá beber, supongo.

—Este es el agua más pura que puedes beber —respondió Rubén sonriendo.

Alma se agachó y, con ambas manos, tomó una pequeña cantidad de agua fresca y pura. La bebió de inmediato.

—A tu padre le gustaba hacer lo mismo.

Alma se giró rápidamente hacia Rubén y casi atragantándose con el agua que tenía en la boca, le respondió:

—¿Viniste con mi padre aquí?

—¡Muchas veces! Le encantaba este lugar, así que se aprendió de memoria cómo llegar y muchas tardes se montaba en la lancha y venía a pasar un rato. Decía que este lugar le conectaba consigo mismo y que aquí sentía una paz muy especial.

—¡No me digas! Si tuviera que elegir las palabras perfectas para describir este lugar habría suscrito todas y cada una de las que decía mi padre. ¿Sabes?, desde que he pisado la selva, hasta llegar aquí, he estado sintiendo que esta naturaleza me conectaba conmigo misma, ¿curioso verdad?

—La naturaleza tiene ese efecto, ayuda a conectarse con el espíritu interior de cada uno. Te ayuda a sentirte, a apaciguar tu mente, a acallar tus problemas y tus inquietudes. Si hubiera mucha más vegetación en las ciudades del mundo las personas se sentirían mucho mejor. En cambio, las ciudades son como muros de hormigón donde se dificulta la conexión con uno mismo. De hecho, invitan a la desconexión total con su ser interior, reinando las prisas, el estrés, la sensación de no llegar nunca a nada o la de no tener tiempo ni para vivir… —explicó Rubén — Por eso mismo creé el *Suchipakari jungle lodge.* Desde la primera vez que vinimos, toda mi familia nos reconectamos con nosotros mismos de tal manera que el hecho de volver a la ciudad, a Quito, fue bastante duro, nos costó muchísimo regresar. Así que, terminamos por decidir vivir aquí el mayor tiempo posible.

—Cuando conociste a mi padre, ¿cómo estaba? ¿Cuál fue tu impresión al conocerle?

—El Martín que yo conocí era un hombre lleno de ilusión. Me confesó que lo había pasado realmente mal los años anteriores, pero que había iniciado un viaje para convertirse en una persona mejor —Rubén se sentó en una roca que había junto al pequeño lago—. Nos sentábamos aquí y teníamos conversaciones muy interesantes que hicieron que cambiara mi manera de ver la vida.

—¿Tú también? —preguntó sorprendida Alma.

—¿También? ¿Y quién más? —dijo extrañándose.

—Bueno, todos los que hemos ido conociendo en los sitios que hemos visitado hasta ahora.

—Martín me contó que conoció a una persona en Rusia, muy especial, que compartió con él lo que denominaba milagro. Él lo llamaba así porque creía que había hecho tanto bien en su interior que le había parecido un milagro que se produjera un cambio tan radical, en tan poco tiempo.

—Lo sabemos. No pudimos conocer a esa persona, a Petrov, porque también ha fallecido, pero conocimos a su vecino y nos entregó un diario de mi padre donde nos contaba lo que vivió con él.

—Su nueva visión de la vida, la que aprendió en Rusia, casaba con la manera de ver la vida que yo tengo. Creo que por eso congeniamos enseguida tu padre y yo.

—¿Por qué decidió visitar Ecuador? ¿Lo sabes? No me malinterpretes, es un país único y sorprendente del que apenas atisbo a conocer sus maravillas, pero es raro que hubiera elegido Ecuador, nunca había nombrado este país y, que yo sepa, no tenía a ningún conocido aquí.

—Él vino porque vio en la televisión un documental sobre el rito de la ayahuasca y creyó que le abriría su conciencia y que le ayudaría a avanzar más rápido. Él veía claramente que la mentalidad que aprendió con Stanislav Petrov era la correcta, pero no tenía ni idea de cómo hacerla suya, de cómo interiorizarla. Sabía que todavía era víctima de su mentalidad aprendida. Una y otra vez caía en las viejas costumbres y reaccionaba de la misma manera que lo había hecho siempre, juzgando, culpabilizando y culpabilizándose, pensando que algunas cosas le pasaban a él y no para él… Es un proceso en el que hay que perseverar y tienes que estar muy, muy alerta. Eso lo aprendí de él, de ver cómo iba evolucionando en su proceso y cómo lo descubría paso a paso. Estaba obsesionado con hacer las cosas lo antes posible.

—¿Y sabes por qué tenía tanta prisa? —preguntó Alma

—Porque sentía que se estaba haciendo mayor y quería evolucionar lo máximo posible antes de que llegara su hora.

—¿Cómo? Pero… no entiendo… ¿por qué quería hacerlo? —dijo Alma muy confundida.

—Porque, según él, había malgastado muchos años de su vida y había amargado la de sus hijos. Quería cambiar y evolucionar lo máximo posible para convertirse en un ejemplo de superación para vosotros.

Alma bajó la cabeza. Se giró hacia el agua del lago que bañaba la base de la roca donde estaba sentada... se miró a sí misma durante unos segundos, ensimismada en sus pensamientos y en sus recuerdos.

—Para nosotros... —murmuró entre dientes.

—Para vosotros, Alma. Quería cambiar para demostrar que se puede salir de la depresión en la que había caído, pero no sólo no se quedó ahí, sino que descubrió que la vida podía ser absolutamente maravillosa y diferente tan sólo con cambiar la mentalidad —Rubén asintió con la cabeza. Se frotó su mejilla varias veces y continuó hablando—. Él se lamentaba de haberlo descubierto tan tarde, pero aun así, hasta el final de sus días, aprendió todo lo que pudo de cualquiera que se cruzara en su vida, para ser mejor persona y dejaros el legado más valioso que pudiera daros.

—Pero, ¿por qué no vino a Miami para contarme todas estas cosas en persona? —preguntó un poco molesta Alma.

—Porque su transformación, aunque fue bastante veloz, llevó un proceso muy duro de crecimiento y autodescubrimiento que le llevó mucho tiempo y esfuerzo y, justo cuando lo estaba consiguiendo, cuando ya casi había cambiado por completo su mentalidad y había descubierto el secreto de la felicidad de la vida, enfermó gravemente.

—¿El secreto de la felicidad de la vida? Parece el título de un libro de autoayuda. ¿A qué te refieres con eso?

—Eso no se puede contar, lo tendréis que descubrir y vivir vosotros mismos —señaló pausadamente Rubén.

Alma se quedó mirando los ojos oscuros de Rubén, sin entender muy bien el porqué de tanto misterio, pero comprendió que no quería contarle más detalles sobre lo que su padre les tenía reservado.

—De acuerdo.... esperaremos entonces. Con ese nombre, merece la pena esperar.

—¡La alegría más bien! —apostilló Rubén.

—¡Vaya! ¡También hablas así tú!

—¡Sí! Las palabras tienen mucho poder, así que trato de hablar con las más adecuadas.

—¿Y qué descubrió en el rito de la ayahuasca? —preguntó Alma con mucha curiosidad.

—Recuerdo que no tuvo una buena experiencia con la ayahuasca.

—¿Le sentó mal? ¿La vomitó?

—No, nada de eso… fue más bien que se enfrentó a sí mismo. La ayahuasca te pone frente a tus peores temores y te los muestra para que te enfrentes a ellos, o al menos, para que los tengas presentes y los trabajes para poder vivir más libre de cargas. Por lo visto a tu padre la visión que tuvo, que nunca me contó en detalle, le puso frente a un miedo atroz a algo que tenía en su interior y que tenía que sanar. Le costó varios días recuperarse mínimamente.

—¿Nunca te llegó a contar algo de lo que le mostró la ayahuasca?

—Nunca.

—¿Ni pequeños detalles?

—Tan sólo que había tenido que enfrentarse a algo de sí mismo que le causaban absoluto terror.

—¿Sabes si los superó?

—De eso sí que estoy seguro. Sí, los superó. Le costó mucho tiempo, por eso se quedó tanto en el *lodge*. Creía que, estando junto a la selva podría conectar consigo mismo y sanar su interior, "matando a los miedos", como él decía.

—Sanar… tendría muchas cosas que sanar… me alegra tantísimo saber que lo consiguió…. Gracias Rubén, gracias por contarme todo esto, me ayuda a sanar mi propio interior, lleno de miedo a que mi padre falleciera víctima del odio y del rencor, lleno de tristeza… —dijo Alma sonriendo y secándose las lágrimas que resbalaban lentamente desde sus lagrimales—. ¿Puedo darte un abrazo? Lo necesito…

—Por favor, Alma, claro que sí —respondió Rubén abriendo sus brazos e incorporándose para recibir el abrazo de Alma, que lloró angustiosamente en el momento en que apoyó su cabeza contra el pecho de Rubén—. Tranquila, saca todo el dolor que puedas de dentro. Llora para limpiar tu espíritu —le dijo acariciando su cabello.

Alma permaneció durante unos minutos abrazada a Rubén.

—Gracias Rubén. Esto está siendo muy duro para mí —dijo secándose las lágrimas.

—Es normal, Alma. Lo que estáis viviendo es muy especial y supongo que remueve muchos recuerdos. ¿Pero sabes qué?

—¿Qué, Rubén?

—Aunque duela un poco al principio, lo que estáis viviendo es una transformación que os durará el resto de vuestras vidas.

—Pero una transformación no tiene porqué ser para bien —manifestó sonriendo Alma.

—Cierto, cambiaré el verbo trasformar por crecer o evolucionar que sería más aproximado a lo que estáis viviendo.

—Estaba bromeando. Sí que siento que este legado que nos ha dejado mi padre está comenzando a transformarnos en muchas áreas de nuestras vidas. Yo sólo deseo que mi hermano salga de su estado y vuelva a ser el que era.

—O que sea, incluso, una versión mejor.

—¡Exacto! que sea, incluso, ¡una mejor versión de Samuel! —apostilló parafraseando a Rubén.

En ese instante, un tucán entró en el espacio donde estaban. Se posó a unos metros de ellos para beber agua del lago. El pájaro era un festival de colores. Su desproporcionado pico servía de lienzo para exhibir brochazos de un verde casi amarillo, combinado con un naranja muy vivo, un azul cian y, completando el conjunto, un granate daba color a la punta. Su plumaje tampoco se quedaba atrás en el conjunto, con una base de plumas negras, unos mechones de plumas amarillas bajo el pico, cubriendo el pecho, que daban continuidad al colorido. Para rematar, un plumaje rojo intenso, sobre la cola negra, le daba el toque final a esta espectacular ave, que tantas veces ella había visto en dibujos.

—Rubén, ¿puedo hacerte una pregunta?

—Ya la estás haciendo, ¿verdad? —dijo riendo— Sí, claro que sí, dispara.

—Llevo pocos días aquí, pero no he parado de ver cosas únicas y extraordinarias. En cada sitio al que voy veo cosas que no he visto nunca antes, cosas que me impresionan muchísimo.

—Sí… Ecuador sorprende.

—Mucho… Por eso no entiendo cómo es posible que, con tanto potencial que tenéis aquí, y eso que yo no he visto ni una décima parte de lo que hay, no seáis un país más próspero, una potencia mundial en turismo ecológico. ¡Si es que tenéis de todo!

—Esa es una conversación que tuvimos tu padre y yo muchas veces. De hecho, hablando con Martín, me di cuenta de la mentalidad de pobre que tenía yo y que todavía tienen la mayoría de los ecuatorianos —afirmó Rubén muy convincente—. Cuando puse en marcha el *lodge*, pensé que abriría con las habitaciones justas para atender a los pocos visitantes que pudieran elegirnos. Pero Martín me hizo ver que mi negocio podía ser mucho mejor y que si mi negocio fuera más grande obtendría más ganancias, con lo que podría invertir en la conservación y recuperación de la fauna amazónica, mi gran pasión. Si ganase mucho más dinero podría contratar a más gente, podría dar más dinero a las comunidades indígenas, podría contribuir más a conservar esta selva a la que tanto amo. Tu padre me hizo consciente de que, si yo crecía, si mejoraba mi negocio, contribuiría a que esta zona fuera mucho más próspera.

—A mi padre se le daban muy bien los negocios y tenía una visión de ellos muy poco habitual. Creo que él siempre aportaba un plus que marcaba la diferencia con respecto a los competidores.

—Desde luego. Nunca nadie me había hablado así de los negocios y eso que yo soy empresario en Quito, desde hace más de veinticinco años, pero jamás había sido consciente de esa mentalidad que yo tenía y que conseguí desterrar, tras conocerle —dijo negando con la cabeza—. Mi país es un conjunto de personas maravillosas, espirituales, llenas de vida y de felicidad. Lo tenemos todo para convertirnos en uno de los mejores países para vivir del mundo. Pero, eso todavía no es una realidad porque tenemos una opinión nefasta sobre nosotros mismos.

—¿Tan mala es? —preguntó sorprendida Alma. Se giró al oír el batir de las alas del tucán, elevándose, y perdiéndose en la selva de nuevo.

—Horrible. Creo que en casi toda Latinoamérica tenemos una visión errónea de lo que somos y de cómo somos en realidad. Estamos eclipsados por la propaganda de nuestro poderoso vecino del norte, Estados Unidos, y achicamos nosotros mismos nuestro pensamiento. Nos hacemos pequeños y pensamos que el resto de países es mejor que el nuestro, sobre todo si lo comparamos con los del norte.

—Ya entiendo… La visión que tiene un pueblo sobre sí mismo lo es todo. Estados Unidos es quién es, porque su gente cree que es capaz de hacer realidad cualquier sueño. Los estadounidenses, al creer que su país es el mejor del mundo, hacen que lo sea de verdad. Digamos que es un reflejo de la mentalidad de los ciudadanos.

—Estoy completamente de acuerdo con lo que estás diciendo. Nosotros, los ecuatorianos, por lo general nos sentimos unas víctimas.

No creemos que tengamos en nuestro haber el poder necesario para hacer de este país, un país mucho más desarrollado y rico. Además, como víctimas, buscamos siempre culpables. Primero, culpamos a nuestros políticos, les hacemos responsables absolutamente de todo lo malo que nos pasa, incluso, de cosas muy particulares de cada uno. Pero, lo que no se dan cuenta mis compatriotas es que, los políticos, son el reflejo de la sociedad que hemos creado, no son diferentes a cualquiera de nosotros. Ellos también tienen mentalidad de pobreza y de victimismo.

Todavía hoy, y esta es la segunda gran razón por la que no conseguimos despegar como país, es que en pleno siglo veintiuno, muchos políticos enarbolan el eslogan anticolonial español, como si nosotros no pudiéramos hacer ya nada por mejorar nuestra nación. Todo, porque hace quinientos años, unas personas invadieron lo que se supone que es ahora Ecuador y se presume que arrasaron con todo y con todos. Es decir que, en lugar de mirar para el futuro, buscamos culpables y los encontramos, incluso, cinco siglos atrás. Muchos se han creído este cuento victimista que cuentan los políticos sobre que nos expoliaron tanto, que ya nunca jamás podremos ser potencia mundial en nada —Rubén hizo una pequeña pausa para pensar lo que iba a decir a continuación—. Mientras no nos hagamos responsables de nuestro propio destino, no podremos crear un país mejor.

—El discurso del odio es muy utilizado por personajes que no son capaces, o, directamente, no quieren hacer nada por mejorar. Esa estrategia es muy utilizada en todo el mundo por políticos y líderes de opinión. Nada une más que un enemigo común. Si no existe ese enemigo, hay que inventarlo, aunque sea echando mano de la historia. Pero, como bien dices, eso solo lleva a la ruina, al odio estúpido que impide centrarse en mejorar el futuro. Yo decidí hace mucho tiempo no escuchar a ningún político nunca más, ni las noticias de la televisión ni la radio, ni, tampoco a la gente de mi alrededor que se cree su cuento.

—Nos tratan como animales domesticados, pero la clave, y esto lo aprendí hablando con tu padre, es que ¡nosotros permitimos que lo hagan! Ellos no tienen ningún poder sobre nosotros, ¡excepto el que nosotros le regalamos! —protestó Rubén elevando tanto la voz, que hizo eco contra la roca de la cascada—. Preferimos que nos traten como animales, sin poder de decisión, porque así nos podemos quejar de ellos. Pero de lo que la gente no se da cuenta es que cuando te quejas, ¡ya es tarde! Ya has regalado ese poder, que era tuyo, al político, al líder de opinión o al director de canales de televisión y de radio. Y luego no esperes que hagan lo que tú habrías hecho con ese poder. Ellos harán lo que a ellos les parezca correcto, ¡para ellos! ¡Y casi nunca coincide con lo que tú mismo harías! Con lo que, una vez más, sólo puedes protestar. Y, en lugar de retomar de nuevo ese poder, de recuperarlo, se lo volvemos a dar a otro de la oposición, ¡pensando que esa persona lo hará mejor! y así, ¡nos metemos en una rueda infinita de queja sin poder alguno sobre nuestra vida!

—Grandes palabras, Rubén…

—El gran problema es que nos enseñan a pensar así, pero, una vez que lo ves, una vez que eres consciente de que tú eres la persona que puede hacer tu vida mejor y ayudar a los demás, ya no hay vuelta atrás. Costará más o menos tiempo, Dios sabe que lucho cada día contra ese pensamiento —Rubén hizo una pequeña pausa para tomar aire y calmarse un poco—. Pero, en verdad te digo que, no hay vuelta atrás —dijo lentamente y silabeando cada palabra.

—Eso que acabas de decir, sería necesario que lo contaran en todas las escuelas del mundo —reflexionó Alma.

—Sí, pero cuidado con ese pensamiento, porque yo pensé eso mismo que acabas de decir. Tu padre me hizo recapacitar sobre que, si esperamos a que las personas que educan e imparten conocimientos en las escuelas, hagan nuestro trabajo, estamos otra vez entrando en el victimismo. Esos maestros, profesores, catedráticos y doctores, tienen mucho conocimiento técnico, pero están en la misma rueda que el resto de la sociedad, si no, la sociedad de todos los países, ¡ya habría cambiado! No podemos esperar a que estas personas despierten de este letargo de queja continua y comiencen a impartirla en sus clases, porque otra vez les estamos dando el poder a otras personas. Todos y cada uno de nosotros tenemos el poder de hacer el cambio y extenderlo, en cualquier parte del mundo, da igual la situación económica o social que se tenga. ¡Todos somos capaces de mejorar, sin depender de nadie más!

—Tienes razón, Rubén… Yo, de hecho, es lo que aprendí en Rusia con el legado que nos dejó mi padre allí y con las conversaciones con Alexey. Pero encuentro que es muy difícil extenderlo. Sé que ésta es la manera más feliz de vivir, en la que tú tienes el control, pero, yo lo he intentado y causa mucha oposición del resto de personas. Yo he perdido ya amistades y presiento que mi propia familia cree que estoy volviéndome medio loca.

—Es absolutamente normal. A mí me pasó lo mismo con mis hijos. Por suerte, mi esposa estaba más predispuesta que yo y nos apoyamos mutuamente. Es difícil, sí, lo es. Pero, no hay vuelta atrás. Quizás te ayude lo que me ocurrió a mí —Rubén se levantó de la roca en la que estaba sentado y se agachó para beber agua del lago—. ¡Mucho mejor! Como te contaba, cuando volví a Quito para atender a mis negocios, tras conocer a tu padre, quise extender este modo de pensar. Lo que ocurrió es que mis amistades, y, como ya te he dicho, mis propios hijos, de repente se pusieron enfrente de mi modo de pensar y comenzaron a sentirse amenazados y a defenderse. Cada vez que intentaba que ellos abrieran un poco sus mentes, lo que conseguía era que se cerraran en banda y no quisieran saber nada de lo que les contaba. Produjo tal rechazo que perdí a casi todas mis amistades, torcí acuerdos de negocios que tenía desde hace años y mis hijos dejaron de hablar de la mayoría de los temas habituales conmigo, para no entrar en conflicto.

—¡Eso es justo lo que estoy sintiendo yo en esta etapa de mi vida! y ¿qué hiciste? Me interesa mucho lo que me vayas a contar.

—La clave está en que sólo puedes cambiarte a ti mismo. Eso, en la teoría lo sabemos todos, pero en la práctica, es complicado no decirle nada a tus propios hijos, cuando escuchas lo que dicen y cómo piensan. Pero es necesario. Mis hijos, hasta hace unos meses, no se interesaron para nada en todo esto, pero poco a poco, uno tras otro, cada uno a su ritmo, fueron descubriendo que nuestra vida, la de mi mujer y la mía, era mucho mejor, más feliz y estable que la de ellos.

—Es decir, ocuparse sólo de cada uno de nosotros.

—Exactamente.

—Acabo de ver que estaba un poco obsesionada con las palabras de mi padre y de Alexey sobre "expandir el milagro".

—La manera de expandirlo, es siendo tú un ejemplo de vida. Nada más podrás hacer por nadie. Este cambio sólo se puede llevar a cabo cuando una persona lo desea hacer, nunca por obligación.

—Ahora lo veo, Rubén… ahora lo veo claramente… no sabes lo que te agradezco que hayas compartido este rato de conversación conmigo.

—Es el agradecimiento que tengo eternamente a tu padre el que me impulsa a hacerlo.

—Parece que mi padre influyó en muchas personas.

—En mí dejó una huella imborrable. Confirmó cosas que intuía y me ayudó a descubrir otras que estaban ocultas. Por alguna extraña razón, siempre he sido la oveja negra de mi familia y era el que pensaba un poco diferente a todos ellos. Comencé mi búsqueda hace muchos años y este proceso me ha llevado, lenta e inexorablemente a mi maravillosa situación actual.

—Es fantástico, Rubén. Enhorabuena por tus logros. Te entiendo perfectamente, tanto, que yo misma me denominaba la "incomprendida de la familia". Aunque he de confesar que, según fui madurando, mi pensamiento distaba poco del de mis padres. Quizás mi proceso se aletargó durante muchos años, sobre todo desde que fui madre, porque fue cuando comencé a entender por qué hacían las cosas que hacían mis padres.

—Es bastante habitual…

—Aunque también te digo que, en los últimos años, mucho antes de que comenzáramos esta locura de testamento, yo reinicié mi interés por mirarme dentro, aprender a entenderme mejor… Lo vi como una necesidad para poder aportar luego mi experiencia a mis hijas.

—Justo lo que tu padre deseaba.

Alma se quedó boquiabierta. Hasta ese momento no se había dado cuenta de que ella y su padre buscaban conseguir el mismo objetivo.

—Acabo de ser consciente de eso… ¡Buff! la mente se empeña, muchas veces, en mostrarte una realidad que es muy subjetiva… creo que voy a desterrar mi título de "incomprendida" para siempre…

—No quería decírtelo, pero te estás quejando y eso significa que cuando te quejas y no haces nada por cambiar la situación que te molesta, automáticamente regalas tu libertad y tu poder personal para convertirte en víctima de las circunstancias y desde ese lugar, no hay nada que tú puedas hacer.

—Muy cierto, Rubén… no lo había mirado desde ese punto de vista… El victimismo tiene infinidad de disfraces. Algunos se ven venir de lejos, otros son disfraces tan perfectos que hasta te identificas con ellos.

De repente, Alma comenzó a recordar lo que su hermano y ella habían aprendido y vivido en Rusia y se dio cuenta de que su mente estaba comenzando a no querer recordarlo. Por alguna extraña razón, su cerebro trataba de sabotear los nuevos conocimientos que adquiría, intentando enterrarlos para no cambiar su comportamiento o su forma de pensar al que estaba acostumbrada durante toda su vida. Era como si su mente estuviera en contra de su avance, en contra de ella misma. Pensó que apuntar en un cuaderno todo lo que habían aprendido y lo que aprenderían más adelante, sería de gran ayuda, con el fin de evitar que las lecciones de vida que le estaban regalando todas las personas que conocían, cayeran en saco roto. Como muy bien había aprendido en uno de los talleres de crecimiento personal en Miami, estar alerta iba a ser un trabajo diario, para el resto de su vida.

Samuel estaba en estado de shock. Le temblaba todo su cuerpo. No quería ni girarse, por si se encontraba de frente con el espectro de Vini. Estaba aterrado. Completamente paralizado.

—Tranquilo Samuel. Vini es un espíritu protector. Está aquí, contigo, para protegerte y ayudarte.

Samuel seguía sin reaccionar. La cabeza le daba vueltas. No podía ni imaginarse cómo era posible que ocurriera lo que le estaba pasando. Samuel se sentía superado por todo lo acontecido. Él había apartado de su mente el hecho de que sabía que Vini, el taxista, la persona que conoció aquella fatídica noche, en realidad, había fallecido años antes. Se auto convenció de que había sido un error.

Tampoco había querido comprender lo que le ocurrió durante su ascenso tras su propia muerte… sabía que era la voz de Vini, no sólo escuchó su voz, estaba seguro de que era él al que sintió, pero no quiso aceptarlo porque no había llegado a ver su cara. Era una parte de su sueño o de su muerte, o de una mezcla de ambos, que todavía tenía por digerir.

Kunturi, se acercó a Samuel y le posó su mano en el hombro. Quiso, con ese gesto, tranquilizarlo y que se relajara en la medida de lo posible.

—¿De verdad que puedes verlo?

—Sí, está a tu lado, sonriendo.

—Esto me está asustando mucho, Kunturi. No sé si estoy preparado para este nivel de conciencia que dices que he adquirido... El corazón me va a estallar.

En ese instante, el espíritu que representaba a Vini, guiñó un ojo a Kunturi y se desvaneció.

—No temas, no puedes verlo —dijo con voz muy suave. Samuel, por fin se atrevió a girar su cabeza y, efectivamente, allí no había nadie, dio un respiro y pudo comenzar a relajarse.

—Kunturi, esto me está superando. No estoy preparado para esto…

—Está bien, Samuel. No temas, será a tu ritmo, aunque eso no lo decido yo…

—¿Quién lo decide entonces?

—Los propios *aya*.

—¿Los propios espíritus que no tienen cuerpo? ¿Es así?

—Así es.

—¿Vini es un *aya*?

—Sí, lo es. En nuestra cultura, cuando un espíritu ha caminado las suficientes vidas por este mundo y ya ha aprendido lo que tenía que aprender, se dirige al interior de una montaña y se reúne con el resto de *ayas* que han hecho ese camino antes. Cuando un ser humano muere, en realidad, lo único que ocurre, es que su *aya* continúa existiendo en otra dimensión de la pacha, de la Tierra. Nada acaba totalmente, la muerte no significa final, sino continuidad en un plano dimensional distinto al que estamos ahora mismo.

—¡Dios mío! En mi visión, yo era un cóndor que se adentraba en los volcanes y los atravesaba, apareciendo en otros, transformado… ¡Ahora lo comprendo todo, Kunturi! Enseguida, incluso durante la visión, ¡supe que los volcanes, eran como puertas multidimensionales! ¡Lo intuí claramente! Pero no sólo eso, ahora sé que cada vez que atravesaba uno, mi cuerpo, o mi espíritu se transformaba, ¡en algo distinto! ¡Entré como cóndor y salí como un farolillo de papel iluminando el cielo!

—Los volcanes son las montañas más veneradas y las más sagradas del mundo, Samuel. Es donde se dirigen la mayor cantidad de *ayas* cuando se separan para siempre del cuerpo, para integrarse con los espíritus que moran en ellas.

—Pues, Kunturi, yo creo que hay un paso más allá.

—¿En qué sentido? —preguntó sorprendido.

—Yo sentí que el volcán era la puerta de entrada, o de salida, no sé especificarte muy bien, hacia el amor perfecto, hacia la fuente a la que todos estamos conectados. Cuando salí del volcán, fue cuando pude ver el hilo dorado de luz que nos unía con lo que podemos llamar Dios. Es decir, que las almas no permanecen en las montañas, utilizan las montañas para pasar a un estado superior y ascender hasta Dios. En ese momento fue cuando Vini, o su espíritu, apareció para devolverme y lo hice atravesando el volcán de nuevo. ¡Todo encaja, Kunturi!

El chamán se quedó pensativo. Todos sus ancestros hablaban de espíritus que moraban las montañas y que podían visitar a los vivos, porque todas las dimensiones estaban interconectadas siempre entre sí. Nunca se había planteado que hubiera un paso más allá y que éste significara ascender hasta Dios.

—Gracias por compartir toda esta sabiduría, Samuel. Yo también estoy aprendiendo escuchándote. Quizás, mi cultura no sepa con exactitud, todo lo que hay tras dejar este mundo. Te agradezco tu confianza en contármelo…

—¿Mi confianza? ¿A quién más le puedo contar algo así? Eres la única persona con la que puedo hablar abiertamente, Kunturi. El resto de personas, ¡me encerrarían, completamente medicado, en alguna clínica de trastornos mentales! —carcajeó Samuel.

—Cierto, muy cierto.

—Kunturi, necesito saber por qué Vini se presentó ante mí. ¿Por qué yo?

—Las *ayas* que no tienen una buena vida, son rechazadas de las montañas y condenadas a vagar por este mundo. Algunas de ellas, dependiendo de cómo fue su separación con el cuerpo, se quedan lamentándose por mucho tiempo. Otras, incluso puede afectar negativamente a las personas con las que entran en contacto.

—¿Crees que Vini tuvo mala vida y por eso todavía está aquí?

—No… Vini parece que se suicidó.

Samuel se quedó paralizado de nuevo, con los ojos abiertos todo lo que podía.

—¿Cómo sabes eso? —dijo titubeando.

—Porque así lo percibo.

—Me dijeron que se lanzó a un puente.

—No alcanzo a percibir tanto detalle, pero no importa. Vini es un espíritu que viene a ayudar para poder sanar su truncada vida. Se cree que cuando un espíritu elige un cuerpo defectuoso, que le impide alcanzar lo que ha venido a hacer a este mundo, vaga llorando y lamentándose por el atentado a la vida. Pero, puede redimirse si presta ayuda a los vivos. Por eso, él se fijó en ti, probablemente ibas a cometer el mismo error que cometió él y por eso decidió ayudarte.

—Kunturi, creo que algo no encaja en todo esto —meditó Samuel.

—¿Por qué piensas eso? —preguntó muy sorprendido

—Porque si Vini es un *aya* atormentada por su vida truncada, no sería posible que hubiera estado al otro lado del volcán, es decir, que no creo que fuera posible que estuviera cerca de Dios… Algo nos falta por comprender, Kunturi… —dijo acariciándose la frente y bajando su mirada.

Kunturi muy pensativo, no atinaba a encontrar las palabras adecuadas para responder a esa duda. Finalmente, resolvió decir:

—Samuel, creo que tienes razón. Creo que no conocemos todavía bien el mundo de los espíritus. Tú todavía no eres consciente de lo que implica tener un aura de color morado. Los que tenemos este tipo de energía del Dios interior, como le gusta a Qhawachi denominarlo, tenemos una sensibilidad especial para percibir ciertas cosas del mundo de los espíritus que intervienen en el mundo de los vivos. Pero no podemos ver más allá, es lo único que se nos permite ver.

—Con sensibilidad especial, ¿te refieres a que, además de poder ver la energía de los seres vivos, tienes la capacidad de ver a los espíritus que todavía están aquí, o que vienen, digamos, de visita, a esta dimensión?

—Exactamente. Tenemos la capacidad de ver a través de nuestro espíritu y éste es capaz de percibir los espíritus que nos visitan.

—Kunturi, eso no me gusta ni un pelo —dijo con cara de susto.

—Es un don, Samuel.

—Es un don que no he pedido tener. Me da miedo encontrarme a espíritus…

—Ya has tenido contacto con ellos, sin saberlo.

—¿Cómo dices? —preguntó asustado.

—¿No has dicho que Vini apareció en el momento justo antes de cometer un atentado contra la vida?

—Sí…

—Él es un espíritu, así que ya has tenido contacto con ellos.

A Samuel se le amontonaban los pensamientos. Estaba mareado después de tantas cosas extrañas que estaba experimentando y aprendiendo de la conversación con Kunturi. Quería creer que todo era real, pero, por otro lado, su mente racional le estaba gritando que era una auténtica locura, quizás, incluso, estuviera todavía dentro de la alucinación. De pronto, se acordó de Fernando y Toribio, las dos personas que conoció en el bar de Castellote.

—Kunturi… —dijo todavía abstraído en sus pensamientos.

—¿Sí? Dime…

—Conocí a dos personas, bueno a tres en realidad, en un pueblo de España, que dijeron que conocían a mi abuelo.

—¿Y qué ocurrió? —preguntó al ver que Samuel hacía una pausa larga.

—Pues… estuve hablando con ellos, de hecho, me dieron un diario… que me acabo de acordar que nos dejamos en la casa de mi abuelo y no lo hemos reclamado… El tema es que al día siguiente, volví al sitio donde los conocí y parecía que no había sido usado en años. Estaba todo sucio, como si nadie hubiera estado allí en mucho tiempo, pero yo estuve con ellos la noche anterior. ¿También ellos son lo mismo que Vini?

—Me temo que sí, Samuel. Presiento que son dos espíritus que quisieron agradecer lo que hizo tu abuelo por ellos. Algo bueno. ¿Puede ser?

—No me lo puedo creer… ¿en serio percibes eso? —Samuel se comenzó a marear y se sentó de golpe en el suelo— Me estoy empezando sentir indispuesto. Esto es demasiado para mí. No soy capaz de asimilar tantas cosas en tan poco tiempo…

—Descansa Samuel. Disculpa por mi insistencia en saber más. Quería aprovechar tu experiencia para aprender y te he abrumado. Paramos aquí.

—Gracias Kunturi. Estoy agotado… —Samuel se inclinó hacia el riachuelo y se refrescó la cara y la nuca. Después bebió agua con sus manos y se quedó con las piernas dobladas y sentado con la cabeza entre ellas.

—¿Te encuentras mejor? —preguntó Kunturi.

—Sí... Kunturi, no sé si quiero este don.

—Lo tienes que ver como un regalo. Es el regalo de tu retorno a este mundo que ha abierto tu conciencia para siempre. Tu experiencia de muerte simboliza la muerte de tu mentalidad anterior.

—Estaba muy a gusto con mi mentalidad anterior.

—¿Seguro? Acuérdate que los ojos del espíritu no mienten y yo veo con ellos…

—¿Tan mal estaba, Kunturi?

—Ciertamente.

—La verdad es que tengo miedo a todo esto. Siento pavor cuando pienso que he estado muerto y que he vuelto. No paro de preguntarme por qué he vuelto, por qué no me quedé en ese lugar de amor perfecto.

—Tu espíritu tiene otros planes para tu cuerpo. Los descubrirás, no tengas prisa por ello.

—Esto me supera… —dijo Samuel bajando de nuevo la cabeza al sentirse, de nuevo, mareado.

—Déjate guiar por tu espíritu interior, por tu *jayni*, no tengas prisa. Lo estás haciendo muy bien, Samuel

Alma y Rubén iniciaron el camino de vuelta a la embarcación, pero, Rubén quiso dar una pequeña vuelta para poder ver algo muy especial.

—Ya verás, Alma, te va a encantar. A ver si tenemos suerte y ¡vemos alguno! —gritó Rubén con cara de ilusión.

Llegaron a una pequeña laguna, rodeada completamente de vegetación, no se acercaron mucho a la orilla de la misma. La humedad del lugar era muy alta. Alma se abanicaba constantemente con su mano mientras bebía sorbos de agua de forma intermitente. Si se agudizaba el oído, se podía escuchar cientos de sonidos de animales, parecía una ciudad diminuta, en la que habitaban toda clase de seres vivos. Se veían monos, pájaros de todos los colores posibles, insectos por doquier… naturaleza en estado puro.

—¿Qué esperamos ver? —preguntó Alma.

—Vamos a ver el reptil más gracioso de la tierra, ¡al menos para mí! —voceó Rubén— suelen verse en esta laguna, pero tienes que estar muy atenta porque son muy rápidos.

—Pero, ¿cómo son?

—Cuando lo veas, te darás cuenta enseguida de qué hemos venido a ver.

Alma comenzó a escudriñar, palmo a palmo la laguna. Había muchos insectos en ella y aves que bajaban de cuando en cuando a beber. Pero ni un solo reptil. Cuando llevaban un cuarto de hora mirando la laguna, Alma empezó a inquietarse.

—Tampoco hace falta que lo veamos… Casi prefiero volver al *lodge* y descansar un poco antes de comer.

—Tranquila, merece la espera.

A Alma se le estaban durmiendo las piernas y, cuando estaba a punto de tirar la toalla y decirle a Rubén que ya no aguantaba más, un lagarto verde, de unos cincuenta centímetros, una larga cola y una pequeña cresta en la cabeza, corrió como un demonio de orilla a orilla de la laguna pasando sobre las aguas, apoyado sobre sus dos diminutas patas.

—¡Pero si está corriendo por encima del agua! ¡Pero qué velocidad! —dijo asombrada Alma.

—Es un 'piandes', no es nada habitual por esta zona, pero justo aquí habitan unos cuantos ejemplares. ¿Sabes cómo se le conoce también a este lagarto?

—¿Cómo?

—¡Lagarto Jesucristo!

—¡Qué dices! ¿En serio? el nombre es muy acertado, ¡desde luego! Pero, ¿cómo puede hacer eso?

—Pues verás, tiene unas membranas en las patas de atrás que usa para cruzar el agua a toda velocidad. Cuando está en tierra firme, esas membranas las enrolla y las esconde.

—Pero, si se detiene en mitad del agua, se hunde, ¿verdad?

—Así es. En cuanto baja un poco la velocidad, se hunde, aunque, ¡sabe nadar muy bien! ¿Merecía la espera para verlo, aunque haya sido fugazmente?

—¡Desde luego que sí! ¡No había visto nunca nada igual!

—Bueno, ahora vamos a la playa más famosa de Puerto Misahuallí, la llamada playa de los monos. La playa es muy apacible, aunque haya monos pululando por allí.

—Me sorprende tu comentario sobre los monos. ¿No tienes aprecio por ellos?

—Más que nadie en toda esta zona.

—Entonces… no entiendo nada —dijo negando con la cabeza, Alma.

—Cuando los humanos ocupamos su espacio, ellos no quieren convivir con nosotros de forma natural, pero algunos de los comerciantes y de los gobernantes de la provincia, pensaron que sería buena idea reintroducirlos de nuevo y domesticarlos. Así que, desde algunas décadas, alimentan a diario con fruta, a los monos en la plaza principal de Misahuallí y así los mantienen allí como atracción turística.

—Y, supongo que estarás en contra de cualquier tipo de domesticación.

—No sólo eso, sino que los pobres animales sufren toda clase de accidentes, atropellos, se electrocutan con los cables de la luz, son mordidos por perros, comen basura dejada por los humanos… y para colmo, ahora hay una plaga de sarna que está acabando con muchos de ellos. Tengo un amigo, llamado Quique, que tiene una tienda de *souvenirs* en la plaza y se dedica a recoger los especímenes que están en peor estado y juntos nos los llevamos a la zona de conservación y recuperación de la fauna, cerca del *lodge*.

—Ahora te entiendo perfectamente —dijo Alma atenta a la explicación de Rubén

—Estamos intentando que los monos desaparezcan de aquí, pero ya se ha convertido en uno de los reclamos más importantes del turismo en Misahuallí, así que es complicado.

—En mi opinión, hacer público tu punto de vista en algún sitio, por ejemplo, en internet, ayudaría para que las personas supieran qué hay detrás de todo esto y fueran conscientes de ello y luego actuaran en consecuencia.

—Lo hemos hecho por activa y por pasiva, pero hay muchas más personas en la zona que están a favor, que en contra. No se dan cuenta de que los están matando, les da igual, prefieren vender más a costa de lo que sea —Rubén miró desde la otra orilla a la famosa playa, negando con la cabeza—. En fin, vámonos. ¡Es hora de comer! ¿Quieres que vayamos a un sitio auténtico a comer?

—¡Suena muy bien! ¡Vamos!

Rubén arrancó el motor de la lancha y avanzó escasos metros. El lugar al que se dirigían se encontraba en mitad del río.

—Este es el restaurante de mi amigo Kyin, *La balsa flotante.* Yo lo vi construir con mis propios ojos. Lo hicieron a mano, con materiales sostenibles de la selva y con mano de obra quichua. Él está muy en sintonía conmigo, por eso nos hicimos amigos enseguida. Compra todos sus productos a las comunidades quichua y cocina… ¡de maravilla!

—Lo cierto es que es muy original. Ese rojo es muy llamativo y… parece que tiene dos plantas, ¿verdad?

—Sí, la parte de arriba es un salón bastante amplio, desde aquí abajo parece más pequeño de lo que es.

—Tiene pinta de ser auténtico, eso me gusta.

—Pues te va a gustar más aún cuando pruebes su comida. Debes saber que él, el dueño, trabajaba para mí como chef, pero quiso crear un negocio por su propia cuenta y yo le ayudé, gracias a la mentalidad que adquirí tras conocer a tu padre. Ahora pienso que, cuantos más restaurantes de calidad haya en Puerto Misahuallí, mejor. Kyin tiene el objetivo de obtener una estrella *Michelin* y estoy más que seguro de que lo va a conseguir.

Llegaron junto a la balsa que hacía de restaurante y amarraron su barca a uno de los cabos que tenía. Rubén ayudó amablemente a Alma a trepar por la empinada escalinata de madera que le llevaba a la cubierta, donde estaban las mesas del restaurante. Nada más subir Rubén, Kyin salió de la cocina para recibirle con un gran abrazo.

—¡Rubén! ¡Qué alegría volver a verte! Ha pasado… ¿una semana sin vernos? ¡Ja, ja, ja! —gritó Kyin antes de darle el abrazo.

—¡Kyin! ¡Ni eso! ¡No hace ni seis días que vinimos a cenar! —dijo Rubén con una sonrisa de oreja a oreja— Permíteme que te presente a Alma. Es la hija de Martín, ¿te acuerdas de él?

—¿Estás de broma? Gracias a Martín existe este maravilloso restaurante.

—¿En serio? ¡Encantada de conocerte! —dijo Alma extendiendo la mano para estrechar la de Kyin. Kyin, ni corto ni perezoso, le dio la mano a Alma y le plantó dos besos en las mejillas. Kyin era un hombre indígena, alto y guapo, o al menos, eso le pareció a Alma, cumplía con los cánones de todos los rasgos típicos de los quichuas de la zona, con ojos negros y rasgados, amplia y perfecta sonrisa, delgado y muy fibroso. En cambio el pelo, lo tenía más bien rizado, cosa no tan común entre los quichua. Apareció vestido con una camiseta negra, con el logotipo de su restaurante, que representaba a una mujer sobre una barca, vestida un largo vestido, sujetándose la cola del mismo y portando una bandeja con una langosta y ofreciéndosela al sol. Llevaba, también, una gorra blanca de marinero, donde se podía leer 'Capitán'.

—¡El gusto es mío!

—¿Cómo es que fundaste este negocio gracias a mi padre? —preguntó sorprendida Alma, perdiéndose en su sonrisa.

—Fue tan sencillo como hablar con él —respondió rápidamente.

—¿Y de qué hablasteis? —volvió a preguntar Alma para averiguar más detalles.

—Él probó casi todos mis platos. Un día, me pidió que le cocinara unas verduras en tempura. Yo había hecho mis pruebas con la tempura, pero con las típicas verduras de coliflor, zanahoria o brócoli, pero quería probar algunas verduras diferentes. Fue todo un reto para mí, y lo saqué adelante tan bien que me recomendó que creara mi propio restaurante para ser una referencia en todo Ecuador y que la gente hiciera cola para venir desde todos los puntos del país y del extranjero para comer en él —Kyin hizo una pequeña pausa y continuó—. Todavía no lo he conseguido, pero estoy en ello.

—Yo porque tengo mi mesa siempre dispuesta, que si no... ¡no como ni en un mes aquí! —protestó Rubén— Si llego a saber que deleitar a Martín implicaba que iba a perder a mi mejor chef, le habría echado más sal a los platos, o picante, o ¡ambas! —dijo Rubén provocando la carcajada de los tres.

—En serio, tu padre me hizo ver que si me convertía en un éxito, podría ayudar a cientos de personas. Y lo hice con todo el sudor de mi frente. Invertí todos mis ahorros, los de mi familia y una cantidad muy reseñable que me prestó Rubén. Construí esta pequeña barcaza con la idea de darle un toque único al primer restaurante con una estrella *Michelin* de Ecuador, bueno el futuro primer restaurante —dijo riendo Kyin.

—Por muchas historias que me cuenten así, no deja de sorprenderme la claridad con la que mi padre veía los negocios y la abundancia... Lo llevaba en su ADN.

—Desde luego que lo llevaba. Para mí fue todo un aprendizaje. Me enseñó que se puede pensar en grande, pero que se debe empezar paso a paso. Yo estaba acostumbrado a pensar en muy pequeño y a creerme que conseguiría todo sin esfuerzo, a lo grande, me lanzaba casi sin prepararme y una y otra vez me pegaba contra un muro —Kyin acompañó estas palabras pegando con su puño contra la palma de la mano, puesta en horizontal—. Cuando consiga la estrella *Michelin*, toda tu familia estáis más que invitados a la fiesta de celebración.

—¡Muchas gracias! Con ese ímpetu, ¡me voy a ir comprando un traje de gala para la celebración por todo lo alto! —aseguró Alma.

De pronto, una mujer del *staff* asomó la cabeza por la puerta de la cocina y llamó a Kyin, quien se giró para atenderla.

—Disculpadme, me reclaman en la cocina, está todo sincronizado, no puedo ausentarme más. Disfrutad de la comida. ¡Nos vemos luego!

—Muchas gracias —respondieron Alma y Rubén.

Rubén le indicó a Alma que subiera por la escalera al piso de arriba. Estaba completamente vacío. Se sentó en una mesa, cerca de la barandilla, con vistas a la orilla contraria del río Napo.

—Ahora entiendo que siempre tengas mesa —reflexionó Alma.

—Fue una de las condiciones que le impuse.

—¿Le impusiste que siempre tuvieras mesa?

—Sí, siempre que fuera entre semana —aclaró Rubén alzando el dedo índice.

—Es una condición muy acertada… —apreció Alma.

—Lo es, créeme. En mi restaurante he conseguido un chef que viene de Guayaquil, pero mi intención es que se formen dos jóvenes quichuas, amantes de la cocina, con él. No sé si los habrás visto.

—Lo cierto es que no me he fijado, lo siento.

—Esta noche te los presento, si lo deseas.

—¡Claro! ¡Por supuesto! —aceptó Alma.

—¿Te fías de mí?

—¿En cuanto a qué? Bueno, sin saberlo, diría que sí.

—¡En cuanto a elegir la comida! —dijo riendo Rubén.

—¡Por supuesto que sí! —respondió carcajeando.

—No te defraudará.

Cuando el camarero subió para tomarles nota, Rubén le hizo una seña para indicarle que iban a comer dos raciones de lo que acostumbraba a pedir él. Al cabo de un rato, trajeron una enorme langosta rellena de trocitos de su propia carne, mezclada con verduras variadas y una salsa. Alma apuró todo el plato.

—Está absolutamente exquisita.

—Lo está, es insuperable. No sé cómo lo hace, pero le sale siempre perfecta.

Después de la langosta, varios platos fueron llegando a su mesa. Desde frijoles con arroz y plátano rebozado, rodajas de pescado frito con chile, sopa de tomate y otras verduras, acompañadas con un refrescante coctel. A pesar de que Alma ya estaba más que saciada no pudo resistirse cuando llegó su fruta preferida, la piña, rellena con un arroz de pescado con gambas y terminó comiéndose la mitad.

—Rubén, creo que me vas a tener que tirar por la borda para poder bajar.

—¡Ja, ja, ja! Tranquila, reposemos la comida disfrutando de las maravillosas vistas que nos acompañan.

—Estoy muerta de sed y no bebo porque no me pasaría del gaznate… ¡imagínate lo llena que estoy! ¡Ja, ja, ja! ¡Uy! voy a parar de reír que a lo mejor me da una indigestión…

—Aquí es que sabemos comer bien.

—Desde luego que sí. Yo habitualmente con el arroz y un par de pescados rebozados me habría quedado más que a gusto.

Después de una reposada sobremesa en la que Alma y Rubén aprovecharon para conocerse más, se despidieron de Kyin asegurándole que conseguiría la ansiada estrella *Michelin*.

—Además, la vas a conseguir con platos típicos de la zona. ¡Eso es un gran mérito! —afirmó Alma.

—¡Claro, claro! Aquí, ante todo, prima la autenticidad. Muchas gracias por los ánimos, me ayuda mucho a continuar con mi propósito.

—Ha sido un placer conocerte, comer aquí y… ¡nos vemos en la fiesta de celebración de la consecución de la estrella!

—¡Por supuesto! ¡Les avisaré a través de Rubén!

—Exacto, así me enteraré yo también de la fiesta, que éste es capaz de no decirme nada —rieron los tres al unísono.

Se despidieron y bajaron con cuidado a la barca. Alma le pidió a Rubén que fuera lento, porque todavía notaba que su estómago estaba haciendo un esfuerzo extra al que no estaba acostumbrado.

Durante el trayecto, Rubén le preguntó:

—Mañana vais a ver a Samuel, ¿cierto?

—Sí… iremos por la mañana, o al menos, eso me ha dicho Maritza.

—Perfecto, seguro que está recuperado.

—Eso espero.

—Yo no tengo ni la más mínima duda. Kunturi le habrá cuidado de maravilla y volverá pletórico.

—¡Ojalá! Ya veremos cómo está mentalmente. Lo que ocurrió fue tan duro… no quiero ni recordarlo…

—Kunturi se habrá encargado de acompañarle a encontrar su centro.

—Te creo Rubén. Gracias.

Samuel y Kunturi regresaron por donde habían venido. La pantera ya no estaba, lo cual no consiguió tranquilizar a Samuel, sino todo lo contrario; no dejó de mirar a todos lados, por si aparecía de entre la vegetación y se lanzaba sobre ellos para devorarle.

—Mañana tengo que ir a casa de un vecino. Debo realizar el rito del quinto día.

—¿Qué rito es ese?

—Es el *Pichqay* o rito con el que se despide al difunto, fallecido cinco días antes.

—¿Cinco días? ¿No es mucho? —preguntó asombrado Samuel.

—Nosotros creemos que el *aya* de una persona, el espíritu del difunto, puede mantenerse aquí haciendo cosas de la vida cotidiana o cosas pendientes que tenía por hacer cuando dejó de ser *jayni* o espíritu de su cuerpo. Por ello, rezamos para que su *aya* se despida definitivamente del cuerpo y se dirija a la montaña que desee para fundirse con su espíritu. Siempre y cuando ese *aya* no necesite pagar por alguna culpa —explicó Kunturi.

—Qué costumbre más curiosa… Si fuera mi *aya*, ¡necesitaría al menos quince días para cerrar ciertos temas! —dijo en tono jocoso.

—En el quinto día —prosiguió Kunturi sin hacerle demasiado caso—, todos los familiares y amigos se juntan para despedir a su *aya* y lo celebran cantando y comiendo. Por la mañana, las mujeres de la familia lavan todas sus ropas, que todavía pueden ser válidas para otra persona y queman las que ya están roídas y gastadas. Así se borran todas sus huellas.

—¿Crees que podría ir yo? —propuso Samuel.

Kunturi lo miró sorprendido. Meditó su respuesta durante varios segundos y finalmente, respondió:

—Pues como eres el invitado de mi casa y mi mujer Diocelina también va a ir, podrás acompañarnos.

—¡Genial! —aplaudió Samuel—. Me encantará vivir esa experiencia contigo y con Diocelina. —Kunturi le sonrió sin decir nada más.

El reencuentro

Alma durmió sin sobresaltos toda la noche. La tarde anterior la dedicó a relajarse, tras la comilona en el restaurante de la embarcación. Comió tanto, que ni cenó por la noche. Decidió que la tarde se la dedicaría completamente a ella. Se regaló un masaje que le quitó todas las contracturas que habían aparecido por las últimas tensiones generadas. Al atardecer, con un cóctel en la mano, admiró la puesta de sol tras los Andes, en el mirador del *lodge*, mientras disfrutaba de los sonidos, el olor y el aire puro de la selva. Alma no podía imaginar un sitio mejor para estar en ese momento.

Cuando se despertó, se llenó de energía al recordar que, por fin, iba a reencontrarse con su hermano. Se duchó, se vistió todo lo rápido que pudo y se dirigió al restaurante para desayunar. Qhawachi todavía no había llegado. Andrés le atendió.

—Buenos días Alma, ¿cómo has dormido esta noche?

—Francamente bien, la verdad.

—Me alegro mucho. Hoy te acompañaré yo en lugar de Maritza. Ha tenido que ir a hacer unos recados. Qhawachi vendrá de un momento a otro, así que puedes desayunar ya, si lo deseas.

—Sí, tomaré un desayuno consistente, presiento que hoy también será un día largo.

—Perfecto, ¿deseas el desayuno completo?

—¡Sí! —respondió sin dudar.

En ese instante, apareció Rubén.

—¡Buenos días Rubén! —saludó Alma con una gran sonrisa.

—¡Buenos y maravillosos días, Alma! Veo que has podido descansar fantásticamente esta noche, irradias frescura.

—¡En efecto! ¡He dormido como un bebé, ni me he movido en toda la noche!

—¡Excelente! Eso es que tu cuerpo se está adaptando al ambiente húmedo de la selva.

—Eso y que la tarde fue muy relajante —añadió Alma alargando la pronunciación de la 'u' en 'muy'.

—Quería comentarte que hoy he hablado con el albacea y me ha confirmado que mañana por la mañana os marcháis al siguiente destino.

—¿Ya? ¿Mañana por la mañana?

—Sí...

—Rubén, ¿tú sabes quién es el albacea? —preguntó Alma.

—Sí, claro que lo sé.

—Y... ¿quién es?

—No puedo decírtelo, Alma. Tu padre puso las normas.

—Bueno, de acuerdo, tanto misterio me tiene intrigada —dijo resignada Alma.

—El siguiente destino está lejos de aquí.

—¿Muy lejos?

—Bastante.

—¿Cómo de lejos?

—Pues... al otro lado del Atlántico.

—¿Otra vez? —preguntó confusa.

—Parece que sí. Es un destino muy especial que no os imagináis...

—Bueno, pues dispara, despejemos la incógnita de una vez.

—¡Os vais a Ruanda!

—¿¡Quéeeee!? ¿A Ruanda? Pero... ¿cómo pudo mi padre terminar yendo a Ruanda?

—Tu padre se recorrió todo el mundo, casi literalmente. Allí os encontraréis con una mujer muy especial que os estará esperando en el aeropuerto de Kigali.

—Bueno, primero vamos a recuperar a mi hermano y luego ya lidiaremos con el nuevo destino.

—Me parece muy buena decisión, Alma. ¡Mira! —apuntó señalando al camino de entrada— ¡Ahí llega Qhawachi!

—¡Hola! ¡Buenos días! —gritó desde lejos, saludando con la mano.

—¡Buenos días Qhawachi! —respondieron ambos.

—¿Estáis preparados? —preguntó Qhawachi.

—Termino el desayuno y ya estoy lista —respondió Alma.

—¡Andrés! —llamó Rubén con la cabeza girada hacia la puerta de la cocina.

—¿Sí? —respondió asomándose por el quicio de la puerta.

—Ya está aquí Qhawachi, deja lo que estés haciendo y vente, que se os va a hacer tarde.

—¡De acuerdo! ¡Termino una cosilla y voy!

Samuel aún dormía cuando Diocelina se dio cuenta de se que había dejado su cámara junto a él y quiso gastarle una broma. Tomó la cámara entre sus manos y, ni corta, ni perezosa, le hizo una foto, recostado en posición fetal como un bebé que duerme plácidamente, con el fondo de la cabaña y de la selva que asomaba por la puerta. Kunturi no quiso participar en la broma, pese a la insistencia de su mujer a que se pusiera detrás. Diocelina la depositó en el mismo sitio y siguió haciendo sus cosas cotidianas. Samuel durmió profundamente, hasta que Kunturi le despertó para ir a la celebración del quinto día.

—¡Samuel, despierta! —le dijo Kunturi, moviéndolo con poca delicadeza.

Samuel, abrió los ojos y observó a su amigo junto a él, con la corona y el collar de semillas rojas, tal y como lo conoció, y la cara pintada con motivos geométricos rojos y negros, dispuesto a acudir a la celebración del rito del quinto día.

Samuel, desperezándose durante varios segundos, le respondió.

—Hola Kunturi, parece que he dormido más de la cuenta —preguntó mientras se intentaba incorporar frotándose los ojos.

—Justo lo que has necesitado —respondió sonriendo Kunturi—. Ven, Diocelina tiene preparada para ti una sorpresa.

—¿Sí? ¿Qué sorpresa?

—Si te lo dijera, ya no lo sería —respondió arqueando una ceja.

—Cierto.

Ambos salieron fuera de la cabaña. Diocelina les estaba esperando con una vasija de cerámica color tierra, con figuras geométricas y un líquido oscuro de apariencia grumosa en su interior.

—¡Hola dormilón! —saludó Diocelina a Samuel.

—¡Hola Diocelina! Sí… parece que necesitaba descansar… demasiadas cosas en poco tiempo —respondió Samuel.

—Te tengo preparada una sorpresa —le anunció Diocelina.

—Tú dirás —contestó con cierta desconfianza.

—Ven, siéntate acá —ordenó Diocelina. Voy a convertirte en un verdadero quichua, para que seas un indígena de la Amazonía.

—¿Qué vas a hacer? —preguntó con recelo, aún sin tomar asiento.

—Te voy a pintar la cara como un quichua.

—¡Ah! ¡Vale! ¡Había pensado algo mucho peor! ¡Adelante! ¡Déjame bien guapo!

—Voy a usar el *wituk*, para decorar tu cara.

—¿Qué es el *wituk*?

—Es este líquido negro que sacamos de un árbol de la selva.

—Y, ¿qué me vas a dibujar, Diocelina?

—Estas pinturas son representaciones de lo que soñamos. Como sé que soñaste con ser un *kuntur* y surcar los cielos voy a dibujarte uno.

—¿Un *kuntur* es un cóndor?

—Así es…

—Me gusta. ¡Adelante! —asintió Samuel sentándose de golpe.

Diocelina, usando un pequeño palo e impregnándolo en el *wituk*, se esmeró en dibujarle un precioso cóndor de alas abiertas surcando sus mejillas y plasmó cuidadosamente la cabeza del ave en su entrecejo. Samuel estaba ansioso por ver el resultado.

—¡Ya he terminado! —dijo Diocelina, con un último movimiento.

—¿Puedo verme?

—Sí, mira, aquí tienes un pequeño espejo —le respondió Kunturi, acercándole uno.

—Madre mía… me encanta, ¡Gracias Diocelina! ¡Ven que te voy a dar un abrazo de usurpador! —rieron a carcajadas los dos. Diocelina se agachó sobre sí misma para evitar que Samuel el diera el abrazo, riéndose sin parar.

—¡Para! ¡Qué te vas a estropear el cóndor! —gritó Diocelina deslizándose entre sus brazos.

Tras él, Diocelina dibujó sobre su propio rostro unas formas que simulaban un sol en la frente y los rayos cruzándole los ojos, convirtiéndose en lágrimas. Samuel por fin convenció a Diocelina de hacerse una foto los tres juntos, y tras colocar la cámara bien apoyada en la escalera de la cabaña y accionar el temporizador, corrió para colocarse entre ambos. Los dos quichuas, los reales, posaron completamente serios y el falso quichua, con una sonrisa de oreja a oreja. Una imagen curiosa.

—Bueno, es hora de marcharnos. Nos esperan.

Los tres salieron hacia la cabaña del difunto. La mayoría de los miembros de la pequeña comunidad estaba a la espera de la llegada del chamán. La gente tenía gran respeto y estima por Kunturi. Samuel lo había notado desde que lo conoció, pero ese día fue más consciente de ello. Todos recibieron con gran respeto al chamán y al ver tras él a Samuel, que estaba pintado como uno más de ellos, le reconocieron con deferencia.

La familia del difunto estaba en la puerta esperándole. Kunturi y Diocelina saludaron afectuosamente a todos los miembros de la misma y pasaron al interior. Samuel se quedó un poco rezagado para no interferir durante el rito. El difunto estaba de cuerpo presente, con los brazos entrecruzados sobre el pecho y un pequeño jarrón con flores rosas a sus pies. Sobre una mesa quedaba expuesta la ropa limpia del difunto, una sobre la otra, bien extendida. En el suelo, sobre una extensa tela roja, había diversos platos de comida preparados para ser degustados.

Todos los asistentes hicieron un círculo alrededor del difunto. Kunturi comenzó a entonar una canción en quichua. Samuel aunque no comprendía el dialecto, sintió la emoción que transmitía el cántico. Después de varias canciones, acompañadas por todos los presentes, Kunturi hizo un gesto que marcaba el comienzo de la comida para celebrar la marcha del difunto. Como él le contó en su paseo por la selva, mientras compartían la comida, todos los presentes se contarían situaciones o anécdotas vividas con él y al día siguiente dejaría ir a su *aya* hacia la montaña que eligiera.

Samuel se integró perfectamente entre los asistentes a la celebración. Pese a que todos los presentes hablaban quichua, cuando se dirigían a él cambiaban automáticamente al español para que entendiera las historias que se contaban. Hubo un instante en el que Samuel sintió una profunda felicidad de compartir ese momento con aquellas personas. Se sintió verdaderamente afortunado de haber podido vivir todo lo ocurrido. Sabía que tenía que haber una razón por la cual había vuelto y que aún desconocía, pero había dejado de agobiarle. Lo único que le importaba era que se sentía feliz, lleno de vida y confiado en que había cambiado definitivamente y para siempre. Durante un día y medio había aprendido más sobre él y la vida que a lo largo de toda su existencia. Sentía que algo especial le tenía reservado el destino y estaba dispuesto a vivirlo, con un sentimiento de esperanza que hacía tiempo que no sentía. Estaba plenamente agradecido por el testamento que les había preparado su padre. Sin duda, la experiencia en Ecuador, la guardaría para siempre en su corazón.

Alma y el resto de integrantes de la pequeña expedición se despidieron de Rubén hasta la tarde. Qhawachi tenía preparada una lancha motora para ir más rápidos a la orilla donde desembarcaron dos días atrás. Alma y Andrés siguieron el paso ligero de Qhawachi que parecía desear, más incluso que Alma, llegar a ver cómo estaba Samuel. Le había estado dando muchas vueltas desde que vio el cambio en el color de la energía del dios interior de Samuel. Había visto muchos cambios, pero no tan radicales como ese. Estaba ansioso por saber qué había sido de él y si mantenía el nuevo color adquirido. Andrés le llamó la atención un par de veces, porque Alma y él se quedaban rezagados y le perdía la pista. Cruzaron una zona que estaba más húmeda que en días anteriores y tuvieron que hundir sus botas en el fango. A Andrés se le veía tan ducho como a Qhawachi, pero a Alma le costó avanzar en aquella zona. Ambos la ayudaron a salir del barro en el que se había introducido sin querer, tras pisar una planta que ocultaba el fango del suelo.

—¡Muchas gracias! ¡Casi me quedo allí rebozada en el barro! —exclamó aliviada Alma cuando consiguió salir con su ayuda.

—¡De nada! La selva está muy húmeda hoy —explicó Andrés.

—Se te da bien andar por la selva a ti también… —afirmó Alma.

—Llevo toda mi vida aquí. Es mi casa, la conozco como la palma de mi mano… o ¡mejor aún!

—¡Anda! Yo pensaba que eras de otra zona. No tienes los mismos rasgos que la gente de la Amazonía.

—Eso es porque mi madre es de Ambato.

—¿Y tu padre es de la Amazonía?

—Sí. Se conocieron cuando eran muy jóvenes. Ella vino de visita con sus padres para conocer la zona y se enamoró no sólo de la selva, sino de un joven que les ayudó y guió en todo, mi padre. Décadas después, mi madre volvió a venir y el destino quiso que se encontraran de nuevo. Estaban destinados, se encontraron casi veinte años más tarde y se reconocieron al instante. Mi padre siempre dice que se conocían de otra vida anterior y que se habían estado buscando desde que nacieron en ésta.

—¡Qué bonita historia, Andrés! —alabó Alma.

—Sí… sí que lo es… Ya casi estamos, queda muy poco —anunció Andrés.

Al atravesar una última planta que les tapaba por completo la visión de lo que había detrás, entraron a la comunidad indígena. Pasaron por delante de la cabaña donde ocurrió la fatídica experiencia en la que falleció Samuel. A Alma le recorrió un escalofrío al recordarlo. Deseaba ansiosamente reencontrarse con su hermano cuanto antes.

De pronto, Alma comenzó a escuchar una música de guitarra española que salía de la cabaña a la que se dirigía Qhawachi. La reconoció de inmediato. Era la canción de Paco de Lucía que tanto había escuchado a su hermano, cuando la ensayaba para darle una sorpresa a su padre. Corrió, adelantando a sus dos acompañantes, y subió los tres escalones de la entrada de un salto. Cuando se asomó, vio cómo su hermano, pintado con motivos tribales, estaba tocando la guitarra frente a una veintena de personas que se mecían al ritmo de la preciosa melodía. Una mujer que estaba cerca de él se secaba las lágrimas de la emoción que le provocaba la música. Samuel estaba absorto tocando la pieza con los ojos cerrados, concentrado y reproduciendo los gestos que copió del video que grabaron de la televisión, una tarde, cuando eran unos adolescentes.

Alma se quedó inmóvil. La escena no podía ser más bella, ver cómo se había recuperado su hermano y cómo había retomado una de sus pasiones abandonadas. Se fijó en que tenía pintada la cara e intuyó que se había integrado por completo en el ambiente de la comunidad indígena.

Cuando acabó de tocar, todo su público le aplaudió acaloradamente. Samuel, que todavía no había visto a Alma, se puso de pie, con la guitarra en una mano y se agachó a darle un beso en la mejilla a la mujer que había estado llorando. Al levantarse de nuevo, intuyó la silueta de su hermana. Levantó la vista y allí estaba, emocionada y sonriéndole. Samuel corrió a abrazarla.

—¡Hermanita! ¡Qué ganas tenía de verte!

—¡Sam! ¡Parece que nos separamos hace siglos! ¡Déjame que te mire! —dijo separándose momentáneamente de él— ¡Te has convertido en un quichua más!

—Sí… ¡je, je, je! Me han tratado muy bien durante estos dos días, Alma.

—¿Cómo estás?

—Estoy bien. Recuperado del todo y sin secuelas.

—¡Bufff! —resopló Alma volviéndose a abrazar a su hermano—¡ 0 Estaba muerta de miedo, Sam… Me temí lo peor…

—Me imagino, Alma… pero estoy bien. No, bien, no. Me siento mejor que nunca.

—¿Sí?

—¡Sí! la experiencia que viví y estos dos días con Kunturi han sido extraordinarios. Mi manera de ver la vida ha dado un giro radical, Alma.

—Ya me contarás todo lo que has aprendido… —sugirió Alma.

—Sí, ya tendremos tiempo. Ven, te quiero presentar a Diocelina — dijo Samuel, acercándose hacia donde estaba sentada.

La mujer, que todavía tenía los ojos húmedos tras la canción, se levantó para saludar a Alma.

—Ésta es Alma, mi hermana. Y ella es Diocelina; me ha cuidado de maravilla estos dos días.

—Muchas gracias por cuidar de mi hermano. Le estaré eternamente agradecida.

—Ha sido toda una sorpresa y un regalo haber tenido a tu hermano estos días. Lamentamos mucho que se tenga que ir. Ha dejado un poso muy grande en todos nosotros. Siempre lo recordaremos.

—¡Y yo a vosotros! —aseguró Samuel dándole un nuevo abrazo a Diocelina.

—¡Hola Kunturi! —saludó Alma al chamán que se había acercado al verla.

—¡Hola! Como ves, tu hermano está perfectamente — contestó Kunturi

—Pero… ¡Si hablas español! —exclamó Alma con gran sorpresa.

—Ah, sí… cierto… un pequeño detalle sin importancia.

—¡O sea que entendías perfectamente todo lo que te decía! — refunfuñó Alma

—Esto… sí, ciertamente.

—Pero… ¡por qué no me contestabas en español!

—Alma, ya te lo explicaré, pero tiene que ver con un contrato que tiene firmado —explicó Samuel.

—¡Ah! Vale, de acuerdo… —dijo tranquilizándose Alma.

—Me ha cuidado en todo momento. He aprendido y disfrutado con él todo el tiempo, ha sido un gran anfitrión.

—Muchas gracias por cuidar de él —agradeció Alma, todavía algo enfadada con la actitud que tuvo Kunturi con ella.

—No hay de qué. Hemos aprendido ambos.

En ese momento, interrumpió Qhawachi.

—¡Hola Samuel! ¡Se te ve estupendo!

—¿Sí? ¿Se me ve bien en todas las dimensiones posibles?

—¡Ja, ja, ja! ¡Al menos en esta sí! —rio Qhawachi

—¿Y de qué color ves mi dios interior hoy? —preguntó con mucha curiosidad Samuel.

—Sigue siendo de un color morado intenso. Ese cambio me tiene asombrado. Te doy mi palabra de que nunca he visto un cambio así en nadie.

—Eso es porque nunca nadie había venido antes aquí —bromeó Samuel—. ¡Hola Andrés! ¡Has venido tú también! —dijo sorprendido al verle.

—¡Sí, hoy soy yo el acompañante!

—Me alegro de verte... —afirmó Samuel abrazándole.

—Y yo me alegro de verte así de radiante. Nos tenías bastante preocupados, sobre todo a tu hermana.

—Entiendo... Pero de verdad, no os preocupéis, que estoy perfectamente.

—Sam, ¡estabas tocando la guitarra! —gritó Alma.

—¡Sí! ¿Qué te parece? vine aquí a conocer cosas de mí mismo y no sólo las descubrí, sino que, además, ¡recordé otras que ya tenía en mi interior!

—Me alegra tanto verte tocar de nuevo... No me había dado cuenta hasta hoy de lo mucho que me gustaba escucharte tocar.

—Bueno, creo que lo retomaré, me gustaba mucho, me relajaba y... ¡no se me daba nada mal! —exclamó orgulloso.

—¡Se te daba realmente bien! —añadió Alma.

—¿Sabes una cosa, Alma?

—Dime.

—Sabes que la guitarra con la que estaba tocando fue un regalo de papá a Diocelina?

—¿Cómo? Diocelina, ¿conociste a mi padre?

—No mucho, sólo cuando vino a hacer el rito de la ayahuasca con Kunturi y se fijó en la guitarra vieja que tenía colgada de la pared.

—Un año después le envió una desde España. Es ésta — dijo mostrándosela a su hermana—. ¿Te lo puedes creer?

—Esto es…. alucinante… O sea que, ¿has vuelto a tocar la guitarra, justo con una que papá compró? Y, ¿estabas tocando la canción que preparaste para él?

—Sí Alma… así es…

—Dios mío… —Alma se quedó paralizada por la serie de casualidades imposibles que se habían tenido que dar para que Samuel acabara con esa guitarra en sus manos, tocando precisamente la canción que, con tanto esfuerzo e ilusión preparó para su padre.

Alma y Samuel se abrazaron de nuevo. Eran conscientes de que estaban viviendo cosas totalmente extraordinarias. Alma, con los ojos llenos de lágrimas, se separó de Samuel, le puso las manos sobre sus mejillas y le sonrió, mirándole a los ojos. No tuvo que decir nada más; Samuel entendió perfectamente lo que significaba. Nada ocurre por casualidad. La vida estaba pasando para ellos.

Antes de despedirse de su nueva familia quichua, Samuel pidió a Andrés que les hiciera una fotografía a todos juntos. Calculó la luminosidad para que saliera perfectamente y le dio la cámara para que disparara. Samuel se comprometió a enviarles una copia a todos ellos. Recordarían ese momento el resto de sus vidas.

Con gran pena, Samuel se despidió de Kunturi y de Diocelina:

—¡Os voy a echar mucho de menos! ¿Con quién voy a poder hablar de las cosas que hablábamos tú y yo, Kunturi? ¿A quién le voy a emocionar con mi magnífica interpretación de 'Entre dos aguas', Diocelina? —exclamó entre lágrimas y sonrisas Samuel.

—¡Ay! Aun siendo hijo de usurpadores, ¡vas a dejar un enorme vacío en nuestros corazones! —bromeó Diocelina.

—Gracias Samuel por todo lo que he aprendido contigo. Mi corazón se queda con muchas enseñanzas, y el corazón jamás olvida…

—¿Aprendido tú de mí? Pero, ¡si el aprendiz he sido yo! muchas gracias por abrirme las puertas a un nuevo mundo, Kunturi. Desearía que nos volviéramos a ver algún día.

—Nos veremos —sentenció Kunturi.

—¿Seguro?

—Tan seguro como que cada día sale el sol.

Samuel, visiblemente emocionado, estrechó la mano de su, ahora, gran amigo y no pudo evitar abrazarle.

—Hasta pronto, querido *Aya Kuti.*

—Hasta pronto, estimado chamán.

Alma y los acompañantes se despidieron de la pareja y del resto de los vecinos que los acompañaban e iniciaron el camino de vuelta al *lodge.* Alma estuvo vigilando a su hermano durante todo el camino de vuelta para comprobar que se encontraba en perfecto estado. Le notaba muy distinto, no sabía definir muy bien qué había cambiado exactamente en él, pero algo le decía que Samuel se había reencontrado con parte de su esencia.

Llegaron sin problemas al *lodge* justo a la hora de comer. Rubén y Maritza les estaban esperando.

—¡Samuel! ¡Qué gusto verte de nuevo! —gritó Maritza bajando las escaleras del restaurante a toda prisa.

—¡Maritza! ¡Muchas gracias! —respondió Samuel.

—Pero, ¡si vienes convertido en todo un quichua Amazónico! —dijo al observar las pinturas de su cara.

—¡Ya ves! Lo dejamos dos días y, ¡mira cómo vuelve! —exclamó Andrés.

—Me alegro mucho de verte bien, Samuel. Estábamos muy preocupados todos por ti —añadió Maritza.

—Muchas gracias. Ya ves que estoy mejor que nunca.

—No sabes cómo me alegra oírte decir eso, Samuel —contestó Maritza cogiéndole de la mano y sonriéndole.

Rubén, que había estado hablando por teléfono, se acercó a donde estaban todos recibiendo a Samuel.

—Hola Samuel, soy Rubén Morales —saludó sonriendo extendiéndole la mano para estrecharle la suya—. ¿Cómo te encuentras?

—Sam, él es el creador y dueño del *Suchipakari.* Conoció a papá y compartió charlas y experiencias con él, durante los dos meses en los que estuvo aquí hospedado.

—¡Vaya! ¡Qué sorpresa! ¡Dos meses! Encantado Rubén. Me encuentro fenomenal. Muchas gracias. Me siento completamente renovado.

—Me alegro mucho, Samuel. Lo que te ha ocurrido nunca antes nos había pasado. Lamento que le haya ocurrido a un hijo de Martín.

—No, no… no lamentes nada, Rubén. Ha sido la mejor experiencia de mi vida. He descubierto una manera diferente de sentir esta vida que vivimos y ahora me siento confiado y esperanzado. Eso, Rubén, no tiene precio.

—Me alegra y me sorprende al mismo tiempo oír hablar así a alguien, incluso habiendo pasado por todo lo que has pasado. Es digno de alabar.

—Bueno, no sé si lo merezco, pero lo cierto es que estoy muy agradecido de todo lo que me ha ocurrido desde que pisé por primera vez Ecuador.

—Me llena de orgullo que digas eso. Muchas gracias.

—Llevaré a Ecuador en mi corazón. De hecho, ahora me podrían dar la nacionalidad ecuatoriana.

—¿Y eso por qué?

—¡Porque he renacido aquí! —gritó Samuel, provocando la carcajada de todos los que allí estaban.

—Bueno, compatriota. Estaréis muertos de hambre, ¿Queréis que comamos todos juntos para celebrar tu regreso?

—Por favor no me hables de muertos más por hoy —ironizó Samuel, provocando la risa de todos.

Después de comer, Alma y Samuel se fueron a descansar a la cabaña. Alma quería haber preguntado muchas cosas a su hermano sobre lo que vio o sintió durante el rito de la ayahuasca, pero dejó que durmiera la siesta. A ella tampoco le venía nada mal dormir un buen rato, ya habría tiempo de sobra, durante el largo viaje que les esperaba, para que le contara todo lo que había vivido durante los dos últimos días. Estaba muy feliz de tener a su hermano de vuelta junto a ella. Había confiado en que estaría bien, sobre todo desde que recibió la nota que le dejaron los jóvenes franceses, aunque también tuvo momentos en los que dudó de todo y comenzó a dejarse vencer por los miedos. Pero estaba muy orgullosa de cómo lo había afrontado. Ciertamente, el trabajo interior que había llevado a cabo en los últimos meses comenzaba a dar sus resultados.

Intentó conciliar el sueño, pero no lo consiguió. Samuel dormía plácidamente. Ver la cara relajada de su hermano, todavía con restos de pintura en ella, le pareció lo suficientemente gracioso como para buscar la cámara e inmortalizar el momento. Cuando llevaba media hora tumbada en la cama y sin conseguir conciliar el sueño, decidió que era mejor aprovechar el tiempo para llamar a su casa. Parecía que habían pasado varias semanas desde que se fueron de viaje, habían sido los días más intensos de su existencia desde que tuvo a las trillizas.

Alma llegó hasta el teléfono fijo, miró que fuera una hora adecuada para llamar a Robert y marcó el número de su móvil. Tras agotar los tonos, la llamada se cortó. Robert estaría ocupado con su trabajo, de nuevo. Alma decidió llamar a Flora.

—¿Sí? —dijo Flora al descolgar el teléfono.

—¡Flora!

—¡Hija! ¡Por fin! ¡Me tienes en ascuas, por favor, dime que Samuel está bien!

—¡Sí, Flora! ¡Sam está bien! ¡Ya estamos juntos!

—¡Gracias Dios mío! ¡Llevo dos días rezando sin parar para pedir a Dios que cuidara de él! —aseguró Flora sollozando.

—¡Ha sido una suerte tremenda, Flora! Sam está perfecto. No tiene ninguna secuela. Además, en los dos días que ha pasado con la familia indígena se lo ha pasado en grande, al menos, ¡eso parece! Me tiene que contar con más detalle, pero sospecho que ha sido así.

—Madre mía, Alma... ¿y tú? ¿Cómo estás? ¿Cómo te sientes? —preguntó preocupada.

—Bien... dentro de lo que cabe, bien. He tenido que echar mano de muchas cosas que he aprendido para no dejarme llevar por mis miedos y, bueno, más o menos lo he ido controlando. Ahora que ya está aquí conmigo y está bien, ya se me ha pasado todo.

—Si es que... menudo susto, no sabes lo que me tranquiliza lo que me estás diciendo. Dios mío, ¡qué descanso! ¡Tengo las bolitas del rosario ya planas!

—¡Ja, ja, ja! Oye Flora, ¿cómo están mis niñas y Robert?

—Las niñas se fueron ayer a casa de la abuela. Llegaron bien y ya están adaptadas allí.

—Qué bien… luego las llamo… Esto de no tener cobertura, es una faena. Cuando tenga, me van a llegar miles de mensajes y notificaciones —lamentó Alma.

—¿Y lo bien que se vive sin estar pendiente de un teléfono?

—Eso es cierto… estoy presente en cada momento, no tengo distracciones de ningún tipo.

—Como todo en la vida, nada es sólo blanco o negro…

—Cierto, Flora… ¡Pero cuánta sabiduría atesoras! ¿Y Robert? He intentado hablar con él dos veces y nada…

—Está bien, aunque lo noto algo molesto…

—¿Por qué? —preguntó Alma muy extrañada.

—Pues parece que el juicio ha ido bastante mal.

—¿Lo han perdido?

—Eso parece…

—¡Dios mío…! con lo que había trabajado… llevaba años preparándolo todo… ¡Pero si estaba seguro de que ganarían!

—Parece que algo salió mal en la vista judicial y el juez le ha dado la razón a la empresa.

—Tengo que conseguir hablar con él.

—Si quieres le mando un mensaje y le llamo, para que llame a este teléfono del hotel —propuso Flora.

—De acuerdo. Muchas gracias Flora. De todas formas, llamaré ahora a Robert de nuevo a ver si esta vez tengo más suerte.

—Vale hija… ¿Dónde os tenéis que ir después?

—¡Buff…! Flora, no te lo vas a creer…

—¿Os envían a la Antártida?

—¡Ja ,ja ,ja! No… madre mía… espero que no nos hagan ir allí. Nos vamos a África.

—¿A África? —respondió muy extrañada.

—Sí… en concreto a Ruanda.

—¿En serio? ¿A Ruanda? Pero, ¿en ese país no hubo una matanza hace unos años?

—Es verdad, no me acordaba… pero fue hace bastante tiempo, ¿verdad?

—Creo que sí, pero… tu padre podría haber elegido otro país de África un poco más seguro —gruñó entre dientes.

—Bueno Flora, hasta ahora, puedo asegurarte que mi padre ha acertado en absolutamente todos los destinos, no sólo por los lugares en sí, sino por las personas que hemos ido conociendo, confío en él.

—Vale, si es así, confiaremos. ¿Y cuál será el siguiente?

—No lo conocemos aún.

—¿No os lo han dicho todavía?

—No... todavía no. Cuando estemos en Ruanda nos lo comunicarán.

—Hija, qué ganas de provocar tanto misterio sin necesidad.

—Yo ya me he acostumbrado, Flora. Ya casi prefiero no saber el siguiente, para sacarle partido a cada sitio al que vamos. En el momento en que nos comunican el siguiente destino, mi cabeza automáticamente se pone a elucubrar qué vamos a hacer allí y dejo de pensar en el que estoy.

—Mira, por ese lado, te doy la razón. Tú también albergas una gran sabiduría, pequeña.

—Gracias Flora. Tengo una gran maestra —hizo una pequeña pausa y añadió—. Te voy a dejar, que voy a intentar hablar con Robert y luego con las niñas. A ver si tengo suerte y puedo hacerlo.

—Vale hija. Que vaya muy bien en África. Pero, eso sí, no dejes a tu hermano hacer ningún rito extraño más, por favor.

—Deja, deja... ¡ni uno más! Si acaso, ¡ahora me toca a mí!

—¡Ni se te ocurra!

—¡Tranquila! ¡Es broma!

—Hija, no me des más sustos, que todavía tengo el corazón encogido por lo de tu hermano.

—Vale, vale... ¡no lo haré! ¡Un beso enorme, Flora!

—¡Otro para ti, hija!

Alma, tras colgar, levantó de nuevo el auricular para poder hablar con Robert. Marcó de nuevo su móvil y esperó a que sonaran todos los tonos. Tampoco esta vez obtuvo respuesta. Quiso probar una vez más, llamando a su oficina. Sabía que le molestaba que le llamaran a través del fijo, porque le interrumpían su trabajo. Por eso Alma siempre le llamaba al suyo personal. Normalmente él no respondía porque lo tenía en silencio y sin vibrador, pero, en cuanto podía, siempre la llamaba. Le extrañaba que esta vez no lo hubiera hecho. Pensó que quizás sí que devolvió la llamada y no había nadie en la parte del restaurante que la pudiera oír. Marcó todos los números de su oficina y espero tono. En el primero, contestó su secretaria.

— *Freidin Brown, P A* ¿En qué puedo ayudarle?

—¡Hola Gabrielle! —saludó Alma.

—¿Alma?

—¡Sí, soy yo!

—¡Cuánto tiempo! ¿Cómo estás? Me dijo Robert algo de que estabas de viaje…

—Así es, Gabrielle. Ahora estamos en Ecuador, cumpliendo los últimos deseos de mis padres.

—¡Vaya! Pues Ecuador es un país que me gustaría conocer.

—No lo dudes, ven cuanto antes, te va a sorprender muchísimo.

—Me lo apunto. Deseas hablar con Robert, ¿verdad?

—Sí… no me responde a mis llamadas.

—Eso es porque está muy liado.

—¿Sabes algo del juicio?

—Sí… no ha ido bien…

—¿Qué ha ocurrido?

—Pues… lo que he podido averiguar es que Robert ha cometido un error en el planteamiento de una de las pruebas más importantes y el juez la desestimó. De ahí, el abogado de la empresa ha comenzado a hacer dudar al juez, hasta el punto de que ha dictado sentencia exculpatoria a la empresa.

—Dios mío… ¿Y cómo está?

—Un poco afectado, no te voy a engañar. Te lo paso y hablas con él, a ver si lo animas.

—Vale, te lo agradezco mucho Gabrielle.

—De nada, Alma. Te paso.

El teléfono se quedó en silencio, y al cabo de pocos segundos, volvió la voz de Gabrielle.

—¿Alma? Dice que ahora no puede hablar contigo. Que te llamará en cuanto pueda.

—¿No puede hablar ahora?

—Eso me ha dicho.

—De acuerdo… intentaré hablar con él más tarde. Muchas gracias Gabrielle.

—De nada, Alma. ¡Que sigas disfrutando del viaje!

—¡Muchas gracias! ¡Hasta pronto!

Alma colgó el teléfono. Era la primera vez que llamaba a su trabajo y no quería contestarle. No había hecho muchas llamadas a su oficina preguntando por él, pero sabiendo que ella estaba a miles de kilómetros de distancia le resultó muy extraño que no quisiera responder. Decidió esperar hasta la noche para volver a intentarlo.

Acto seguido, llamó a casa de la madre de Robert. Nadie contestó. Dejó un mensaje en el contestador para que lo oyeran sus hijas y que supieran que se encontraba perfectamente. La madre de Robert era acérrima defensora de la vida sin móviles, así es que sólo existía la vía del teléfono fijo para contactar con ella.

Visto el poco éxito de sus llamadas, colgó el auricular. Se quedó mirándolo, pensativa, imaginando cómo se encontraría su marido en esos momentos. Alma se dirigió de nuevo a su cabaña, cabizbaja, pensando en lo mucho que había trabajado Robert en aquel caso.

Era la primera vez que oía que perdía un caso por un fallo cometido por él. Nunca antes le había pasado algo así. Desearía haber estado junto a él en esos momentos, para apoyarlo, como siempre hacía. Lamentaba que el juicio se solapara con el viaje, pero ella estaba segura, al igual que Robert, de que el juicio estaba ganado con toda seguridad, por eso decidieron que el viaje se realizara en esas mismas fechas. Lo que había ocurrido no se lo esperaba, no entendía cómo le había podido suceder. Al entrar en la cabaña, la puerta hizo un chasquido al abrirse, lo justo como para que Samuel se despertara.

—Hola Sam…

—Hola hermanita —dijo Samuel desperezándose.

—¿Qué tal has descansado?

—Como un bebé… —afirmó mientras levantaba los brazos hacia el techo y los tensaba—. ¿Y tú? ¿No has descansado?

—No… he intentado dormirme, pero no he podido.

—Vaya… —lamentó Samuel. Se incorporó para sentarse y miró a su hermana— No tienes buena cara, ¿ocurre algo?

—¿Tanto se me nota?

—Bueno, yo te lo he notado, ¿me lo quieres contar?

—Nada, que Robert ha perdido el juicio.

—¿¡Lo ha perdido!? —exclamó con sorpresa Samuel— Pero, ¡si estaba hecho! ¡Era casi imposible no ganarlo! ¿Qué ha pasado?

—Pues, esta vez, ha ocurrido lo imposible —Alma hizo una pequeña pausa—. No he podido hacerme con él, pero me ha contado Gabrielle, la secretaria, que ha tenido un fallo a la hora de presentar una prueba clave y se la han anulado.

—¡Buff…! pobre Robert… con lo que había preparado ese juicio…

—Muchísimo… le había dedicado más horas que a ningún otro.

—Bueno, Alma, son cosas que pueden pasar. Los otros abogados también deben ser muy buenos y llevarán el mismo tiempo o más preparando el juicio y con tanta presión es fácil que se escape algo —explicó Samuel.

—Sí, sí, puede pasar, aunque no era lo esperado. No estoy acostumbrada a que Robert pierda un juicio así de importante; eso es cierto, pero no estoy así por eso…

—No entiendo, ¿qué te pasa entonces, Alma?

—Tengo un mal presentimiento, Samuel. Es muy raro que Robert no me haya contestado al teléfono, sobre todo cuando le ha ocurrido esto.

—Pero, a ver, Alma, a lo mejor estaba con sus socios hablando sobre lo que había ocurrido o reunido con el cliente, o simplemente, no le apetecía hablar en ese momento…

—Precisamente, Sam. Siempre hemos hablado de todo y nos hemos apoyado en momentos así. Es muy raro que no haya querido hablarlo conmigo.

—Bueno, esta noche le llamamos de nuevo. No adelantes acontecimientos, ¿de acuerdo?

—Sí, quiero volverle a llamar. Recuérdamelo, por favor, que no se me olvide.

—Sí, yo me acuerdo, no te preocupes. Seguro que está bien, estará molesto y dolido por haber perdido el juicio, es normal, pero seguro que está todo bien.

—Ojalá tengas razón y esta rara sensación que tengo no sea nada.

—¿Vamos a tomarnos algo al mirador?

—¡De acuerdo! Me vendrá muy bien, además, no te puedes imaginar las preciosas vistas que hay al atardecer desde allí.

—O sea que, ¡ya lo has probado! —dijo Samuel con mirada perspicaz.

—¡Sí, claro! ¡Ayer! —exclamó Alma haciéndose la interesante.

—Yo perdido con una tribu en mitad de la selva y tú tomando un refresco en el mirador….

—Un refresco no, ¡un cóctel! —aclaró riendo Alma encogiendo los hombros e inclinando la cabeza— Te recuerdo que tú ya elegiste el cóctel antes, me toca a mí escoger.

—¿Que yo elegí un cóctel antes? Pero si yo no he toma… —Samuel se quedó en silencio durante un segundo y reaccionó de inmediato— ¡Ahhh! te refieres a la ayahuasca… muy graciosa, Alma, muy graciosa.

—¿Te ha gustado? Para que me vengas a mí con dramatismos.

—O sea que estabas celebrando que yo me hubiera ido al otro barrio.

—¡Ja, ja, ja! Deja la actitud de víctima a un lado, hermanito, ya no te pega. ¡Estaba celebrando la vida!

—¡Ja, ja, ja! ¡Me gusta! Pues vamos a celebrarla otra vez.

—¡Las veces que sea necesario!

Al cabo de unos pocos minutos ya estaban disfrutando de las vistas desde el precioso mirador. Asomados a la parte que daba a la selva, Alma se recostó sobre el hombro de Samuel y se agarró, con ambas manos, a su brazo.

—La última vez que estuvimos así también era en un atardecer, pero en Valderrobres, ¿recuerdas?

—Como para olvidarlo. Éste es totalmente diferente… la inmensidad de la selva ante nosotros, todos esos sonidos de pájaros y del resto de animales como banda sonora de este lugar… qué mágico y especial, Alma. Estoy muy feliz de estar aquí contigo —confesó Samuel.

—Y no sabes lo que lo agradezco. Todo esto ha sido un *shock* para mí.

—Lo imagino, Alma. Siento mucho haberte dado este "sustillo".

—¿"Sustillo"? ¡Casi me voy yo detrás! Cuando te estaba reanimando era como si no fueras tú el que estuviera allí ni yo la que estaba intentándolo. Estaba como enajenada, fuera de mí. Fue tremendamente impactante, no sabía cómo reaccionar.

Alma comenzó a llorar y Samuel la abrazó recostándola en su pecho.

—Lo siento, hermanita, lo siento mucho. Siento haberte hecho sufrir así.

—Lo importante es que estás aquí conmigo, Sam. Me imaginé por unos segundos mi vida sin ti y Dios… —Alma apretó con más fuerza a su hermano.

—Bueno, he vuelto; eso es lo importante y esta experiencia me ha cambiado para siempre —susurró mientras apoyaba su cabeza sobre la de Alma y acariciaba lentamente los rizos de su cabello.

—¿Qué viste para decir eso, Sam? ¿Qué sentiste?

—Alma… —Samuel se incorporó y tomó con sus manos la cara lacrimosa de su hermana— He sentido a Dios —su hermana puso cara de póker—. Ya sabes que yo ya no creía en nada más allá de lo que la ciencia podía demostrar. Había dejado, tiempo atrás, las creencias que tanto nos inculcó mamá. De hecho, antes de dejar de creer completamente, culpaba a Dios por todo lo malo que nos había ocurrido, no porque Él lo hubiera hecho, sino porque lo había permitido. Ahora sé que eso era imposible. Lo que sentí tras mi muerte no fue odio, ni rencor, ni venganza, ni ajustes de cuentas, ni mucho menos juicio. Allí sólo había Amor, pero no un amor como el que podemos sentir aquí.

—¿Y cómo era entonces? —preguntó Alma con profundo interés ante la explicación de su hermano.

—Es como si tomaras esos momentos en los que estás increíblemente feliz, esos que duran apenas segundos y de los cuales eres perfectamente consciente a lo largo de la vida y los juntaras todos, sintiéndolos a la vez… Pero, ¡multiplicado por decenas de veces! Es una sensación indescriptible, Alma. Por mucho que me esfuerce en transmitírtelo, tengo la impresión de que me quedaré corto explicándotelo, es un Amor verdadero, infinito, es Paz, absoluta Paz. Sentí que nada más importaba y ¿sabes por qué?

—¿Por qué? —preguntó Alma, con expectación.

—Porque todo lo demás no existe, hermanita. En realidad, sólo existe el Amor puro. Yo lo sentí así. Cuando apareció, cuando lo sentí, todo lo demás se desvaneció con una facilidad asombrosa. Nada más existía, no había sitio para otra cosa que no fuera esa sensación de plenitud, de saber que no estás solo y de que formas parte de algo mucho mayor que tu propia existencia y que ese algo es sólo Amor.

—Quiero entenderte, Sam, pero me cuesta seguirte…

—Es que, por mucho que te lo cuente, te aseguro que no llegaré a poder transmitirte lo que percibí. Yo no he sentido nada ni remotamente parecido nunca en toda mi existencia. Me encontraba tan bien que no quería volver, Alma.

—Sam…

—Siento decírtelo así, Alma. Pero sentí que ese era mi lugar. Era como si hubiera despertado de un mal sueño y me hubiera liberado de una parte de mi ser que sólo existe aquí. Cuando comencé a elevarme, o al menos esa era la sensación que tuve, dejé todo atrás, abandoné incluso lo que yo soy aquí y sentí que era algo mucho más grande que el personaje de Samuel que represento en este mundo.

Alma se quedó pasmada por la confesión de su hermano.

—Suena a locura total, ¿verdad? —admitió Samuel.

—Un poco sí…

—Pues es justo lo que viví después de morir. Es difícil expresarlo sólo con palabras.

—Imagino que es como dices, no pongo en duda que fue así como lo sentiste, sólo que…

—Sólo quiero recalcarte que sé que no estamos solos. Ahora sé que siempre tenemos a algo superior con nosotros. Aunque tú no lo quieras ver, aunque lo ignores o incluso lo rechaces, siempre lo tendremos porque en realidad estamos unidos a él de una manera invisible para nuestros ojos humanos.

—Sam, porque he vivido contigo todo esto y sé que ha sido duro para ti.

—Transformador, más bien.

—Bueno, sí, duro y transformador, pero es que no doy crédito a lo que estoy oyendo. Es que te has ido de un extremo a otro, Sam. Has pasado de no creer en nada más que aquí somos como un ser vivo más y que estamos por azar, a que algo superior a nosotros existe y, no sólo eso, además, estamos unidos a él permanentemente.

—Para mí también es asombroso.

—Asombroso es poco. ¿Cabe la posibilidad de que lo que viviste fuera una alucinación de la ayahuasca? —preguntó Alma dudando de su afirmación.

—Podría ser, pero falta ensamblar un pequeño detalle.

—¿Cuál? —replicó frunciendo el gesto.

—Que yo sentí justo el momento en el que mi corazón dejó de latir. Supe en todo momento cuando estaba en mi alucinación, y cuando dejé de respirar y morir. Y cuando sentí lo que te acabo de relatar, acababa de morir, Alma.

—Dios mío, Sam… Esto me sobrepasa, no estoy preparada todavía…

—Bueno, dejemos esto a un lado, que no quiero saturarte.

—Te lo agradezco Sam —dijo aliviada—. Y ¿cómo te fue estos dos días con Kunturi y su mujer? Intuyo que muy bien.

—Efectivamente. La sabiduría que tienen esas personas es extraordinaria. La manera que tienen de ver este mundo es sorprendente. Creen que todo está conectado a través del espíritu que está dentro de los seres vivos, incluidas las montañas y que todo lo que hacemos afecta al conjunto, para bien, y para mal —explicó Samuel recordando la profunda conversación que tuvieron.

—¡Qué curioso! ¿Sabes? Fui a una formación de una persona que aseguraba que todo es energía en vibración y que nuestra vibración afecta a nuestro entorno. Se parece bastante a lo que Kunturi te contó, ¿verdad?

—¡Exactamente! Yo también le dije que su forma de pensar y la nuestra no está tan alejada, pero es verdad que ellos son más conscientes de todo esto porque lo viven en su día a día y tienen el maravilloso contacto con la naturaleza, cosa que nosotros hemos perdido por completo.

—Bueno, yo nunca lo tuve. Soy urbanita de nacimiento y de convencimiento.

—Pero, Alma, ¿no sientes que al admirar esta belleza que tenemos delante de nuestros ojos te conectas con tu interior?, ¿contigo misma? Yo, desde luego, sí que lo siento y me da mucha tranquilidad, mucha paz interior, es como si todo funcionara más lentamente. Aquí no existen las prisas por nada, todo es naturalmente lento. El aire es puro, con sólo una inspiración profunda sientes que te limpia por dentro. Hay una realidad muy clara, el estrés de nuestro día a día nos impide admirar la belleza de las cosas. Parece que cuando estamos inmersos en nuestras vidas vivimos en otro planeta, pero no, Alma, es el mismo.

—Gracias Sam, no me había dado cuenta —señaló riendo y guiñándole un ojo—. A ver, no me malinterpretes, que diga que soy urbanita no significa que no disfrute de la naturaleza. De hecho, es lo que hice ayer con Rubén todo el día. Cuando digo que soy de ciudad desde que nací me refiero a que prefiero vivir en una ciudad. Ya sé que mi hermanito, si no llego a estar yo, se habría quedado a vivir con los indígenas quichua, ¿o me equivoco?

—¡Ja, ja, ja! Puede que sí ¡Cómo me conoces!

—De toda la vida. Volviendo a lo que hablábamos, tienes razón, esta gente es mucho más consciente de su día a día que nosotros. Están mucho más conectados con su esencia.

—¡Anda! ¡Kunturi justo usó esa misma palabra para definir el interior de un ser humano!

—Pues claro, pequeño, tú acabas de llegar, pero yo llevo mucho camino andado en esto —dijo Alma con tono chulesco, levantando una ceja.

—¡Uy! Perdona, señora gurú —replicó mofándose de Alma.

—Así me gusta, que me lo reconozcas. Bueno, cambiando de tema. ¿Lo de la guitarra?

—¿Qué te parece la historia? ¡La envió papá al ver lo vieja que tenían la anterior!

—Y tú volviste a tocar la canción de Paco de Lucía, justo con esa guitarra. Es impresionante, Sam... ¡Ah! por cierto, mañana nos marchamos.

—Voy a echar mucho de menos este sitio. Me ha gustado mucho venir aquí. No sabes cómo se lo agradezco a papá. ¡Menudo regalo, Alma!

—Desde luego. Siempre podremos volver aquí cuando lo deseemos. Ahora nos aguardan más sorpresas en otro lugar del mundo.

—Y, ¿se sabe qué lugar del mundo será? —preguntó Samuel.

—Sí.

—¿Y es?

—Uno que ni te esperas.

—Como casi todos. Eso no es ninguna novedad.

—Esta vez no.

—Bueno, ¿me lo vas a decir, o tengo que esperar a ver mi destino en el aeropuerto?

—Nos vamos a África.

—¿A África?

—A Ruanda

—¿¡A Ruanda!? —exclamó Samuel dando un bote hacia atrás.

—Nos espera una mujer allí.

—Pero… ¿Ruanda? ¿No será peligroso ir allí? Recuerdo el genocidio que hubo hace relativamente poco tiempo. Murieron miles de personas.

—Supongo que nuestro padre no nos haría visitar un lugar peligroso.

—Eso mismo pienso yo. El genocidio fue hace bastantes años, a lo mejor ahora es un país más estable.

—Mañana lo descubriremos. ¿Te parece que sigamos disfrutando de este último día en este paraíso? —propuso Alma.

—Me parece. Con tanto parloteo, ni he probado el refresco.

—¿Cómo es que no te has pedido un cóctel?

—Porque no quiero beber alcohol.

—¡Ah! ¡Claro! por si acaso la ayahuasca te hace reacción, ¿no es así?

—¡Ja, ja, ja! No… que va… creo que no voy a probar más el alcohol.

—¡Pues sí que te ha cambiado a ti la experiencia que viviste!

—Bueno, tampoco es que bebiera mucho antes, pero ahora he decidido que, ya que he vuelto, voy a cuidarme todo lo que pueda. Hay que estar bien preparados por lo que pueda pasar.

—¿A qué te refieres?

—A que no sé cuándo voy a descubrir por qué razón volví.

—¿Piensas que volviste por una razón en concreto?

—Eso me dijo Kunturi, que tenía algo pendiente que hacer en esta vida y quiero estar preparado para cuando llegue el momento.

Alma agitó la cabeza como si estuviera despertando de un letargo, parpadeando a gran velocidad varias veces seguidas. Permaneció en silencio, mirando a Samuel.

—No me mires así, es lo que me dijo Kunturi y siento que es una certeza. Estoy seguro de ello —dijo Samuel afirmando con la cabeza.

—No, si no te digo nada, es que estoy tan impactada con que no consigo asimilar tantas cosas en tan poco tiempo.

—Yo también estoy en proceso de asimilarlas.

—¡Menos mal, pensaba que te habían lobotomizado en la selva!

—Pues… ¡casi! —respondió Samuel sonriendo.

Los dos se quedaron mirando cómo el sol comenzaba a bajar y se ocultaba tras las montañas. La actividad de los animales a esa hora era aún mayor que durante el resto del día. El espectáculo era insuperable. De pronto, Alma se acordó de una cosa.

—Sam, me dijo Rubén que enterraríamos las cenizas aquí mismo.

—¡Las cenizas! Madre mía, ni me acordaba por qué estábamos aquí —exclamó llevándose las manos a la cabeza.

—Supongo que es el momento. ¿Te parece que se lo digamos?

—Sí, me encantaría.

Alma y Samuel se terminaron sus bebidas y bajaron del mirador. Bordearon la piscina y llegaron al restaurante. Rubén estaba anotando cosas en un cuaderno grande.

—¡Hola Rubén! —saludó Alma.

—¡Hola chicos!

—Veníamos a preguntarte si era buen momento para depositar las cenizas, ya que mañana nos vamos y no va a haber mucho tiempo.

—Pues... veréis chicos, estaba esperando a Kyin, que quería estar también en el momento de enterrarlas, pero parece que se le ha complicado el servicio en su restaurante —contestó quitándose las gafas de cerca,

—Y, ¿no va a venir? —preguntó Alma.

—Parece que no —respondió Rubén volviendo a mirar a su libreta con las gafas puestas.

—Podríamos llamarlo y volverle a preguntar por si puede venir —insistió Alma. Samuel, miró extrañado a su hermana.

—Acabamos de hablar y me ha dicho que, finalmente, no podrá asistir.

—Podríamos esperarle, tampoco tenemos prisa —propuso Alma. Samuel no entendía por qué tanta insistencia.

—No... él podría haberse ausentado al principio de la noche, pero si se queda, comienzan las cenas, y entonces sí que no se puede mover de allí hasta que acaba el servicio —dijo ya sin levantar la mirada de la libreta donde seguía apuntado cosas.

—Bueno, en ese caso... —se resignó Alma.

—¿Me he perdido algo? —susurró Samuel a su hermana.

—¿El qué? no... ¿por qué lo dices? —respondió Alma intentando disimular.

—¿Quién es ese tal Ki? —preguntó Samuel en voz baja a Alma.

—Se llama Kyin y es el dueño y chef de un restaurante donde fuimos a comer ayer.

—Y, ¿por qué tanto interés en que venga? —musitó Samuel con curiosidad.

—Porque conoció a papá y fue la persona que le impulsó a abrir su maravilloso restaurante —respondió Alma muy segura de lo que decía.

Samuel se quedó mirándola fijamente, escudriñando cada gesto de su cara.

—¿Qué ocurre? ¿Por qué me miras así? —le preguntó Alma.

—Alma… ¿por qué tanto interés en que venga?, que ya sabes que siempre sé cuándo me mientes o me ocultas algo —insistió Samuel.

—Porque es muy atractivo —respondió Rubén desde la barra.

Alma se puso roja hasta las orejas.

—Disculpa Alma que lo haya dicho así. Me he entrometido donde no me llamaban, perdona. No tiene nada de malo admirar la belleza de un chico como Kyin. Si a mí me gustaran los hombres, yo también lo admiraría contigo.

Por segundos, Alma estaba aún más colorada. Samuel hacía mucho tiempo que no la veía así. Desde joven, cuando se moría de vergüenza, además de que los pómulos se le ponían como dos botes de *ketchup*, su cuello se llenaba de manchitas, también rojas, que tardaban en desaparecer, signo inequívoco de que estaba pasando un gran bochorno.

—Ya sabía yo que aquí había gato encerrado —dijo con una media sonrisa Samuel.

—No digáis tonterías, simplemente me gustó mucho su historia y me pareció una persona muy amable, nada más.

—Vale, vale… —aceptó finalmente Samuel.

—Termino esto en dos minutos y comenzamos. Si queréis, podéis ir a por las cenizas antes —sugirió Rubén.

—¡Ok! —respondieron.

De camino a la cabaña, Samuel aprovechó para hacer rabiar a Alma, como solía hacer desde pequeño.

—¿Y Robert?

—¿Robert qué?

—Preguntaba si Robert sabía del tal Kyin.

—Eres muy tonto, Sam….

—¡Ja, ja, ja! Es broma, Alma, ¡no te enfades!

—Bueno, déjalo ya, ¿de acuerdo?

—Vale, vale, no insistiré más con tu amor secreto. Si quieres escaparte esta noche yo no diré nada, me haré el muerto, que creo que se me da muy bien.

—Ja…ja…ja —respondió lentamente Alma con gesto serio.

—Si quieres pue…

—¡Sam! ¡Déjalo ya! —gritó Alma, deteniéndose de repente.

—Vale… ya… ya lo dejo… Es que hacía mucho que no te veía así de avergonzada y me ha recordado a cuando éramos adolescentes.

—Hay veces que creo que te quedaste anclado en esa edad.

—¡Uhhh! ¡Contratacando! Pero, ¿no íbamos a dejarlo ya?

—Sí, basta ya… además, estoy muy preocupada por Robert.

—¿Por qué? ¿Has hecho algo inconfesable?

—Sam… en serio, o lo dejas, o llamo a Kunturi para que me dé un brebaje que te mande con billete de ida al volcán más cercano —dijo con tono muy serio—. Estás alterando mi espíritu.

—Esto… vale, ya lo dejo. Perdona hermanita— Samuel levantó ambas manos en señal de rendición—. Luego le llamas otra vez y seguro que podrás hablar con él.

—Sí… eso espero.

—Alma… Tengo curiosidad. Cuando dices que tienes un mal presentimiento, ¿qué sientes?

—Tengo como un malestar en la zona del estómago. Mira, aquí —dijo Alma señalando una zona entre el estómago y el intestino.

—Es curioso cómo percibimos cosas e, incluso, intuimos las que todavía no han ocurrido. Pero la mayoría de las veces no les hacemos caso. Ahora estoy muy atento, no me quiero perder nada de lo que nos dice nuestro espíritu interior.

—¿Quieres decir que mi espíritu intuye que el de Robert se encuentra alterado?

—Puede ser. Desde luego, el tuyo quiere expresar algo. Hablaremos con Robert después a ver si son sólo invenciones nuestras.

—Espero equivocarme —dijo Alma mirando hacia el suelo.

—Tranquila Alma, todo irá bien —aseguró Samuel posando un mano sobre su hombro.

Samuel abrió la puerta de la cabaña y se dirigió hacia la mochila donde estaban las cenizas. Era curioso que ni siquiera se hubiera acordado de ellas desde que llegaron. Abrió la mochila y, con menos cuidado que otras veces, denotando confianza en el recipiente que la funeraria les había proporcionado, sacó uno de ellos. Le dio un beso y se lo pasó a Alma para poder cerrar la mochila con las otras dos. Regresaron de nuevo y Rubén, Maritza y Andrés estaban esperándoles.

—Bueno, ya estamos preparados para despedir a nuestro gran amigo Martín.

—¡Eh! ¡Hola! ¡Esperad! —gritó alguien que venía corriendo desde el camino de la entrada principal del río.

—Ese no es… —dijo muy sorprendida Alma.

—¡Anda! Pero, ¡si es Kyin! —exclamó Maritza.

—¡Has podido escaparte! —gritó Rubén.

—¡Sí! He dejado a mi hermano al mando de las cenas de esta noche. Hay pocas reservas y es una prueba de fuego para todos ellos, para ver si ¡pueden funcionar sin mí! —dijo Kyin mientras andaba rápidamente hacia ellos. ¡Hola a todos!

Samuel miró a Alma y comprobó que estaba ruborizada de nuevo.

—¡Hola! Soy Samuel, el hermano de Alma. Se giró hacia ella y le arqueó dos veces muy rápidamente ambas cejas.

—Encantado, soy Kyin —saludó estrechando la mano de Samuel— ¿Cómo estás Alma?

—Mu… muy bien Kyin —respondió titubeando—. Pensábamos que ya no podrías venir.

—He estado a punto, pero me he dicho: "Es la despedida de Martín, el momento perfecto para, además de estar con su familia, comprobar si el restaurante puede funcionar sin mí". Ya veremos si a mi vuelta queda algo de la balsa o han acabado con todo —explicó riendo.

—¡Esperemos que sí! —exclamó Alma.

—¡Lo desearemos! —apuntó Kyin.

—Bueno, ya estamos todos. A Qhawachi le habría gustado venir también, pero al final no ha podido. ¡Seguidme! —gritó Rubén haciendo un gesto con el brazo.

—Rubén se dirigió a la parte trasera del *lodge*. Llegaron hasta una zona donde el límite del establecimiento se entremezclaba con selva virgen. Allí, tras despejar el paso, apareció un árbol, de más de cincuenta metros de altura, con unas grandes raíces y un tronco que sobrepasaba los tres metros de diámetro.

—¡Es como el árbol que me enseñó Kunturi! —gritó Samuel, señalándolo.

—Es la ceiba, un árbol sagrado, muy venerado en el Amazonas —explicó Rubén.

—Cuando llegamos a él, pusimos las manos sobre su tronco, en señal de respeto, saludándole —recordó Samuel.

—Es una antigua costumbre que vamos a respetar — afirmó Rubén.

Rubén y Samuel se acercaron al árbol y pusieron sus manos sobre el tronco. El resto los imitaron.

—Este árbol es un regalo de Dios. Fijaos si es importante que algunos países lo tienen como árbol nacional. Al menos en Cuba, Guatemala o Puerto Rico, por nombrar algunos.

—Además, es precioso —añadió Alma.

—De él se extrae la madera con la que se hacen las balsas —explicó Rubén.

—De hecho, mi restaurante está hecho con esa madera, de un cultivo sostenible de la zona —informó Kyin.

—Y también es un árbol medicinal, con el que se trata la disentería y el asma, y su fruto da una fibra que es más fuerte que el algodón y se utiliza hasta para hacer chalecos salvavidas. Es una auténtica joya de la naturaleza —continuó explicando Rubén, mientras Maritza y Andrés asentían, dando entender que ellos eran sobradamente conocedores del significado y la importancia de aquel árbol—. Es el mejor lugar para depositar las cenizas de Martín y de su mujer Blanca. Por ello, hemos preparado esta pequeña cavidad cerca del árbol —dijo señalando un orificio en el suelo—. Para que reposen aquí sus cenizas, junto a la naturaleza milenaria.

—Muchas gracias Rubén. Creo que es un lugar perfecto —asintió Alma.

—Sí, Rubén, es un lugar maravilloso para que descansen los restos del cuerpo terrenal, muchas gracias.

—De nada chicos. ¿Procedemos? —dijo señalando el lugar con la palma de la mano.

Samuel, que era el que portaba la pequeña urna con las cenizas, se agachó, la besó y la depositó con sumo cuidado dentro del hueco.

—¿Puedo decir unas palabras? —preguntó Rubén.

—Por supuesto, por favor —respondió Alma. Samuel sólo asintió con la cabeza.

—Martín, Blanca, descansad junto a este árbol sagrado. La naturaleza cuidará de lo que dejáis en este mundo. Dios se encargará de vuestro espíritu. Gracias por haber elegido venir aquí, Martín. Gracias por las maravillosas conversaciones que tanto me hicieron crecer como persona. Gracias por tu amabilidad, tu humildad y tus sabios consejos. Te conocí poco tiempo, pero nunca te olvidaré. Hasta siempre, amigo — Rubén, emocionado, dejó que varias lágrimas recorrieran su cara y cayeran al suelo. Sonriendo, asintió con los ojos cerrados, hacia los dos hermanos.

—¿Puedo decir yo algo? —pidió Kyin.

—Claro, que sí —asintió Alma.

—Gracias Martín. Todavía no me puedo creer que una simple conversación pueda cambiar una vida como lo hizo. Te estaré eternamente agradecido por los consejos que me diste y por compartir tu visión tan distinta, gratificante y expansiva de la vida. Hasta mi último aliento viviré acorde a esa manera tan bella de verla y lo compartiré con todo aquel que esté dispuesto a escucharla. Gracias, querido amigo.

Alma estaba visiblemente emocionada con las palabras de Kyin. Samuel se las agradeció con una sonrisa. Era el turno de Maritza.

—Queridos Martín y Blanca. Es un honor que descanséis junto a nosotros. Martín, yo te conocí un poco menos que Rubén, pero lo suficiente para ver y apreciar la dulzura, la amabilidad y la inteligencia que destilabas. Me habría encantado poder conocerte Blanca, estoy más que segura de que nos habríamos llevado muy bien. Un beso a ambos, desde mi corazón.

—Suscribo las palabras de mi mujer —dijo Andrés—. Llevo casi diez años trabajando en este alojamiento y por aquí han pasado todo tipo de personas. De algunas me acordaré mucho, de otras no tanto. Pero a Martín lo recordaré como si hubiera formado parte de mi familia. Gracias por haber compartido tantas cosas con nosotros, Martín.

Alma lloraba en silencio. Samuel, en cambio, permanecía con cara de felicidad, sonriendo y muy tranquilo. Alma se secó las lágrimas y tomó la palabra.

—Papá, mamá. Gracias por este extraordinario regalo. Es nuestro segundo viaje y ha sido el más especial, sin duda. Tanto Sam como yo hemos crecido mucho durante estos tres escasos días. Ha sido una transformación profunda para ambos. Gracias por habernos dado la oportunidad de conocer a estas maravillosas personas, papá. Ahora sé que buscaste todas las maneras posibles para poder ser mejor persona, incluso, yéndote al corazón del Amazonas. Gracias por tu valentía. Gracias, gracias, gracias.

Samuel le dio un beso a su hermana y tomó la palabra.

—Papá, de aquí sale una persona muy diferente de la que vino. De hecho, aquí murió y aquí renació. Estaré espiritualmente unido a esta tierra por siempre. Me llevo conmigo a amistades que perdurarán toda mi existencia y aprendizajes que siento que todavía van a ampliarse más y que me ayudarán a engrandecerme. Esto está siendo mucho más de lo que nunca imaginé en muchos aspectos y en gran parte se debe a estas personas excepcionales que nos ayudan a ser mejores y que nos muestran, a través de sus testimonios, a un Martín que no pudimos llegar a conocer, pero que, gracias a ellos es como si hubiéramos tenido a nuestro lado. De hecho, ahora siento que es así, que te tenemos junto a nosotros. Gracias, gracias, gracias a todos vosotros.

Samuel abrazó a Alma y se mantuvieron así durante varios segundos. Rubén se secó las lágrimas que brotaron tras escuchar las palabras de Samuel. Seguidamente, Maritza, Kyin y Andrés ayudaron a tapar y a decorar con flores el pequeño hueco que hacía las veces de fosa para el recipiente.

—Bueno, y ahora, ¡a celebrar la vida! —se apresuró a decir Rubén.

Aprovechando que no había ningún huésped más, todos se juntaron a cenar en el restaurante. Disfrutaron de buena comida, buena música y mejor conversación. Kyin consiguió relajarse y olvidarse, por un momento, de que su hermano estaba a cargo del restaurante. "Ya me enteraré si sigue en pie o no", decía entre risas. Samuel no necesitó que Andrés le insistiera mucho para ponerse a interpretar, con la guitarra española que le trajo, algunas canciones que recordaba. Alma estaba profundamente feliz de ver que había recuperado, por fin, a su hermano. Se quedó embelesada escuchando cómo tocaba, pensando cómo era posible que se acordara de las canciones y que no titubeara ni por un instante al interpretarlas. El plan de su padre había funcionado y todavía quedaban muchas aventuras por delante, que afianzarían aún más su recuperación. Alma cerró los ojos y, con una sonrisa, agradeció en su interior todo lo vivido a sus progenitores. Sentía como si ellos le hubieran dado la vida de nuevo a su hermano, por segunda vez.

La velada se alargó hasta altas horas de la madrugada compartiendo experiencias de vida. Rubén relató todos los obstáculos que tuvo que superar para poder abrir su alojamiento y, ciertamente, no fueron pocos. La clave para conseguirlo fue su tenacidad, cualquier otra persona en su lugar habría desistido con total seguridad. Maritza explicó sus planes, junto a Andrés, para mejorar la economía de decenas de asentamientos quichua, mediante la creación de una cooperativa que exportaría los mejores y únicos productos indígenas.

Kyin desveló el proyecto que había planificado, detalladamente, para poder conseguir la ansiada estrella *Michelin* en menos de tres años. Si dependiera de la pasión con la que lo contó la tendría ya ganada, al menos, eso fue lo que pensó Alma.

—¿Notáis cómo lo cuenta todo? —exclamó Rubén mirando al resto, mientras señalaba a Kyin.

—Sí —respondieron todos.

—Esa pasión que destila por cada poro de su piel, cuando cuenta sus planes futuros, es la diferencia que marca vivir su propósito. Si tuviera que contar lo que hacía en la cocina de nuestro restaurante, ¡no lo contaría igual! ¡Ja, ja, ja! —apostilló Rubén.

Alma, recordando su conversación con Rubén, entendió perfectamente que el mensaje iba dirigido a ella.

—Sí, pero hay veces que los propósitos no salen a la luz, así como así —afirmó Samuel.

—Y también puede haber distintos propósitos a lo largo de las distintas etapas de la vida, ¿no es cierto? —añadió Andrés.

—Ambos tenéis razón —admitió Rubén— Respondiéndote primero a ti, Andrés, los propósitos pueden ir cambiando y evolucionando; pero, a mi modo de ver, esos propósitos te dirigen inexorablemente a tu propósito principal de vida, siempre que quieras recorrer el camino que te exige cada proyecto, que, habitualmente, no es sencillo. Por ejemplo, mi propósito no era construir este alojamiento, sino que, una vez construido, vi, con toda claridad, que mi verdadero propósito era ayudar a preservar el hábitat de esta zona del Amazonas. Pero mi propósito final, al que yo llamo 'mi propósito de vida', es mucho mayor que todo eso, porque quiero unirme con otras personas que quieran preservarlo y defenderlo, y juntando todas nuestras energías, ampliarlo a todo el Amazonas. Por ahora ya me he coordinado con gente de la provincia de Pastaza y es sólo el germen de todo lo que tengo ideado. ¡Va a ser muy grande!

—¡Qué bien Rubén! Estoy segura de que lo vas a conseguir… —contestó Alma.

—Entiendo lo que quieres transmitirnos, Rubén —afirmó Andrés.

—Respondiéndote a ti, Samuel, el propósito de vida, el 'para qué' estás en este mundo, se revela cuando tiene que hacerlo, ni antes, ni después. A lo largo de la vida te vas preparando para llevarlo a cabo. Hay personas que lo descubren enseguida, otras tardan muchas décadas y otras, o bien se les ha pasado de largo, inadvertidamente, o bien lo descubren al final de sus días. Pero de una cosa sí que estoy completamente seguro: todos estamos en este mundo para algo y Dios nos dio las herramientas adecuadas para llevarlo a cabo.

Todos se quedaron pensando en las sabias palabras de Rubén. A Alma, le surgió una duda:

—Rubén, yo no niego que tengas razón, pero, ¿qué ocurre si buscas tu propósito y no lo encuentras?

—Eso es lo más habitual, Alma. Yo no soy ningún experto en la búsqueda del propósito, pero sí te puedo contar mi experiencia, que consistió en descubrirlo de forma casi inadvertida, no me levanté un día y, de repente, Dios me habló con una voz atronadora desde el cielo para decirme que tenía que montar este tinglado en medio de la selva. No…. todo fue como "por casualidad", pero el descubrirlo no habría sido posible, si no hubiera estado consciente, presente o como quieras llamarlo. Si no me hubiera dado cuenta de que la vida pasaba para mí, que todo estaba orquestado para que decidiera descubrirlo, me habría opuesto a lo que me iba ocurriendo. Si no hubiese continuado, si no hubiese persistido, me habría perdido todo esto. Me habría perdido conoceros, conocer a vuestro padre, aprender de las conversaciones que tuvimos… y, lo peor, no habría un Rubén que cuidara de esta parte de la selva y la defendiera a capa y espada.

—¡Y mi restaurante ni siquiera existiría! —añadió Kyin.

—¡Y nosotros no habríamos podido tener la oportunidad de trabajar aquí! —exclamó Andrés.

—Y, ¡tampoco habríamos podido ayudar a las comunidades indígenas de la zona! —agregó Maritza.

—Y, ¡yo no habría muerto y vuelto a la vida! —dijo riendo Samuel, lo que provocó la carcajada de todos.

—¿Ves, Alma? Todo porque no me detuve, porque persistí. Yo, realmente no sabía muy bien si sería o no mi propósito, de hecho, ni me lo planteé, pero sentía en mi interior que era lo que había venido a hacer a este mundo. No sé cómo explicártelo… Pero cuando vine por primera vez a visitar esta provincia, un hombre urbanita como yo que no había pisado más verde que el de los parques, algo en mi interior me impulsó. De pronto, me di cuenta que amaba la naturaleza, la había echado de menos toda mi vida, ¡sin ser consciente! ¿Te lo puedes creer? —expresó con entusiasmo Rubén, abriendo las manos y poniendo las palmas hacia arriba.

Cuando volvimos a la ciudad, podría haberlo dejado como un recuerdo de un viaje bonito, sin más, pero el sentimiento persistió en mí y no pude por menos que volver aquí. Después, todo salió rodado, paso a paso, lentamente…

—Quizás deba mirar más en mi interior, estar más atenta a lo que siento… —meditó Alma en voz alta.

—Mi opinión es que, vivir una vida sin propósito, es, sin lugar a dudas, mucho más aburrido que vivirla con un propósito. Mi vida es absolutamente plena ahora, con sentido, lo cual no quiere decir que no tenga contratiempos a diario, porque los tengo, pero eso es un acicate nunca un problema. Pero, cada uno es libre de elegir cómo quiere su vida. Yo sólo hablo desde mi experiencia.

—Gracias Rubén. Es una suerte que lo hayas encontrado. Puede que yo necesite más tiempo para descubrirlo.

—De nada Alma. Pero sólo como apunte final, creo que no es suerte, es simplemente, hacerle caso a tu interior, a lo que sientes, a la vocecita que te lo dice entre susurros, sin molestar, sin casi escucharse, entre el resto de voces que gritan dentro de tu cabeza…

Alma y el resto se quedaron de nuevo en silencio, reposando las palabras de Rubén. Alma, desde la conversación en la laguna, notaba que su interior no estaba como antes. Sentía más intranquilidad, no estaba en calma. Al principio lo había achacado a todo lo que le ocurrió a Samuel y al juicio que tenía Robert, pero algo le decía que no era eso, que no tenía nada que ver con nadie más que con ella. Su ensimismamiento fue interrumpido súbitamente por su hermano, que se mantenía apoyado en la guitarra que todavía tenía en su regazo.

—Pues yo lo tengo claro. ¡Mi propósito de vida es vivir! —exclamó en tono jocoso para quitar hierro a la conversación— ¡bastante tengo con mantenerme vivo! —concluyó.

Todos rieron de nuevo, agradeciendo el gesto de Samuel por amenizar el momento.

—Bueno, chicos. Para mí ha sido más que maravillosa esta velada, pero me voy a descansar, que mañana mi propósito me reclama de nuevo bien temprano —afirmó Rubén.

—Una última pregunta, Rubén —interrumpió Alma.

—Dime.

—Mi padre, estando aquí, ¿encontró su propósito de vida? —preguntó escudriñando los ojos oscuros de Rubén.

—En el momento en el que le conocí, cuando llegó a la Amazonía, estaba tratando de salir del pensamiento que le había llevado a sentir que la vida le pasaba a él, no que pasaba para él —dijo Rubén levantando el dedo índice—. Aquí hizo grandes avances en ese sentido durante los dos meses que estuvo. Esto es una suposición mía —respondió acomodándose en la silla—. Pero creo que la búsqueda de su propósito estaba aún lejos, le quedaban cosas por sanar y mejorar antes de descubrirlo. Aunque, también creo que, finalmente sí que lo descubrió.

—¿Cómo estás tan seguro? —preguntó Alma frunciendo el gesto.

—Porque estáis aquí —afirmó con contundencia Rubén.

Todos se quedaron, en un inicio, perplejos por lo que acababa de decir, pero enseguida se percataron de lo que subyacía en sus palabras. Mirando a los dos hermanos, entendieron que tenían delante el propósito de vida de Martín.

Samuel apoyó la guitarra en la mesa y se abrazó fuertemente a Alma. Ambos sabían lo que aquello significaba. Lloraron juntos durante algunos minutos y, Samuel, sonriendo, posó sus manos sobre las mejillas de Alma, transmitiéndole la felicidad que sentía y asintiendo suavemente con la cabeza, aceptando el maravilloso regalo que su padre les había brindado.

Se despidieron unos de otros de forma muy afectiva. Alma quiso quedarse un rato más con Kyin para que le contara con más detalle el plan que tenía para hacer de su restaurante una referencia en el continente y en el mundo. Le acompañó a Kyin hasta la balsa, para que no se fuera solo. Samuel y el resto, se fueron a dormir.

Alma y Kyin recorrieron tranquilamente el camino de piedras hasta la playa que daba al río.

—Me ha resultado muy interesante la manera que tienes de contar cómo va a ser tu negocio, Kyin —manifestó Alma, comenzando la conversación.

—Es que lo vivo, Alma. Me levanto cada día pensando en mi negocio y en qué puedo hacer para mejorarlo y acercarme a mi objetivo de obtener la estrella *Michelin* — respondió con gran entusiasmo.

—Pero, ¿y después?, ¿qué harás una vez que la consigas? —preguntó interesada Alma.

—Mi sueño no va a parar aquí. Quiero innovar en los platos tradicionales de Ecuador. Aprenderé de los mejores y traeré las técnicas más novedosas a mi restaurante, para que las personas que vengan jamás lo olviden. Deseo que sea toda una experiencia, porque mi intención es hacerme tan conocido que atraiga a gente y así florezca el turismo en la zona.

—Pero eso puede hacer que vengan demasiados turistas aquí. A lo mejor no es del todo bueno.

—Eso es cierto, por eso pretendo que el restaurante siempre sea pequeño, para que no vengan demasiadas personas al mismo tiempo y, a la vez, trabajar con los hoteles y las comunidades para educar y concienciar en el amor a la naturaleza a todos los visitantes.

—En ese caso, ¡cuanta más gente venga, mejor!

—¡Ja, ja, ja! ¡Sí! Aunque hay que hacerlo paso a paso, para que los negocios evolucionen a la par de la demanda y podamos asumir un turismo de calidad y responsable, sin que sea de masas.

—Parece un equilibrio difícil.

—Sí… seguramente lo sea, pero no imposible.

—Cierto, no imposible.

—Y, bueno, tengo más ideas para más adelante… —anunció Kyin.

—¿Se pueden contar? —curioseó Alma.

—¡Sí, claro! Una vez que alcance el éxito quiero abrir una escuela para quichuas que se sientan, como yo, atraídos por la cocina.

—¡Qué bien Kyin! ¡Vas a contribuir!

—¡Exacto! ¡Ésa es la idea, la contribución! —gritó levantando la mano con el dedo índice apuntando al cielo— Siento que tengo que expandir lo que tu padre y Rubén, entre otras personas, me inculcaron.

—Qué bonito, Kyin… —expresó Alma con las manos entrecruzadas a la altura del pecho.

Llegaron a la playa, donde descansaba la balsa que le había llevado al *lodge*.

—¿Te puedo hacer una pregunta, Alma? —dijo Kyin volviéndose hacia ella.

—Sí… claro… ¿De qué se trata?

—Supongo que me dirás que sí, pero tengo que preguntártelo. ¿Tienes pareja?

Alma se puso roja de repente y las pequeñas manchas escarlata del cuello le brotaron al instante.

—Eh… sí… estoy felizmente casada y con tres niñas…

—Pues dale la enhorabuena a la persona que eligió estar contigo.

—¡Vaya! ¡Muchas gracias por el cumplido! —dijo Alma bajando la mirada al suelo.

—Tiene una gran suerte. Eres una mujer excepcional.

—Gracias Kyin, mi marido también lo es.

—Estoy seguro de ello. Seguro que supiste elegir.

—Gracias Kyin, eres muy amable —apuntó sonriendo y algo avergonzada.

—Bueno, si alguna vez vuelves por aquí, con o sin familia, te tendré reservada una mesa especial donde probarás los platos premiados internacionalmente —sonrió Kyin.

—Volveré, no tengas la más mínima duda. Gracias por todo Kyin. Tú también eres una persona excepcional y maravillosa.

—Muchas gracias Alma. Anda, dame dos besos, que voy a ver si mi sueño sigue en pie o mi hermano lo ha hundido —dijo riendo.

—Claro que sí —respondió Alma dándole los dos besos. Por un instante en el tiempo, sintió el impulso de mantener por unas fracciones de segundo más su mejilla pegada a la de Kyin. Enseguida parpadeó rápidamente y se separó de él—. Que te vaya muy bien Kyin. Deseo que triunfes y que hagas realidad todos tus sueños.

—Gracias Alma. Te recordaré siempre.

Kyin guiñó el ojo derecho a Alma y se giró hacia la balsa. Alma tardó en reaccionar unos segundos.

—Y ¡yo a ti Kyin! —gritó Alma. Kyin se giró al escucharla— También te recordaré… siempre —dijo sonriendo.

Kyin tuvo el deseo de volver hacia ella. Justo cuando iba a dar el primer paso, Alma le dijo adiós agitando la mano y se volvió hacia el *lodge*. Kyin entendió que no era el momento y se volvió hacia su balsa. Alma, tras dar varios pasos, se giró para mirarle. Él se subía a la balsa, de regreso a su restaurante. Inspiró profundamente y continuó subiendo por el camino de piedra. Kyin miró hacia atrás para ver cómo Alma se adentraba en el recinto y comenzó a remar, rumbo a su sueño.

Samuel la esperaba despierto. Alma abrió sigilosamente la puerta de la cabaña y vio la luz de la mesilla de noche de Samuel.

—Hola hermanita —saludó Samuel, inclinándose para ver cómo entraba.

—Hola Sam —respondió Alma sorprendida de verlo despierto— Veo que no te has dormido todavía…

—No podía dormir.

—¿Nervioso por todo lo que ha pasado?

—No.

—Entonces, ¿por qué?

—Esperaba a que volvieras.

—Bueno, pues… ya estoy aquí.

—Supongo que sabes lo que haces.

—¿De qué me estás hablando? —preguntó evasivamente.

—Bueno, hermanita, no soy nadie para decirte nada, sólo quiero decirte que pienses bien lo que hagas.

—Sam, ¿de qué me estás hablando? No he hecho nada que tenga que pensar.

—Vale, vale, mejor así…

—No sé a dónde quieres llegar, Sam. No he hecho nada.

—Alma, ¿te has acordado de llamar a Robert?

Alma se quedó petrificada. Ni siquiera se había acordado de Robert en toda la noche. No es que quisiera dejar de pensar en él de forma consciente, pero había sido una velada muy amena y la había querido vivir intensamente, disfrutando de cada segundo que le quedaba en Ecuador.

—Podrías habérmelo recordado, ¿no crees?

—Alma, es cierto, me podría haber acordado yo también, pero Robert es tu marido…

—Sam, en serio. No hay nada de lo que hablar, no ha pasado nada de nada. Pero, ¿por quién me tomas?

—Lo siento Alma, no debía haberte dicho nada, son cosas tuyas.

—Exacto Samuel —dijo Alma visiblemente molesta—. Son cosas mías, no tienes por qué meterte. Además, para tu información, te repito que no ha pasado nada de nada.

—Está bien, Alma, está bien… no digo nada… me voy a dormir que mañana será un día muy duro. Me ha dicho Rubén que nos recoge el taxi a las diez de la mañana. Que descanses —dijo recostándose en la cama.

—Hasta mañana —contestó Alma con tono serio.

Alma, después de acicalarse y cambiarse de ropa, se acostó pensando en Robert. Se sentía profundamente culpable por no haberle llamado, pero, aún más, de no haberse acordado de él. Ella sabía que lo estaría pasando realmente mal tras perder el juicio. Se culpabilizaba por no haberle apoyado, como hacía siempre él con ella, y como había hecho con el viaje que estaba realizando. Intentó conciliar el sueño, pero le fue imposible; el ruido mental no la dejó ni un segundo, además, Samuel comenzó a roncar a los pocos minutos de haber apagado la luz. Finalmente, harta de dar vueltas en la cama sin dormir, decidió levantarse y salir de la cabaña. Con mucho tacto, abrió la puerta y salió fuera. La cerró tras de sí y se sentó en el primer escalón de piedra de la entrada. Se quedó embelesada escuchando los sonidos de la selva y mirando las estrellas del cielo.

Aquella noche hacía menos humedad que en días anteriores y la temperatura era perfecta. Inspiró profundamente e intentó relajarse. Pensó que meditar sería una gran idea para acallar a su mente culpabilizadora y así poder conciliar el sueño. En la meditación quiso vaciar su mente de cualquier pensamiento y durante varios minutos no dejó de recordar la cara, los gestos e, incluso, la voz de Kyin. Alma no entendía que pasaba, ella era profundamente feliz junto a Robert y su vida era maravillosa, pero este cocinero tan especial había despertado algo en ella, una atracción que no había experimentado en muchos años.

Se tuvo que retrotraer a la época de instituto, donde Michael Evans le atraía tanto que llegó a perseguirle, junto a unas amigas, varias semanas seguidas hasta su casa, a más de cinco millas de la suya, después de salir de clase. Alma reía recordando la locura del primer amor platónico. Pensó que había sido muy bonito conocer a Kyin, pero ella estaba segura del amor que sentía por Robert. Sintió que estaba bien que, después de tres hijas, mantuviera el atractivo. Había decidido que, nada más levantarse, haría lo imposible por hablar con Robert y le animaría y apoyaría, como siempre había hecho.

Mirando las estrellas de nuevo, dio las gracias y sonrió. Se levantó, dispuesta a conciliar el sueño, mucho más tranquila y abrió la puerta de la cabaña. Por suerte, Samuel había cambiado de posición y había dejado de emitir ronquidos. Por alguna razón que desconocía, la imagen de Kyin despidiéndose de ella antes de subirse a la canoa, la acompañó justo antes de tumbarse, de nuevo, en la cama. Sonriendo, consiguió conciliar el sueño al cabo de unos pocos minutos.

Por la mañana, Samuel despertó a su hermana con cierta premura.

—¡Alma! ¡Despierta! ¡Nos hemos dormido! —exclamó sin levantar mucho la voz, mientras meneaba el antebrazo de su hermana.

—¿Qué? —respondió aturdida— ¿Qué hora es?

—¡Son las nueve y cuarto!

—¡¿Qué!? Pero… ¿no ha sonado la alarma del teléfono?

—¿Tú la pusiste? Porque yo no me acordé.

—¡Ni yo tampoco!

—¡Date prisa! ¡Hay que hacer las maletas y desayunar! —dijo Samuel metiendo prisa a su hermana.

Alma salió de la cama de un bote. En menos de diez minutos habían preparado su equipaje.

—Me voy a desayunar. Mientras, si quieres, dúchate tú primero y luego lo haré yo.

—De acuerdo. Buena idea.

Samuel salió rápidamente de la cabaña y se acercó al restaurante para desayunar. Maritza y Andrés ya tenían todo preparado. Tras saludarles amablemente, Samuel engulló, literalmente, dos rebanadas de pan tostado y se tomó de un trago su café. Rápidamente, volvió a la cabaña. Alma ya estaba vestida y preparada cuando llegó su hermano.

—¡Tu turno! ¡Vamos que sólo nos queda un cuarto de hora! —informó Samuel alzando la voz.

—Está bien, yo desayuno y ya estoy preparada.

Alma se dirigió, casi corriendo a desayunar. Maritza le acercó el mismo desayuno que a Samuel y se quedó por unos segundos mirando a Alma.

—¿Todo bien, Alma?

—Sí… todo bien.

—Genial —respondió Maritza con una sonrisa cómplice.

Alma no quiso echar más leña al fuego de las suposiciones y desayunó casi sin levantar la vista. Cuando hubo tomado el último sorbo del café se acordó de que tenía que llamar a Robert. Se levantó corriendo hacia el teléfono, cuando, de pronto, escuchó el claxon de un coche. Sin duda, era el que venía a recogerles. Alma colgó el auricular, resignada. Samuel, desde la puerta de la cabaña gritó a Alma para que recogiera su maleta para llevarla al taxi.

Cuando estaba sacando sus maletas, Rubén apareció, junto con Andrés y Maritza.

—Bueno chicos… os marcháis a vuestro siguiente destino. Os deseo que os vaya estupendamente —dijo Rubén sonriéndoles—. Ha sido un placer haberos tenido como huéspedes de este alojamiento y me siento muy feliz de que las cenizas de vuestros padres descansen en él. Para mí es un grandísimo honor —añadió con la mano puesta en el corazón.

—Gracias por todo Rubén, ha sido un viaje extraordinario. He aprendido mucho de nuestra conversación. Me ha dejado poso y te prometo que le daré vueltas a mi propósito de vida.

—Me alegro de que te haya servido, Alma. No dejes de buscarlo, porque él también te está buscando a ti —dijo antes de darle un gran abrazo a Alma.

—Gracias por todo, chicos. Ha sido una experiencia tan intensa que parece que hasta he renacido aquí —bromeó Samuel, provocando la risa de todos.

—Hasta siempre amigos —dijo Rubén abrazando a Samuel.

—Aquí tenéis vuestra casa —afirmó Andrés.

—¡Os voy a extrañar! —exclamó Maritza dando un abrazo a ambos.

—Muchas gracias por todo. Sois personas maravillosas —aseguró Alma entre sollozos.

—Gracias, gracias, gracias —añadió Samuel antes de comenzar a arrastrar la maleta hacia el taxi.

Alma y Samuel se giraron justo antes de cruzar la entrada principal del recinto y dijeron adiós con las manos. Los tres le despidieron del mismo modo. Andrés tomó dulcemente por la cintura a Maritza para abrazarla, gritaron "adiós" por última vez y se giraron para volver a sus labores.

Del taxi salió Roxy, trajeada como la primera vez que les llevó en su taxi y con sus gafas de sol puestas. Les recibió con el maletero abierto, preparado para recibir el equipaje y una gran sonrisa.

—¡Buenos días! —dijo Roxy.

—¡Buenos días! —respondieron ambos.

—Se nota que la selva ha hecho mella en vosotros.

—¿Por qué lo dices? —preguntó Alma.

—Porque os ha cambiado hasta la cara.

—¿Tanto se nota? —preguntó Samuel.

—Mucho. Parecéis dos personas diferentes.

—Si yo te contara… —comentó Samuel.

Justo cuando Alma se iba a meter en el coche, una voz, gritando su nombre, se oyó desde el río. Se giró inmediatamente y vio a Kyin, de pie en una balsa, agitando los brazos diciéndole adiós.

—¡Que te vaya muy bien! —gritaba a pleno pulmón.

Alma, con una amplia sonrisa y unos ojos que destellaban, respondió:

—¡Muchas gracias Kyin! ¡Espero que consigas más de una estrella *Michelin*!

—¡Buen viaje! ¡Hasta siempre! —gritó Kyin, lanzándole un beso al aire.

Alma le envió otro y, sin dejar de sonreírle y mirarle fijamente, se metió en el coche. Bajó la ventanilla y le dijo adiós con la mano. Pensó que recordaría siempre aquella escena que acababa de vivir. Permaneció durante un instante mirando hacia donde estaba Kyin con la balsa, mientras el coche se adentraba en la selva. Alma se percató de que Samuel la miraba de reojo. Se giró y le dijo en tono grave.

—¿Qué?

—Nada, nada.

—Vale.

Roxy les condujo de nuevo al aeropuerto cerrado de Tena-Jumandy. Nadie dijo nada. Samuel estaba recordando todo lo que había experimentado en menos de una semana. Habían sido los días que más intensamente había vivido en años, quizás en toda su vida. Muchos recuerdos le quedarían para siempre: la ayahuasca, su muerte, su vuelta, Kunturi, Diocelina, la visión del espíritu… jamás pensó que se llevaría tanto de este viaje. Guardaría a Ecuador en su corazón para siempre.

Alma observaba por última vez el camino selvático que unía el *lodge* con Puerto Misahuallí. La imagen de Kyin subido a la balsa, diciéndole adiós, no paraba de reproducirse en su cabeza una y otra vez. Cuando cruzaron el puente vio a lo lejos su restaurante, flotando en aquel maravilloso río. Sonrió recordando el día que compartió con Rubén en la laguna y después en el restaurante. Inspiró profundamente y se giró hacia adelante, con intención de pasar página de lo que había sentido. La vuelta repentina de la cobertura de su móvil ayudó, sin duda, a que el paso de página fuera fugaz.

—¡Madre mía, Sam! veinte llamadas… buff… más de una decena son de Robert. Voy a llamarle de inmediato.

—De acuerdo, Alma. Dale recuerdos.

—Si consigo hablar con él…

Alma pulsó la llamada en el contacto del móvil de su marido y esperó a que diera tono. Cuando no habían sonado ni tres veces, Robert contestó, por fin, al teléfono.

—¿Sí?

—¿Hola? ¿Robert?

—Sí, Alma, soy yo…

—¿Estás bien?

—He estado mejor, la verdad.

—He intentado hablar contigo varias veces y no he podido… —se excusó Alma.

—Y yo también te he llamado muchas veces, al móvil, al fijo desde donde me llamabas… y tampoco me respondías.

—Es que en el hotel no había cobertura, estábamos en medio de la selva y el fijo… no sé… no habría nadie que lo escuchara…

—¿En medio de la selva? —preguntó sorprendido.

—Sí… ¿No te lo ha dicho Flora?

—Esto… puede que sí me dijera algo…

—Cariño, ¿seguro que estás bien? Te noto muy raro…

—Bueno, es que he estado bastante disperso estos días.

—Me contó Flora que perdisteis el juicio.

—No lo perdimos, Alma. Lo perdí yo.

—Bueno, sois un equipo, ¿no es cierto? —insistió Alma intentando ayudarle a cambiar su estado emocional.

—Sí, lo somos, pero en concreto yo fallé en una prueba principal. Alma, todo el trabajo de cuatro personas, más el mío, lo he tirado por tierra. Ahora a Frank no le va a corresponder ninguna compensación por todo lo que sufrió, ni un sólo centavo, Alma. Todo por mi metida de pata.

—Bueno Robert, podréis recurrir, ¿verdad?

—No Alma, la sentencia es firme y es muy complicado que se pueda recurrir a altas instancias. La prueba principal se ha quedado en papel mojado y, sin ella, no hay nada que hacer —explicó Robert con un hilo de voz.

Samuel miraba fijamente las reacciones de su hermana, estaba intentando averiguar qué le contaba. Sus gestos, pensó, no invitaban a imaginar en positivo.

—Bueno, cariño. Permítete fallar alguna vez, no eres un robot y puedes cometer equivocaciones, amor.

—Alma, este fallo no es permisible. He hecho perder millones de dólares a Frank y a su familia y, por supuesto, también a mi bufete —resopló mientras lo contaba.

—¿Cómo han reaccionado ellos? ¿Te están ayudando? —preguntó Alma.

—Pues regular, Alma… No me han dicho nada, pero sé que están muy decepcionados —contestó abatido.

—Cariño, ¿quieres que tome un avión y vuelva a casa? —sugirió Alma ante la atenta mirada de Samuel.

—No, Alma. No te preocupes, estaré bien.

—Robert, nos vamos a Ruanda. No creo que allí pueda contactar muy a menudo contigo. Dime, por favor, si me necesitas contigo.

—¿A Ruanda? Nunca lo habría imaginado, aunque Julie creo que tenía varias cartas de Ruanda, me sorprendió que las enviaran desde allí.

—Dime, ¿cambio el vuelo y voy a casa? —insistió de nuevo Alma.

—No, de verdad que no, cariño. Saldré de ésta —respondió sin mucho convencimiento.

—¿Seguro?

—Seguro. Cumple con el testamento de tu padre.

—Robert, aunque esté en Ruanda, si me necesitas, compro los billetes de avión y vuelvo, ¿de acuerdo?

—Vale, Alma. Gracias, pero no hará falta.

—Bueno, por favor, escríbeme al *email* todos los días contándome cómo estás. Yo, en cuanto pueda, lo leeré.

—Sí, de acuerdo. Lo haré.

—Te quiero mucho Robert.

—Y yo a ti Alma.

—Robert, de esto tenemos que aprender, no hundirnos. De esto tenemos que salir más fuertes. ¿Me oyes?

—Sí... te oigo... Ojalá...

—No Robert, ojalá no. Lo haremos.

—De acuerdo, Alma... —aceptó sin mucha confianza.

—Te quiero Robert.

—Hasta pronto, Alma.

—Hasta pronto, cariño.

Alma colgó la llamada y se quedó mirando la pantalla de su teléfono. Se había quedado muy intranquila tras escucharle. Pensó que Flora sería de gran ayuda, así que la llamó de inmediato.

Marcó el teléfono de Flora y comenzó a dar tono. Al tercero cortó. Alma pensó que sería de la cobertura. Miró a la pantalla y vio que tenía más que suficiente. Cuando se disponía a volver a llamarla, recibió un mensaje de ella en el que decía:

"Ahora no podemos hablar. Estoy con Robert. He escuchado la conversación contigo. Cuando esté sola te llamo y hablamos. Está muy decaído, Alma, pero no te preocupes porque yo le cuido".

Alma se dispuso a contestarle cuando vio que la cobertura volvía a desaparecer. Escribió de igual manera el mensaje de agradecimiento a Flora, insistiendo en que la llamara en cuanto pudiera, con la esperanza de que se enviara antes de embarcar en la avioneta.

—Ya casi estamos —anunció Roxy.

La puerta principal del aeropuerto de Tena-Jumandy se encontraba delante de ellos. Alma ni se había percatado de que habían llegado ya. Roxy se bajó del vehículo e introdujo el código de acceso que abría la puerta de entrada a la única pista de aterrizaje y despegue.

⑤ La avioneta que les trajo les esperaba de nuevo para llevarlos a su siguiente destino. Cuando Roxy paró su coche cerca de la avioneta, Edwin les saludó muy sonriente desde dentro de la cabina con la mano.

Roxy sacó las maletas del maletero del coche.

—Bueno señores, aquí acaba mi servicio. Les deseo un buen viaje y, siempre que lo deseen, no duden en contactar conmigo para lo que sea.

—Muchas gracias, Roxy —contestó Alma.

—Sí, muchas gracias por todo, Roxy. Creo que volveremos por aquí —añadió Samuel, deseando que Roxy se despojara de las gafas de sol que ocultaban sus hermosos ojos.

—Estaremos gustosos de volver a tenerlos con nosotros —dijo Roxy sonriendo.

Edwin descendió de la avioneta *Cessna* y, tras saludarlos brevemente, los ayudó a introducir el equipaje en el pequeño maletero de la aeronave.

Alma, mucho más tranquila que en el primer vuelo en la avioneta, se subió sin titubear. Samuel, con los cascos de comunicación ya puestos sobre sus orejas, vio cómo Roxy se alejaba en su coche. Pensó que le habría encantado conocer algo más sobre ella, le resultaba muy misteriosa y, sin duda, muy atractiva.

Edwin, usando los intercomunicadores, les informó:

—Disculpen la premura con la que les he saludado. Debemos volar cuanto antes a Guayaquil porque hay una depresión atmosférica que está barriendo los Andes de norte a sur y no quiero que nos encuentre en nuestro camino.

—¿Puede ser peligroso? —preguntó Alma intranquila.

—Si nos damos prisa y atravesamos rápidamente los Andes no, ningún problema, no se preocupe que llevo el radar meteorológico en tiempo real activado.

—Perfecto… Muchas gracias Edwin —resopló Alma un poco más aliviada.

—Me habría encantado bordear el Chimborazo, el volcán más bonito del planeta, pero tendremos que dar un pequeño rodeo. Aun así pasaremos por el Sangay, que no tiene nada que envidiarle al resto.

—Si es que, ¡aquí tenéis volcanes para elegir! —exclamó Samuel.

—Absolutamente, ¡somos tierra de volcanes! —asintió Edwin mientras arrancaba el motor de la avioneta—. ¿Han disfrutado de la estancia en Puerto Misahuallí?

—Muchísimo…. no sabes cuánto… —respondió Samuel, en tono melancólico.

—Mucho, Edwin… hemos disfrutado muchísimo. Aquí tienen una joya única en el mundo.

—Lo sé. A mí me encanta mi país. Creo firmemente que no hay otro como éste en todo el mundo. Si volviera a nacer, ¡me encantaría volver a ser de Ecuador! ¡Ja, ja, ja!

—¡No me extraña lo más mínimo! —aseveró Alma.

Samuel pensó que él lo acababa de cumplir, renacer en Ecuador. Mientras la *Cessna* se elevaba sobre el verde de la selva, Samuel se acordó de la infinidad de situaciones que había vivido. Muchas cosas le habían sido reveladas y muchas dudas nuevas planteadas, la más importante de todas ellas: saber la razón por la que había vuelto en contra de su voluntad.

Cuando llevaban media hora de vuelo, Edwin les hizo gestos para que miraran hacia su derecha. Alma se asomó por su ventanilla y vio un enorme frente de nubes de color azul marino, increíblemente grandes, que avanzaban en dirección a su trayectoria.

—¡Nos vamos a librar por poco! —anunció Edwin señalando la zona de donde provenían numerosos relámpagos—. Están avanzando mucho más rápido de lo que se estimaba. Parece que los vientos las están llevando al sur rápidamente.

—¿No será peligroso que sigamos por esta ruta? —preguntó Alma, visiblemente preocupada.

—Si somos más rápidos que ellas, no.

—¿Y si atravesamos más al sur? —propuso Samuel.

—No tenemos combustible suficiente para llegar a nuestro destino si nos desviamos más.

Súbitamente, un rayo se escapó del cúmulo de nubes, atravesando de lado a lado el cielo, justo por donde iban a pasar en pocos minutos.

—¿Has visto eso, Edwin? —alertó Alma muy asustada.

—Sí… ¡lo he visto! Ha sido bonito, ¿verdad?

—¿Bonito? ¿Cómo qué bonito? ¡Es un relámpago, Edwin! ¡Puede darnos a nosotros! —gritó Alma.

—¡No sería el primero que nos alcanzase! —respondió Edwin.

—Pero, ¿no es muy peligroso eso, Edwin? —preguntó Samuel.

—Sí, sí que lo es. Todo depende de por dónde entre el rayo. La última vez no nos pasó nada. En la anterior, tuve que aterrizar forzosamente porque el ordenador de a bordo se estropeó, pero la avioneta seguía siendo gobernable. No se preocupen, pasaremos todo lo rápido que podamos. Con suerte, cuando la tormenta llegue al Sangay, éste, la frenará.

Edwin aceleró la avioneta todo lo que pudo. El armazón de la aeronave se tambaleaba constantemente. El viento la frenaba y la aceleraba a su antojo. Edwin luchaba con todas sus fuerzas para mantener el rumbo y a duras penas lo conseguía. Decidió ascender para intentar salirse de una corriente de aire lateral que les desviaba constantemente, pero no consiguió evitarla.

—¡Ya está llegando al Sangay! ¡Mirad! —gritó haciendo un gesto con la cabeza.

El gran frente que se avecinaba engulló por completo al volcán, que desapareció en segundos.

Edwin, inconscientemente, soltó una de las manos y la sacudió enérgicamente, indicando que lo que había ocurrido no era para nada normal.

—Y, ¿ahora qué? —preguntó Samuel.

—¿Saben rezar? —dijo riendo Edwin.

—No es momento de bromas, Edwin… —gritó Alma.

—Lo siento, pero es que… no lo digo de broma… tenemos que atravesar como sea la cordillera, o nos tragará como ha hecho con el volcán.

Alma se agarró con fuerza a su hermano, ocultando su rostro entre el asiento y su cuello. No quería ni mirar lo que se acercaba. Estaba temblando, completamente aterrada. Samuel muy nervioso mantenía la compostura como podía, observando el avance de la tormenta y de la cortina de agua que descargaba a su paso.

De pronto, un cóndor apareció a lo lejos de la nada, huyendo de la tormenta. Edwin, que lo vio de inmediato, pensó en seguirle.

—¡No me lo puedo creer! ¡Un cóndor sobrevolando en estos momentos!

—¿Qué es lo que no puedes creerte? —preguntó Samuel.

160

—El cóndor no volaría con una tormenta así, buscarían cobijo en cualquier parte. Pero este cóndor, ¡nos está sirviendo de guía!

—No lo entiendo, Edwin. Nos está guiando, ¿a dónde?

—El cóndor, al igual que muchas aves, aprovechan las corrientes de aire favorables para avanzar más rápidamente y sin casi esfuerzo —gritó Edwin por el intercomunicador—. Si sigue unos minutos más, ¡estamos salvados! ¡Iremos más rápido y ahorraremos combustible! ¡Sólo tenemos que ponernos a su cola y seguir su rumbo!

Milagrosamente, el cóndor, aparecido desde la parte derecha donde estaba la tormenta, viró su trayectoria para coincidir con la de la avioneta. Parecía que había sido enviada a sacarles de allí. Edwin controlaba la trayectoria hábilmente y adaptaba su velocidad a la del cóndor.

El piloto tenía razón, el cóndor avanzaba a gran velocidad sin casi aletear, subiendo y bajando según cambiaba el aire. A la avioneta le costaba más cambiar de altitud, pero se las apañaba para no perderlo de vista. La cortina de agua estaba realmente cerca, las gotas de lluvia, arrastradas por el potente viento, impregnaban la nave por completo. De pronto, el cóndor viró hacia abajo, casi en picado. Edwin dudó por un microsegundo y decidió seguirle, picando la *Cessna* todo lo que pudo sin perder su control. Alma lloraba de pánico. Samuel se agarró con fuerza con ambas manos a los asientos delanteros. El típico ruido de un brusco descenso que aparece en numerosas películas comenzó a escucharse con una intensidad ensordecedora. Alma comenzó a gritar aterrada. Samuel tenía los ojos desorbitados, viendo cómo se acercaban peligrosamente a los picos de la cordillera. El cóndor corrigió su rumbo y empezó a ascender de nuevo, con tanta velocidad que Edwin casi lo pierde de vista. Tiró de los mandos con toda la fuerza que podía para conseguir subir. La avioneta parecía que iba a resquebrajarse de un momento a otro. Rechinaba por todos lados, las alas crujían y el ruido del viento con el agua golpeaba los cristales de la cabina. Samuel pensó que de ésta no salía. De repente, como si entraran en una nueva dimensión, el viento se paró en seco. El sol comenzó a brillar de nuevo. La tranquilidad se adueñó del entorno. Samuel miró hacia atrás y vio como la tormenta había hecho desaparecer por completo toda la cordillera. Se giró y vio en la distancia como el cóndor planeaba con calma. Alma soltó poco a poco a su hermano y se fue incorporando.

—Dios mío, pensaba que íbamos a morir —dijo Alma sin parar de llorar.

—Hermanita, hemos estado muy cerca. Casi me muero, pero esta vez, de miedo —confesó Samuel—. Gracias Edwin… eres un experto aviador, ¡menuda destreza y templanza tienes!

—De nada, Samuel… Lo cierto es que, si no llega a aparecer ese bendito cóndor, la tormenta nos habría comido vivos…

Alma miró al cóndor por primera vez. Le pareció el ave más majestuosa del mundo. Samuel temblaba. Tenía la piel erizada desde que vio aparecer precisamente un cóndor… esto no podía ser casualidad, ya era demasiado… —pensó para sus adentros.

El cóndor, tranquilamente, se inclinó suavemente hacia su izquierda y se alejó de la avioneta.

—Millones de gracias, querido amigo —dijo Edwin, muy emocionado.

Samuel le siguió con la mirada. Por un segundo, el cóndor pareció girar su cabeza para mirarle. Sintió como si de verdad le mirase a él. Duró tan sólo una fracción de segundo, hasta que descendió bruscamente de nuevo. Samuel se quedó petrificado. No acababa de entender por qué, una y otra vez, la figura de un cóndor aparecía en su vida. Nunca antes lo había visto, ni siquiera había oído hablar de su existencia, más allá de nombrarlo en alguna clase de biología. Se quedó pensativo, escudriñando sus recuerdos, para averiguar cuándo fue la primera vez que se cruzó en su vida…

—¡Dios mío! —gritó en voz alta.

—¿¡Qué!? ¡¡Qué ocurre ahora!? —preguntó sobresaltada Alma. Edwin la miraba por el espejo para ver qué era lo que había pasado.

—Nada, nada… ¡perdonad! es que me acabo de dar cuenta de una tontería sin importancia. Disculpadme por el susto… ya hemos tenido bastantes por hoy…

Alma se quedó mirándolo, pero no quiso preguntarle más. Quería centrar su atención en calmarse por completo Todavía le temblaba todo y tenía la tensión disparada, por el terror que había experimentado.

Samuel se acordó, de repente, dónde fue la primera vez que vio un cóndor de los Andes… en el taxi de Vini…

—No puede ser… —murmuró para sí mismo — Es que esto es tan increíble… —pensó.

162

Samuel bajó la cabeza y se quedó absorto en sus pensamientos.

—Si Kunturi me dijo que Vini estaba junto a mí y que era un espíritu que quería ayudarme, ¿querrá decir eso que es la segunda vez que me salva la vida? Dios esto es una auténtica locura….

—¿Están más tranquilos? —dijo Edwin interesándose por ellos.

—Sí… —respondió de inmediato Alma.

Al ver que Samuel no respondía, Alma le preguntó.

—¿Y tú, Sam?

—Yo, ¿qué? —replicó extrañado.

—Pregunta Edwin si estamos mejor.

—¡Ah! sí, yo estoy perfectamente.

—¿Seguro? —insistió Alma.

—Seguro.

—Vale…

—Menuda aventura, ¿verdad? ¡No se van a olvidar de Ecuador ni queriendo! —exclamó Edwin.

—Eso seguro, Edwin… eso seguro… —respondió Samuel mirando por la ventanilla.

La avioneta tomó tierra en el aeropuerto internacional de José Joaquín de Olmedo, en Guayaquil. Desde el aire, la ciudad parecía muy extensa, plagada de edificios de poca altura y salpicada por algunos rascacielos modernos.

—¡Ya estamos en Guayaquil! Ciudad hermosa, de la América guirnalda, de tierra, bella esmeralda y del mar, perla preciosa.

—¡Vaya! Pero si además de intrépido piloto, ¡eres poeta! —ironizó Samuel.

—Es un poema muy conocido de Juan Bautista Aguirre.

—No lo había oído nunca… ¡Es muy bonito! —apreció Alma.

—Si tienen la oportunidad de volver a Ecuador, no duden en visitar Guayaquil, es una ciudad muy turística. Les encantará.

—Cuando volvamos, nos quedaremos al menos un mes para poder ver bien todo —afirmó Alma.

—Con un mes, ¡no tendrán suficiente para verlo todo! ¡Je, je, je! —respondió Edwin— Bueno, aquí acaba nuestro viaje —dijo estacionando la avioneta junto a otras.

—¿Te vas a volver ahora? —preguntó Alma.

—No… con una tormenta ya he tenido suficiente por hoy. Haré noche en casa de unos amigos y mañana volveré, suponiendo que el tiempo mejore como se espera.

—Mejor, desde luego… ¿Habías vivido una cosa así antes? —preguntó Samuel.

—¿Una tormenta como ésta? —preguntó para asegurarse. Samuel asintió con la cabeza— No… nunca tan grande. Ahora que estamos en tierra firme os puedo confesar que pensaba que la avioneta no soportaría la tormenta. Nunca había visto unos vientos tan violentos. Se nos ha echado encima en cuestión de segundos. Si nos llega a alcanzar… no sé qué habría sido de nosotros.

—Dios mío… de la que nos hemos librado entonces. Yo confiaba en que, aunque nos alcanzara, la avioneta aguantaría. O sea, que nos hemos salvado de milagro —razonó Alma.

—No lo dude. Ha sido un milagro. Cuando cuente a mis colegas que un cóndor nos ha guiado me van a tomar por loco —declaró Edwin haciendo círculos con el dedo índice sobre la sien derecha.

—¿Qué probabilidades hay de que aparezca un cóndor en medio de una tormenta así? —indagó Samuel.

—Cero. Por eso digo que ha sido un auténtico milagro.

—Madre mía… —murmuró Samuel— Cero posibilidades —repitió para sí mismo.

Demasiadas cosas extraordinarias le habían ocurrido a Samuel durante los tres últimos días. Como estaba descubriendo desde su anterior viaje, nada de lo que parecía casualidad, lo era. La probabilidad de que apareciera el cóndor en medio de la tormenta era nula, pero que además les guiara era completamente imposible. El nuevo Samuel, el renacido, estaba abierto a creerse cualquier cosa, aunque, la mayoría de las veces le costaba mucho digerirlas.

Cuando bajaron, Edwin besó a la avioneta y le dio varias palmadas. Al bajar, notaron el cambio de temperatura, que era muy superior a la del Amazonas, aunque la humedad del ambiente era casi la misma. Con las maletas ya fuera del compartimento, Edwin se despidió de los hermanos.

—Chicos, ¡jamás les olvidaré! Esta historia va a convertirse en leyenda. ¡Voy a contarla a todo el que quiera escucharme! —exclamó emocionado Edwin.

—¿Para qué te tomen por loco? —bromeó Samuel.

—¡Sí! Pero, ¡un loco vivo! ¡Ja, ja, ja! —respondió carcajeándose Edwin.

—Madre mía… —murmuró Alma pensando lo cerca que estuvieron de que les pasara algo.

—Muchas gracias por traernos hasta aquí sanos y salvos, Edwin —dijo Samuel, abriendo los brazos para darle un abrazo.

—Ha sido una gran aventura. Gracias a vosotros por haber querido venir a conocer parte de nuestro país y un trocito de nuestra cultura —agradeció Edwin.

—Volveremos a vernos, Edwin. ¡No lo dudes! —dijo Alma mientras se lanzaba a abrazarle también.

—Les esperaremos, ¡será un honor volver a pilotar para ustedes! —respondió Edwin inclinándose levemente en señal de respeto— ¡Por cierto! ¡Casi se me olvida! ¡Con todo lo que nos ha ocurrido, casi se me pasa! Deben entrar por aquella puerta y decirle al personal de seguridad que vienen conmigo, para que les den acceso a la salida y así puedan facturar las maletas en los mostradores de *KLM*. Aquí tienen sus tarjetas de embarque.

—Muchas gracias —respondió Samuel. Alma asintió con la cabeza y tomó la suya.

Edwin se subió de nuevo a la *Cessna* y abrió la pequeña ventanilla del piloto.

—Me voy a aparcar a otra zona para poder pernoctar aquí. ¡Hasta siempre chicos!

—¡Hasta siempre! —gritaron Alma y Samuel, elevando la voz por encima del ruido de la hélice que se ponía en marcha.

—Martín era un hombre excepcional, pero sus hijos no se quedan atrás.

Samuel y Alma se miraron sorprendidos.

—¿Conociste a nuestro padre? —gritó Alma con todas sus fuerzas. Edwin no la escuchó porque había cerrado ya la ventanilla y estaba girado para dar marcha atrás con la avioneta.

—¿Será posible? ¿Por qué hacen eso? ¡No entiendo por qué no nos lo dicen antes! ¡Me encantaría que nos contaran más cosas de él!

—Yo tampoco lo entiendo, la verdad, pero he decidido dejar de darle vueltas cada vez que ocurre.

Los hermanos entraron por la puerta que les había indicado Edwin. Una persona de seguridad del aeropuerto les dio el alto.

—¿A dónde se dirigen? —dijo tajante.

—Acabamos de llegar en aquella avioneta que se aleja. Es de Edwin.

—No sé quién es.

—Edwin Avilés —añadió Alma.

El agente de seguridad no dijo nada, no movió ni un músculo de su cara.

—Tenemos los embarques aquí —afirmó Alma enseñándole el suyo.

—De acuerdo, en ese caso. Pasen. Sigan las indicaciones de Salida hasta la terminal de arribos.

—Muchas gracias —contestó Alma.

Cuando se alejaron del él, Alma comentó con Samuel:

—Qué hombre más arisco, ¿no crees?

—Sí, puede que sí. Pero ponte en su lugar, supongo que estará haciendo su trabajo de la mejor forma posible.

—Sí, no digo lo contrario. Bueno… ¡Mira! —dijo señalando la salida a la terminal de llegadas—. Es por ahí.

Los hermanos salieron a la terminal de llegadas y se dirigieron a los mostradores de los vuelos de salida. No había nadie esperando en el mostrador de *KLM*.

—¿A qué hora pone que sale el vuelo? —preguntó Samuel a Alma.

—Déjame ver… —respondió Alma dando la vuelta a la tarjeta de embarque— A las siete menos veinte de la tarde…

—¡Buff! todavía tenemos mucho tiempo. ¿Facturamos ya?

—Yo creo que sí —aceptó Alma—. Así nos liberamos de las maletas, ¿no crees?

—Sí. Vamos a aquel mostrador a ver si nos permiten facturar, aunque quede tanto tiempo.

Alma y Samuel facturaron las maletas, rumbo a Kigali, la capital de Ruanda. El aeropuerto de Guayaquil era muy moderno y muy bien iluminado, gracias a los muros de cristal que dejaban pasar la maravillosa luz del exterior. Decidieron pasar el control de seguridad cuanto antes, por si el personal les ponía alguna pega a la hora de pasar con las cenizas, como así ocurrió.

—¡Ginger! —gritó el encargado del escáner de maletas, haciendo gestos para que una compañera suya acudiera al sitio— Por favor, Ginger, acompaña a esa dama a la sala.

—¡De inmediato!

Alma se giró hacia Samuel, que iba detrás de ella, encogiéndose de hombros, a la expectativa de ver qué iban a exigirle para poder pasar. La siguió hasta una puerta cercana a la zona del control de seguridad y le hizo pasar dentro. Samuel se apresuró a seguirlas, pero habían cerrado la puerta antes de que él pudiera llegar. Aun así, tocó con los nudillos para que le abrieran. Tras unos segundos, la agente de seguridad entreabrió la puerta y se asomó por el pequeño hueco que había dejado al abrirla.

—¿Qué desea?

—Soy hermano de la mujer que está dentro.

—¿Van juntos?

—Efectivamente.

—Pase entonces.

Cuando Samuel entró, la maleta de Alma estaba siendo vaciada por completo. Alma ya le había entregado a la chica y su compañero el certificado de defunción de sus padres. Aun así, la agente quiso inspeccionar las dos urnas que portaban e inspeccionó cada centímetro de la maleta, incluido el forro de la misma.

—Deje aquí su maleta. Tenemos que inspeccionarla también — pidió la joven a Samuel.

Samuel, sin decir nada, dejó la maleta sobre la mesa y comenzaron a vaciarla también, sin mucho miramiento con las cosas que contenía.

—¿Pueden abrir las urnas? —preguntó la agente a Alma.

—Si es posible mejor que no, porque están selladas, para que no se caigan. Si las abro, a lo mejor luego no cierran herméticamente —explicó con calma.

—Debemos saber qué contiene— insistió el agente.

—Bueno, si no hay más remedio… Pero, una pregunta, ¿cómo va a saber si son cenizas, o como va a saber si todo lo que contienen son sólo cenizas? Con verlo no será suficiente, digo yo— manifestó Alma.

—Usted no se preocupe por eso. Abra la urna, por favor — ordenó el agente.

En ese momento, la joven de seguridad tomó del brazo a su compañero y se lo llevó a parte. Alma y Samuel estaban expectantes, viendo cómo discutían en voz baja. Finalmente, la agente les dijo.

—He pensado que vamos a llamar a la unidad canina para que vengan.

—Pero… de acuerdo, tenemos tiempo hasta el vuelo, pero nos gustaría comer antes. ¿Cuánto va a tardar? —preguntó algo molesta Alma.

—Lo que tarde, señora —se apresuró a responder el agente.

—No se preocupe, están bien cerca. No tardarán en exceso —respondió ella, tratando de calmar a Alma.

—Bueno, de acuerdo. Esperaremos entonces.

—Esperaremos a que venga el perro de "antivicio" —susurró Samuel a Alma. Su hermana le miró arqueando una ceja y arrugando la boca, en señal de resignación por lo que estaba pasando.

Al cabo de quince minutos, el *walkie-talkie* de la agente emitió un pitido. La chica se metió dentro de una habitación para hablar con los que la llamaban. Al salir, al cabo de un minuto, les dijo:

—Ya ha llegado la unidad al aeropuerto. Enseguida están aquí.

—De acuerdo… —aceptaron los hermanos.

A los cinco minutos llamaron a la puerta. Entraron otros dos agentes, esta vez de la policía, con un pastor alemán.

—Buenos días —saludaron los policías al entrar.

—Buenos días —respondieron Alma y Samuel.

—Bienvenidos —dijo la agente dando la mano a los policías—. Tenemos a estas personas que portan dos urnas funerarias.

—¿Tienen en regla los certificados de defunción?

—Sí, lo que ocurre es que son estadounidenses.

—¡Ah!, ya entiendo.

Samuel se giró hacia su hermana y le dijo al oído:

—¿Qué ha querido decir con que los certificados son estadounidenses?

—Ni idea —susurró Alma al oído de Samuel.

El pastor alemán se subió a la mesa donde estaba lo que contenían las maletas. Olfateó todo con suma rapidez y, de un salto, bajó de la mesa y se sentó en el suelo.

—Parece que todo está en orden.

—Muchas gracias por haber acudido tan rápido. Nos queríamos asegurar —manifestó la agente de seguridad.

—Es nuestro deber. Para lo que deseen —contestó el policía que llevaba el perro.

—Gracias —repitió la agente.

Los policías y el pastor alemán salieron de la habitación.

—Bueno, todo está en orden. No tendrán que abrir las urnas —informó la agente.

—Muchas gracias —contestaron ambos.

—Siento las molestias causadas —dijo disculpándose la agente.

—¿Puedo hacerle una pregunta? —solicitó de improviso Samuel.

—Eh…sí, claro que sí.

—¿Su nombre es? —preguntó Samuel.

—Ginger. ¿Es esa la pregunta?

—No. Quería saber por qué motivo tenían duda sobre los papeles de defunción. ¿Era porque son estadounidenses?

—Pues señor...

—Samuel.

—Señor Samuel, aquí hemos visto de todo para poder pasar droga a Estados Unidos. Es el destino principal de la droga que sale de nuestro país. En Ecuador estamos decididos a acabar con este tráfico y por eso hacemos exámenes muy exhaustivos.

—¿Tanto problema tienen con la droga en Ecuador?

—Nada parecido a algunos países de nuestro entorno, pero estamos decididos a acabar con todo el posible tráfico.

—Me parece perfecto… Ginger. Gracias por darme una explicación. Quería saber si podríamos tener problemas con los papeles en otros países.

—En principio no tienen por qué. Pero cada país es un mundo. Ahora se dirigen a Ruanda. Allí no tengo ni idea de lo que le dirán, pero al entrar no creo que pase nada. ¿Van a otro destino después?

—No lo sabemos —contestó Samuel, lo que provocó que Ginger pusiera cara de asombro.

—¿Cómo que no lo saben?

—Es una larga historia, digamos que estamos cumpliendo la última voluntad de nuestro padre y en ella nos indica a los países que debemos ir para esparcir sus cenizas, pero sólo sabemos el siguiente al que vamos.

—Es la historia más increíble que he oído sobre urnas funerarias y ¡he escuchado muchas!

—Pues créame que no sabemos si tendremos que ir a otro país más. A priori, creemos que sí porque tenemos dos urnas, pero no lo sabemos a ciencia cierta.

—¡Parece que es una aventura extraordinaria! —exclamó Ginger.

—No se hace una idea… —respondió Samuel.

—Bueno, pues les deseo que tengan un buen viaje, ¡donde sea que vayan! —afirmó Ginger.

—Muchas gracias, Ginger —dijo Samuel.

—Muchas gracias —contestó Alma.

Por fin, después de recoger y reordenar todo el contenido de las maletas, salieron de la habitación. Decidieron comer en el *City bistro* un restaurante de la terminal de vuelos internacionales.

—Al menos no tendremos que esperar mucho para el vuelo —dijo Samuel mirando el reloj cuando se sentaron a comer.

—Pues sí… oye, sobre el vuelo... serán unas cuantas horas, ¿verdad?

—Lo miro en el móvil ahora mismo.

—Mientras tanto, voy a llamar a Robert. Tengo muchas ganas de escucharle. He pensado constantemente en él y en las niñas durante la tormenta.

—De acuerdo. ¿Quieres que te pida algo?

—Pídeme lo mismo que tú.

—¿Te fías?

—Me fío.

—De acuerdo entonces —dijo sonriendo.

Alma llamó al móvil de Robert.

—¿Hola? —dijo Alma al recibir respuesta inmediata de Robert al descolgar.

—Hola cariño —respondió Robert con voz muy tenue.

—Robert, cariño. ¿Estás bien?

—Bueno, te diría que sí, pero mentiría —rio sin muchas ganas.

—¿Qué te ocurre Robert? —preguntó, de nuevo, preocupada.

—Me han despedido, cariño.

—¿¡Qué!? ¿Cómo que te han despedido? —preguntó sobresaltada.

—Pues eso, que me han echado del bufete.

—Pero… ¿por el error del juicio?

—Sí… en parte sí.

—¿Cómo que en parte? —preguntó muy nerviosa.

—Bueno, después del juicio, he tenido algunas disputas con el resto de socios.

—¿Has discutido con ellos?

—Sí, bastante.

—Pero, ¿por qué?

—Porque insinuaban que yo no era buen profesional y que había fallado porque era un abogado mediocre.

—Después de todos los juicios que has ganado ¿te vienen con esas?

—Pues sí, parece que sí. Me he enfadado bastante cuando me lo han dicho.

—¿Quién te lo ha dicho?

—Da igual quien lo haya dicho, Alma.

—Tienes razón, Robert. Da igual porque no es cierto.

—No es cierto, pero la verdad es que perdimos el juicio por mi culpa.

—Robert, ya te lo dije, nadie es perfecto. Todos cometemos fallos y ¿todos los jui...?

—No Alma —la interrumpió bruscamente—. El fallo que tuve es de principiante. Fue muy grave.

—Robert, ¿quieres que vaya a casa? Estoy en un aeropuerto a punto de embarcar para Ruanda, pero si me necesitas compro un billete ahora mismo para volver contigo.

—No, Alma… Lo superaré, esto ha sido un golpe bastante duro, pero, ¿sabes qué?

—¿Qué cariño?

—Que ellos se lo pierden. Mañana mismo me pongo a buscar trabajo. Me van a rifar —aseguró Robert.

—¡Así me gusta oírte, cariño! ¡Te quiero tanto!

—Y yo a ti Alma. ¿Cómo os va todo?

—Bien, han pasado muchas cosas, ya te contaré a la vuelta —dijo Alma tratando de no preocuparle.

—De acuerdo cariño. ¿Sabéis si es el último destino?

—No tenemos ni idea. Creemos que habrá otro después.

—Vaya… Por cierto, ya me avisarás, como puedas, para decirme que habéis llegado bien a Ruanda.

—Claro que sí mi amor. En cuanto pueda, o bien te mando un mensaje o bien te llamo, ¿de acuerdo?

—De acuerdo. Y, por favor, ten mucho cuidado. África no es América precisamente.

—Tranquilo. Hasta ahora nos están cuidando muy bien.

—Te amo, Alma. Buen viaje.

—Te amo, Robert. Hasta pronto.

Alma colgó la llamada. Las últimas palabras aplacaron un poco el *shock* inicial de saber que Robert había sido despedido, pero para nada estaba tranquila del todo.

Robert, cuando acabó de hablar con Alma, se vino abajo y comenzó a llorar apoyado en el volante de su coche. En el maletero estaban todas las pertenencias que había tenido hasta ese día en la oficina. Jamás pensó verse en esa situación. Siempre había dado lo mejor de sí mismo, trabajando más que nadie, con la mayor responsabilidad posible y en todos los casos, por muy pequeños que fueran. Robert golpeó con violencia el volante, lamentándose por lo que le había ocurrido y culpándose por haber cometido el fallo que le hizo perder decenas de millones de dólares de una indemnización que su cliente bien merecía. Robert permanecía en la esquina anterior a su casa. No quería que Flora detectase su estado, para que no avisara a Alma. Le había costado mucho esfuerzo disimularlo durante la llamada. Ella no tenía por qué pagar las consecuencias de su error.

Alma volvió junto a Samuel, con la cara desencajada todavía por la noticia. Samuel, absorto con su móvil, ni siquiera levantó la vista para ver la cara de su hermana.

—¡Alma! ¡No te lo vas a creer! ¿Sabes cuántas horas tenemos de vuelo? —dijo muy sorprendido, enseñándole la pantalla de su móvil a su hermana.

—No, Sam… ¿Cuántas? —dijo sin mucha emoción.

—¡Treinta horas! —gritó Samuel, a la vez que, por fin, miró a la cara de Alma. Hizo una pausa muy breve y se percató de inmediato de su estado— ¿Qué te ocurre? No tienes buena cara, Alma.

—Es Robert… —Alma comenzó a llorar.

—¿Le ha ocurrido algo? —preguntó asustado.

—Le han despedido.

—¡¿Cómo!? ¿¡Despedido!? Pero… eso es… ¡imposible!

—Pues es posible… tanto, que lo acaban de hacer. Lo han despedido del bufete.

—Madre mía… ¿Qué hacemos? ¿Llamamos al albacea y le decimos que nos volvemos a Miami?

—No lo sé Sam… —dijo Alma cabizbaja y secándose las lágrimas que brotaban de sus ojos.

—¿Cómo estaba él?

—Pues… al principio le notaba muy desanimado, después me ha dicho que va a buscar trabajo y que lo encontrará enseguida. Eso me ha tranquilizado, pero no sé…

—Piénsalo bien, Alma. Si quieres, nos volvemos a Miami.

—No sé qué hacer… Esto me ha venido tan de sorpresa que estoy confusa.

En ese momento, un camarero apareció, con la comida, por detrás de Alma, provocándole un pequeño susto.

—¡Discúlpeme señora! ¡No quería inquietarla!

—No, tranquilo. No pasa nada.

—Aquí les tengo su comida. Deseo que les guste —dijo amablemente el camarero.

—Muchas gracias —contestó Samuel.

—Gracias —dijo entre sollozos Alma.

—¿Puedo ayudarle en algo más?

—Si… podría ayudarnos a decidir si volvernos a casa o no… —bromeó en voz baja, Alma.

—Como no. Soy experto en tomar buenas decisiones rápidamente —aceptó gustosamente el camarero, que había oído perfectamente lo que Alma decía.

Alma sorprendida de que lo hubiera oído, se quedó un momento parada, miró a Samuel y decidió probar suerte.

—¿Por qué no? —dijo frunciendo el ceño y encogiéndose de hombros— Imagínese que usted está cumpliendo el último deseo de su padre fallecido, que no es otro que recorrer el mundo para esparcir sus cenizas. Pero, de repente, llama a su mujer, que está literalmente a miles de kilómetros de distancia y le comunica que la han echado del trabajo. ¿Qué haría usted? ¿Volvería junto a ella para consolarla? o ¿continuaría con el deseo de su padre?

—Gran decisión, no me extraña nada que estén así de indecisos. ¿Es su marido? —preguntó mirando a Alma. Ella asintió con la cabeza— ¿Ha hablado con él?

—Sí.

—Y supongo que le habrá dicho que no necesita ayuda.

—Efectivamente.

—Típico de los hombres. ¿Cómo lo ha notado?

—Algo decaído al principio de la conversación. Después parece que se ha recompuesto un poco.

—¿Cuánto tiempo se van de viaje?

—No sabemos seguro, pero a lo mejor una semana o semana y media, más o menos.

—¿Le apoya en este viaje?

—Sí, totalmente. Él me ha animado a hacerlo.

—¿Es un hombre fuerte? Emocionalmente, me refiero.

—Sí… Diría que sí.

—Bien. Yo, en su lugar, si fuera usted seguiría con el viaje. Si vuelve ahora, después de decirle que no vaya, podría provocar más culpabilidad de la que probablemente esté sintiendo en estos momentos. Si en una semana vuelve con él, yo le daría este pequeño tiempo para que él lo asimile.

—Eso tiene sentido.

—Ahora bien —dijo a continuación el camarero—. Si tiene a alguien de confianza que esté con él y que le pueda ir contando cómo evoluciona, mejor. Porque, seguramente, ahora está en el *shock* inicial de la recepción de la noticia. Pero cuando reaccione se hundirá y eso puede que le dure unas horas, o unos años. Todo dependerá de lo que piense sobre lo que le ha ocurrido. En ese momento, que será dentro de un par de semanas, más o menos, tendrá que estar junto a él para ayudarle a salir, o mejor aún, a que no entre en el agujero.

Alma meditó con calma el consejo del camarero haciendo el papel de psicólogo a la perfección. Samuel, impresionado por la disertación que acababa de oír, miraba pacientemente a su hermana.

—Creo que le voy a hacer caso. Tengo a esa persona de confianza que me ayudará.

—Llámela de inmediato —propuso el camarero.

—Sí…

174

—Es básico que sepa cómo va evolucionando. En el momento que le diga que entra en barrena, vuelva junto a él. Y, por favor, insístale en que mire hacia adelante, que se olvide de lo que le ha ocurrido. Eso ya sólo se puede ver por el retrovisor y no es bueno conducir mirando hacia atrás.

—¡Ja, ja, ja! ¡Es muy bueno en esto! ¿Cómo se llama?

—Alexander.

—Se le da realmente muy bien esto, Alexander.

—Lo sé. Pronto dejaré este trabajo y podré dedicarme a lo que realmente me gusta.

—¿A qué quiere dedicarse?

—Mi pasión son las personas. Quiero ayudarles a que tomen buenas decisiones y a que cambien su mentalidad, para que sean más sanos.

—¿Quiere ser coach?

—No… qué va, ¡aunque sería un coach muy bueno! Soy escritor.

—¡Anda! ¿Y qué escribe? —preguntó Samuel introduciéndose en mitad de la conversación.

—Escribo guiones para series de televisión.

—Jamás lo habría imaginado —respondió Samuel, quedándose con la boca abierta.

—Pero son guiones que hacen que las personas sean mejores, no son los típicos de sufrir por desamor y cosas del estilo. Los míos ayudarán a que las personas conduzcan sus vidas, a que sean más responsables y no se dejen llevar por las circunstancias. Quiero crear un mundo mejor.

—Es un propósito muy bonito, Alexander. Me encantaría tener su contacto —afirmó Alma.

—Claro, tome —Alexander le dio una tarjeta en la que figuraba: "Alexander San Román - Guionista consciente".

—¿"Guionista consciente"? ¡Qué título más bonito! —exclamó sorprendida Alma.

—Muchas gracias. Así es como me siento.

—Te añadiré a mis redes sociales y te seguiré en todo lo que hagas.

—Muy agradecido.

—¡Yo también! —aseguró Samuel.

—¡Muchas gracias a ambos por su amabilidad!

—Tengo la intuición de que lo va a conseguir y más pronto de lo que cree… Estaremos en contacto.

—Muchas gracias por sus ánimos —respondió Alexander inclinando la cabeza hacia un lado—. Si desean algo más, no duden en llamarme.

—Muchas gracias por tu tiempo.

—A su servicio.

Alexander volvió a la barra para seguir con su trabajo. Alma y Samuel miraron a Alexander con ternura y se sonrieron.

—¿Vas a llamar a Flora? —preguntó Samuel acordándose en ese instante.

—Sí. Ahora mismo.

—Come algo antes, que se te va a enfriar la comida —aconsejó Samuel.

—No tengo hambre. Si hablo con ella, a lo mejor me quedo más tranquila.

—Está bien —aceptó Samuel.

—Tú come tranquilo. Voy a hablar con ella mientras veo las tiendas que hay por aquí, así me distraigo.

—Como quieras… Pero luego come algo porque el viaje es muy largo.

—¿Cuántas horas has dicho que eran?

—Más de 30.

—Dios mío… Ahora vengo y me das todos los detalles. Que tengo la cabeza en otro sitio.

Al cabo de diez minutos, Alma volvió de hablar con Flora.

—¿Todo en orden? —preguntó Samuel, mientras Alma se sentaba con el rostro relajado.

—Sí. Es una bendición que tengamos a Flora con nosotros. Me ha dicho que acababa de llegar a casa con las cosas de su oficina en unas cajas de cartón.

—Si es que no me lo puedo creer… Y ¿cómo está?

—Dice que lo ha visto triste, pero que está bien. Me ha dicho que no le va a dejar ni a sol ni a sombra y que me avisará de cualquier cosa que ocurra.

—¿Estás más tranquila?

—Sí… Estoy más calmada, aunque me entran unas ganas locas de cambiar el vuelo y volverme a Miami.

—No me extraña, Alma. Pero confía, seguro que enseguida encuentra otro trabajo y estoy convencido de que estará mejor considerado que en el que estaba.

—Eso espero… Cambiemos de tema, cuéntame cómo es que el viaje es tan largo.

—Tenemos que hacer una escala en Amsterdam y allí tenemos que hacer noche, porque el avión que nos lleva a Kigali sale al día siguiente por la mañana.

—A lo mejor podemos ir a ver algo de la ciudad —sugirió Alma.

—Nos vendrá un poco justo, pero a lo mejor sí… Anda, cena un poco, que lo que nos han servido está realmente rico —aconsejó Samuel.

—Está bien, haré un esfuerzo por comer algo.

Ahmed y una auténtica heroína

Antes de llegar a su destino final, Alma y Samuel tuvieron que hacer escala en Holanda, en el aeropuerto de Schiphol. A Alma el viaje se le hizo muy tedioso. Estuvo las once horas y media del vuelo viendo películas y documentales, porque no conseguía conciliar el sueño. No había dejado de pensar en Robert ni un segundo. Estaba deseando llegar para poder llamarle a él, o en su defecto a Flora. Samuel, en cambio, casi se duerme antes de que despegara el avión. Tenía mucho sueño acumulado. Se despertó cuando Alma le avisó de que estaban a punto de aterrizar.

Después de recoger las maletas decidieron salir, en busca de alguien esperándoles con su nombre anotado en una hoja. Buscaron y rebuscaron y allí no había nadie esperándoles.

—¿Qué hacemos ahora, Alma?

—No sé... ¿esperamos un poco más? —sugirió Alma.

—Y si... —comenzó a decir Samuel, al mismo tiempo que sacaba el móvil de su bolsillo— ¿Avisamos al albacea? Ha estado muy callado últimamente, ¿no crees?

—Buena idea. ¿Enciendes el tuyo?

—Sí, ya casi está en marcha.

A los pocos segundos llegó un mensaje del albacea, diciendo: "La persona que se iba a encargar de recogeros ha tenido un contratiempo. Por favor, tomad un taxi e id al hotel *NH Amsterdam Schiphol*. Allí tenéis una reserva hecha a nombre de Alma. Disculpad el cambio repentino. Mañana os recogerán en la puerta del hotel a las 08:30 a.m. Deseo que hayáis tenido un vuelo tranquilo"

—Bueno, pues vamos a la parada de taxis —propuso Alma.

Los dos hermanos se subieron en un taxi rumbo al hotel que el albacea les había indicado. El establecimiento estaba muy cerca del aeropuerto. En menos de diez minutos se plantaron en su entrada. Alma se quedó fascinada por la mezcla de colores del hall del hotel. Una curiosa combinación de amarillos mostaza y gris claro en algunos de los asientos y diversas butacas blancas con detalles azul marino. Siempre le llamaba la atención cómo los decoradores jugaban con los colores.

—Me encanta esta combinación. Voy a hacerle fotos desde varios ángulos —dijo dejando la maleta junto a Samuel.

La habitación era más convencional que el hall, aunque la combinación del cabecero color vengué con telas granates también le gustó mucho a Alma.

—¿Qué vamos a hacer esta tarde, Alma? ¿Vamos a ir a algún sitio?

—Si te digo la verdad, me ha venido de golpe el cansancio de no haber dormido en toda la noche. Si quieres irte tú a la ciudad, yo te espero aquí.

—Creo que me iré a dar una vuelta. Siempre he querido ver Amsterdam y estando tan cerca...

—Claro Sam, no te preocupes, yo descansaré aquí.

—¿Seguro que no quieres que me quede? —preguntó Samuel para asegurarse del estado de ánimo de su hermana.

—No, de verdad. Ve a ver lo que puedas de la ciudad.

—Volveré pronto.

—Lo que quieras, yo, probablemente estaré durmiendo cuando vuelvas.

—Vale, Alma.

Samuel se duchó rápidamente y pidió un taxi para que le recogiera. A los cinco minutos apareció un taxi en la entrada del hotel.

—Buenas tardes —saludó Samuel en inglés, cuando se subió al taxi.

—Buenas tardes. ¿Dónde desea que le lleve? —le respondió el taxista, también en inglés.

—Quería ir a Amsterdam, para dar una vuelta esta tarde. ¿Qué me sugeriría que viera si sólo tuviera unas pocas horas?

—Sin duda, pasear por el Jordaan.

—¿Qué es el Jordaan?

—Es el barrio de los canales, lleno de tiendas, cafés y restaurantes. Los edificios de esa zona son muy coloridos y forman una estampa muy típica de la ciudad. Seguro que la ha visto antes, porque es la seña de identidad de la ciudad.

—¡Suena bien! —dijo emocionado— Empezaré por allí.

—Perfecto, ¡vamos para allá!

—¿Algún lugar más que quede cerca de allí?

180

—Sí... puede visitar el museo de la cerveza de *Heineken*.

—Eso no me motiva tanto… —dijo Samuel negando con la cabeza y arrugando la nariz.

—¿Prefiere ver el barrio rojo? —sugirió el taxista.

—¿Es ése el barrio donde mujeres ejercen la prostitución?

—El mismo.

—No, lo cierto es que me disgusta bastante.

—Yo no lo soporto. Siento habérselo ofrecido, pero muchos turistas hombres vienen a eso. Bueno, a eso, y a fumar marihuana y otras sustancias.

—No, gracias… créame, últimamente he tenido suficientes viajes extraños. ¿Algo más cultural? Eso me atraería bastante más.

—¿Le gusta la pintura?

—Sí, por qué no…

—Hay dos grandes museos que son de obligada visita para alguien que aprecie el arte pictórico, el *Rijksmuseum* y el Museo de Van Gogh —explicó el taxista mientras se adentraba en la ciudad—. El primero es espectacular, lo único es que precisa de al menos tres horas para ver de forma rápida todo lo que contiene. El otro es pequeño y conserva muchas de las obras del genial pintor, aunque la noche estrellada, casi el más famoso, junto con el de su habitación o su autorretrato, está en el *MOMA* de New York.

—Lo sé. Durante un viaje relámpago que hice con mi hermana fuimos a verlo. A mi hermana le gustaba mucho ese cuadro y, la verdad, en directo gana muchísimo.

—Para mí no es el mejor pintor de la historia, pero era verdaderamente único.

—Eso sí, creo recordar que no vendió muchos cuadros en vida y con la cantidad de pintura que gastaba se debió dejar una fortuna.

—Dos.

—¿Dos? ¿Sólo vendió dos?

—Era muy buen pintor, pero un fiasco como publicista de su obra. Su cuñada fue la que lo encumbró y lo dio a conocer, tras recibir las obras como testamento de su marido, el hermano de Vincent.

—Es que hay que ser tan bueno en una cosa, como en la otra.

—Completamente cierto. Miles de artistas se han muerto sin dar a conocer su obra y la mayoría se ha perdido, todo porque no supieron venderla, o no encontraron a la persona adecuada para hacerlo.

—Oiga, pues muchas gracias por sus recomendaciones. Iré a ver el museo de Van Gogh —dijo Samuel asomándose entre los dos asientos delanteros.

—¡No hay de qué! También podría ir al archifamoso museo de *Anne Frank* —propuso el taxista—. ¿Conoce usted su historia?

—Sí… de joven, en el instituto, leí el libro de su diario. Una historia muy dura la suya.

—Es una historia extraordinaria y muy trágica.

—Sí, ya lo creo. Recuerdo que murieron todos menos su padre, tras haber estado ocultos huyendo de los nazis durante la segunda guerra mundial… ¿Su padre se llamaba Otto?

—¡Efectivamente! —exclamó sorprendido el taxista— Así se llamaba su padre. El ideólogo del escondrijo anexo al edificio de su propia empresa. Disimularon la entrada con una estantería —explicó el taxista.

—Recuerdo también que estuvieron mucho tiempo, ¿verdad?

—Sí señor, más de dos años. Hasta que la Gestapo les descubrió y se los llevaron a *Auschwitz,* a su padre y al resto. Luego trasladaron a Anne y a su hermana mayor, Margot a otro campo, el de *Bergen-Belsen*, donde murieron de tifus.

—Sí, me sonaba que había ocurrido algo así. Creo que no quiero ver más cosas sobre las guerras. Últimamente también he tenido mi ración de historia bélica y ha sido más que suficiente.

—Las guerras tienen historias terribles, pero también historias de humanidad infinita —dijo el taxista con entusiasmo.

—Totalmente. Eso lo sé muy bien.

—¿Quiere que le cuente algo que casi nadie sabe sobre Anne Frank?

—Si no es muy trágico… sí —condicionó Samuel.

—No… —rio el taxista— Esta historia es de la parte de humanidad que le comentaba.

—En ese caso, adelante —aceptó Samuel de buen grado.

—Durante los más de dos años que Anne Frank, su familia y otros ocupantes, hasta ocho, estuvieron escondiéndose de la policía nazi, alguien tuvo que suministrarles todo lo que necesitaban, desde alimentos, hasta ropa.

—No lo había pensado… —respondió Samuel frotándose la barba— ¿Se sabe quién fue?

—Ya lo creo que se sabe. La mujer que lo hizo fue Miep Gies, una austríaca que emigró de su país tras la Primera Guerra Mundial porque se encontraba en una situación de desnutrición tal, que casi perece. Sus padres se quedaron sin nada y no podían hacerse cargo de ella, así que, aprovecharon la oportunidad de enviarla a los Países Bajos, junto con otros muchos niños, para que recuperaran su salud allí. Finalmente, fue adoptada por una familia holandesa y Miep se integró rápidamente en Holanda.

—No tenía ni idea de esa historia.

—Ella trabajaba para el padre de Anne cuando los nazis invadieron Amsterdam. La familia Frank era de Alemania, de hecho, fíjese que gran contradicción; Otto luchó en el bando alemán durante la Primera Guerra Mundial.

—¡No me diga! —dijo con gran asombro Samuel, que estaba completamente inclinado hacia delante, entre los dos asientos escuchando atentamente.

—Así es, lo que ocurre es que eran judíos y, por eso, fueron perseguidos.

—Menuda historia…

—Espere, que queda lo mejor. Cuando recibieron noticias de que su hija Margot se tenía que ir a Alemania a trabajar obligatoriamente, Otto decidió encerrarse con toda su familia, la del director de la empresa y algunos amigos judíos más, en el anexo de su oficina. Fue entonces cuando Miep comenzó a ayudarles a diario. Junto a ella, una compañera y amiga, Bep Voskuijl y dos trabajadores de la empresa les compraban víveres y continuaban con el negocio de Otto. Se la jugaban a diario por ellos.

—¿Temían que la Gestapo les sorprendiera subiendo al anexo?

—No sólo por eso, sino porque la comida sólo se daba mediante cartillas de racionamiento —aclaró el taxista.

—Ya entiendo…

—Miep se las ingenió para conseguir varias de esas cartillas, pero no era suficiente para alimentar a ocho personas, así que tuvo que hacer amistad con personas que vendían alimentos en el mercado negro y eso en aquella época estaba muy vigilado.

—Toda una heroína…

—Miep se casó con un buen hombre llamado Jan, que la apoyó todo lo que pudo. Jan fue un gran combatiente en la resistencia holandesa contra la ocupación nazi. Logró grandes cosas.

—Supongo que habrá centenares de Jan y de Miep repartidos por todo el mundo, pero no se conocen sus historias.

—Así es… La historia se olvida de estos héroes anónimos que equilibraron la balanza con su humanidad y amor frente a la barbarie —el taxista se hizo a un lado de la calle, para estacionar en una parada de taxis en la zona de *Jordaan*, justo enfrente de una sala de conciertos llamada *Melkweg*—. ¡Ya hemos llegado! Ha sido un trayecto muy agradable, la verdad.

—Pues sí, ¡muchas gracias! ¿Puedo hacerle una pregunta más?

—Claro, dígame qué desea saber.

—¿Sabe algo más sobre la historia de Miep? Me ha interesado mucho su figura —Samuel se desabrochó el cinturón de seguridad y añadió—. Si quiere puede volver a poner en marcha el taxímetro.

—Faltaría más, nada de eso. Encantando de contarle un par de cosas más —aceptó el dicharachero taxista, girándose para hablar con Samuel mirándole a la cara.

—¡Muchas gracias! Cuénteme, le escucho con atención.

—Durante los dos años de estancia en el anexo surgieron muchos encontronazos entre algunos miembros de las familias. Sobre todo, entre Anne y un tal Fritz Pfeffer, un pobre hombre que huyó de la Alemania nazi con su hijo de seis años del que tuvo que separarse para salvarlo, enviándolo a Inglaterra. Fritz era el compañero de habitación de Anne. Imagínese, un hombre de más de cincuenta años, abatido por todo lo que le había ocurrido compartiendo habitación con una muchacha en plena pubertad. Miep y Bep hacían de mediadores entre ambos, bueno… en realidad, se ampliaba a todos los que allí convivían y los alentaban cuando los ánimos decaían, lo que fue habitual a partir del primer año. Durante esos dos años, Anne creció muchísimo y su ropa se le iba quedando pequeña, así que Miep tenía que ocultar ropa debajo de la suya para poder proveérsela a ella. En el museo permanece el único par de zapatos de tacón que tuvo Anne en toda su vida; fueron adquiridos en el mercado negro por Miep.

—Miep es una gran heroína… ¿se le reconoció posteriormente todo lo que hizo?

—Justo al contrario… —dijo el taxista con voz apesadumbrada.

—¡No me diga!

—Sí… fue investigada años después de que terminara la guerra, porque se la acusaba de que había dado el chivatazo a los nazis.

—A veces la vida es muy injusta.

—No en este caso. Justo cuando se le iba a procesar, Otto, que había sobrevivido a *Auschwitz,* retornó a Amsterdam y declaró que Miep les había ayudado a sobrevivir y que, si la procesaban, tendrían que procesarle a él también.

—Fascinante —alabó Samuel—. Y sobre el diario, ¿quién lo tenía?

—Miep sabía que Anne escribía todos los días, así que, cuando los nazis se los llevaron, ella entró y, jugándose su libertad, se llevó y escondió el diario de Anne.

—Esta historia es asombrosa…

—Pues hay otro detalle que no le he contado todavía.

—¡Por favor! ¡cuéntemelo!

—Cuando la Gestapo les descubrió, sabían que Miep y Bep les ayudaba. Pero no las detuvieron, como sí hicieron con los otros dos hombres.

—No me diga, ¿por qué?

—Cuando el oficial nazi la interrogó, notó su acento austríaco, como el suyo, ya que él también era natural de Austria. Así que se apiadó de ella y, por extensión de su amiga, y las liberaron.

—¡Increíble!

—Eso sí, la amenazó diciéndole que si desaparecía, su marido sería ejecutado. Lo sabían todo de ella cuando la Gestapo encontró a la familia Frank.

—Es impresionante la historia que me está contando. ¿Cómo es posible que esto no se conozca? ¡Es igual de importante que la historia de Anne Frank! ¿Cómo la conoce usted tan bien?

—Porque yo me llamo Jan. Como mi abuelo.

—¡¿Cómo!? —gritó de sorpresa Samuel con los ojos abiertos como platos— ¿Son sus abuelos?

—Así es. Miep era mi abuela y Jan, obviamente, mi abuelo.

—Supongo que fallecieron hace tiempo.

—Pues, fíjese. Le he contado que mi abuela estuvo desnutrida durante varios años en su niñez.

—Sí…

—Ella murió con cien años y una salud de hierro.

—¡Qué me dice! ¿En serio?

—Sí. Murió en el 2010. Tras golpearse en la cabeza y en el cuello en una caída fortuita en su casa. Mi abuelo falleció siete años antes.

—El ser humano es extraordinario…

—Todavía tengo otro detalle más, si lo desea saber.

—¡Sí, por favor!.

—El diario estuvo escondido en casa de mi abuela y ella nunca lo leyó.

—¿Cómo es posible eso? —dijo Samuel arqueando las cejas.

—Lo hizo por respeto. Sólo lo sacó a la luz cuando Otto, que había vuelto ya del campo de concentración, recibió la noticia de que sus dos hijas habían fallecido. Miep nunca lo quiso leer hasta que fue publicado y Otto la persuadió para que lo leyera.

—Cada vez me parece más impresionante la figura de tu abuela.

—La historia de mi abuelo tampoco tiene desperdicio. Luchaba en la clandestinidad contra los nazis. Cuando acabó la ocupación estableció un centro de ayuda a los que retornaban desde los campos de concentración. Mi abuelo también fue un auténtico héroe anónimo.

—Deberían hacerles un gran homenaje.

—A mi abuela se lo hicieron, se demoraron tanto que mi abuelo había fallecido. Al año de morir mi abuelo a ella le otorgaron la Cruz de la orden del mérito alemán, fíjese, en Alemania… como cambiaron las cosas. A partir de ahí, se sucedieron otros muchos reconocimientos como el título de "Justo entre las naciones", la única no judía que lo ha obtenido y, un par de años después, fue nombrada "Caballero" de la reina Beatriz de Holanda.

—¡Más vale tarde que nunca! Me alegro de que se le reconociera, por ella y por todas las personas que, como tus abuelos, ayudaron a tantísima gente.

—Ella siempre lo consideró así. ¡Ah! y el último reconocimiento, casi se me olvida, fue… ¡ponerle su nombre a un asteroide!

—Está bromeando…

—¡No, no! ¡Es completamente cierto!

—¡Es una historia de película!

—Siempre he creído que la vida de mis abuelos fue como una gran película.

—Me ha dejado de piedra esta historia. No sabe cómo le agradezco que me la haya contado.

—Ha sido un placer, señor...

—Samuel, Samuel Calleja.

—No todo el mundo está dispuesto a escuchar las historias de un taxista.

—La historia de sus abuelos debería ser mucho más conocida.

—Mi abuela lo intentó, escribió un libro sobre su vida.

—¡No me diga!

—Sí, se llamaba "Mis recuerdos de Anne Frank", pero no consiguió grandes ventas. Eso sí, gracias a la publicación del libro, hicieron un documental sobre su vida.

—¡Anda! ¡Lo buscaré para verlo!

—Y recibió un Oscar por ello —dijo Jan sonriendo.

—¿En serio? —Samuel no dejaba de sorprenderse una y otra vez.

—Adivine quién lo recogió.

—¿Su abuela?

—La misma. Puede buscarla en *Youtube*, se lo entregó nada más y nada menos que Nicolas Cage y Elisabeth Sue.

—Le juro que me está temblando todo el cuerpo ahora mismo.

—La mujer no dijo ni palabra porque estaba muy nerviosa, pero recibió una grandísima ovación. Nosotros estábamos sentados con ella en la ceremonia.

—Madre mía, Jan, no sabe cómo me alegro de haberle conocido. Si alguna vez va a Estados Unidos, a Miami o a Pittsburgh, no dude en llamarme. Tome, mi teléfono —dijo Samuel sacando una tarjeta de visita de su cartera.

—¡Vaya! ¡Muy amable! ¡Muchas gracias!

—¡Muchas gracias a usted, Jan!

Samuel pagó lo que marcaba el taxímetro desde hacía casi diez minutos. Por fin pudo usar la tarjeta de crédito que tenía asignada por su padre. Era la primera vez que tenía la oportunidad de gastarla, hasta entonces, siempre había sido invitado o pagaba su hermana con la suya.

Samuel se despidió de su nuevo amigo Jan y se adentró en el pintoresco barrio de los canales.

Eran casi las once de la noche, cuando Samuel llegó a la habitación del hotel. Alma estaba mirando su móvil, ya enfundada en su pijama y metida dentro de la cama.

—¡Hombre! ¡Si ya has vuelto! —dijo ella.

—Sí… Han tardado muchísimo en atenderme en el restaurante en el que he cenado.

—¿Te lo has pasado bien en el museo de Van Gogh y los canales?

—¿Te han gustado las fotos?

—¡Mucho!

—Como no decías nada…

—Bueno, es que he estado hablando casi dos horas con Robert. Casi ni he cenado. Me han subido un sándwich del restaurante y una manzana.

—Y ¿cómo está Robert?

—Abatido, desamparado, muy triste… todos esos adjetivos y más se quedan cortos para describirle ahora mismo. No sé si va a remontar rápidamente, me da la impresión de que se está hundiendo. Aunque él insiste en que no es así, que enseguida le contratarán en otro sitio aún mejor.

—¿Y qué piensas?

—No sé… Por un lado, quiero pensar que va a ser así. Por otro, le noto bastante desanimado y así no le va a contratar nadie. La verdad es que estoy un poco preocupada —dijo bajando la vista hacia el móvil—Y, para rematar, Evelyn se está comportando fatal con su abuela. Amy me ha contado que está insoportable desde que me marché. Esto se me está haciendo muy duro, Sam.

—Bueno Alma, yo supongo que Robert está pasando por un periodo de luto y tiene que asimilarlo. Es un hombre muy fuerte y capaz. Confío en que saldrá adelante pronto —afirmó Samuel sentándose junto a su hermana en su cama—. Lo de Evelyn, es normal, ¿no crees? Es una niña que te quiere mucho y le gusta que estés con ella. Además, está entrando en la edad de la rebeldía. No te quiero ni contar cuando entraste tú, lo que tuvimos que soportar.

—¡Oye! ¿Pero qué estás diciendo? Yo era una joven muy calmada y comprensiva.

—¿Eso recuerdas de ti misma?

—¿Insinúas que no era así?

—Puede que lo fueras…

—Pero…

—¡Pero nunca lo demostraste!

—¡Venga ya! ¡Si es que era una incomprendida! ¡Nunca me entendisteis!

—No me vengas con la historia de siempre. ¡Eso ya no te va a servir nunca más!

—Entonces, según tú, ¿cómo era?

—Mira Alma, pasaste por todos los estadios de la pubertad estándar de una mujer a esa edad. No sabías lo que querías. Ahora blanco, ahora negro, ahora blanco otra vez. Todo te sentaba mal. Daba igual lo que hiciéramos, siempre protestabas —aseguró Samuel. Alma le miraba sin hacer ningún gesto—. Te enfadabas porque te preguntaran cómo estabas, te enfadabas si no te preguntaban, te enfadabas si intentábamos ayudarte y si no lo hacíamos… Te pasabas medio día encerrada en tu cuarto, tumbada en la cama bocabajo. Y cuando papá o mamá intentaban entrar para consolarte, siempre salías con la misma cantinela: "¡Es que no me entendéis! ¡Soy la incomprendida de la familia!"

—Creo que estás exagerando bastante —respondió muy seria y entrecruzando los brazos.

—Recuerdo un día en el que le preguntaste a mamá si estaba segura de que eras su hija o te habían intercambiado por otra en el hospital al nacer.

—De eso, sí que me acuerdo… Estaba muy enfadada por algo…

—Porque no te dejaron ir a no sé qué fiesta.

—¡Es verdad! ¡A la fiesta de Melinda! ¿Ves? Yo no pude ir y fui ¡la única de clase que no acudió! Lo pagué durante semanas, teniendo que escuchar lo maravillosa que había sido la fiesta.

—Uy… pobrecita… Y no te acuerdas por qué no te dejaron ir, ¿verdad?

—Porque era demasiado joven.

—No, no fue por eso, Alma. ¿No te acuerdas que mamá, harta de que llegaras tarde del instituto y te saltaras las clases de piano, te siguió un día y vio como tú y tus amigas perseguíais a un compañero tuyo de clase hasta su casa?

—¡No le perseguíamos! ¡Sólo le seguíamos! ¡Ja, ja, ja! ¡Ya no me acordaba que fue por eso!

—Pero, si es que ¡ese compañero tuyo vivía muy lejos de nosotros! y os ibais andando solas hasta su casa, ¡como si fuerais detectives, escondiéndoos en cada esquina!

—¡Ja, ja, ja! Cierto, es verdad… Michael Evans merecía eso y más.

—Y no te cuento más, porque es tarde. Pero, estaría toda la noche recordando anécdotas.

—Sí claro, durante una semana entera, no te digo. Mira tú, Samuel, el niño zen.

—¡Ja, ja, ja! ¡Hacía mucho tiempo que no me llamabas así!

—Desde que te dio la fiebre de que tú eras un samurái. ¡Qué pesadilla, por Dios!

—¡Tampoco fue para tanto!

—Pero si estabas todo el día diciendo que eras el señor de la guerra y que defendías a tus súbditos con tu espada.

—No era una espada, era una *katana*.

—Lo que sea. Haciendo como si meditabas…

—¡Es que meditaba! Me concentraba en todos los ruidos que había en la casa y estaba siempre alerta.

—Sí, claro, ya no te acuerdas cuando te quedabas dormido sentado y yo te daba unos sustos que casi te quedabas patidifuso. Muy alerta no estabas que digamos…

—Es que estaba en trance —respondió Samuel riendo.

—Sí, sí… ¡En trance total!

—¡Qué tiempos…! Samurai… ya no me acordaba de eso…

—Pues yo de Michael Evans me acordé hace bien poco. Me pregunto cómo estará ahora. Habrá que buscarlo en las redes sociales…

—¿Vas a volver a acosarle? Mira que ya eres mayor de edad y ahora sí que es delito.

—Muy gracioso…

—Bueno, seguiría recordando estas cosas, pero mañana nos espera un día bastante ajetreado. ¿Te has percatado de que nos vamos al corazón de África? Menuda aventura nos espera allí… —declaró Samuel agitando su mano derecha.

—Estoy un poco nerviosa. No sé qué nos encontraremos cuando lleguemos. No tengo ni idea de por qué papá nos manda allí, la verdad.

—Pues, como en todos los destinos. ¡A saber lo que nos espera después de Ruanda!

—A lo mejor cumples tu sueño de ir a Japón y de convertirte en un samurái… ¡aunque sea por unos días! —rio Alma.

—¡Buah! ¡Sería fantástico! —exclamó ilusionado— Con la de veces que he querido ir y siempre se me anteponían cosas

—Quién sabe… Bueno, ¡a dormir entonces!

Eran las cuatro y media de la madrugada cuando Alma se incorporó sobresaltada, con el corazón latiéndole a gran velocidad y su respiración desbocada. Había vuelto a soñar con convertirse, de nuevo, en un cóndor que no podía alzar el vuelo y que era atrapado por la erupción del volcán donde estaba posado. Alma miró la hora en el reloj del móvil. Resopló, con una mezcla entre hartazgo y alivio por descubrir que lo que sentía no era real.

Decidió levantarse para lavarse la cara y quitarse el sudor que le había causado el mal sueño. Mientras dejaba el agua correr por su cara, mirándose fijamente a los ojos reflejados en el espejo, se preguntó el porqué de ese sueño. ¿Qué querría decirle aquello? ¿Qué significado tendría el convertirse en un cóndor? La primera vez que lo soñó pensó que estaba algo sugestionada por el extraño pájaro de madera de la cabaña del *lodge*. Pero ahora estaba claro que aquel pájaro de madera no tenía nada que ver. Se secó concienzudamente con la toalla. Se miró detenidamente el rostro. Se sentía verdaderamente cansada y su cara lo atestiguaba. Recordó la época en la que perseguía a su admirado Michel Evans. Había llovido mucho desde entonces. Recordó cómo se probaba todos los peinados posibles para comprobar cuál era el que más le podía gustar a su amor platónico.

—Qué rápido ha pasado la vida… —dijo para sí un poco melancólica. Se sentó en la taza y miles de imágenes le vinieron a la cabeza como un torrente de recuerdos almacenados en un embalse que se desbordaba. Revivió su vida junto a sus padres. Recordó lo feliz que era. La sonrisa de su madre mientras le peinaba su pelo rizado por las noches, contándose cosas que sólo ellas compartían. Cómo, pese a que discutía mucho con su padre, le amaba con todo su corazón y corría, escaleras abajo, cuando le oía llegar, agotado de un día de intenso trabajo.

—Dios mío… la vida sólo es un suspiro…

Pensó que, dentro de nada, sus hijas estarían sentadas en un baño, recordando cómo ella les peinaba el pelo y hablaba de todos sus secretos confesables. Por un momento, se emocionó y comenzó a llorar. Sintió que la vida se le escapaba, que todo ocurría demasiado deprisa, que no la vivía intensamente como cuando era joven. De la noche a la mañana sería una adorable abuela al cargo de sus nietos y su vida habría pasado por completo. Se sorprendió a sí misma pensando esas cosas. De pronto, con una energía que surgía inexplicablemente de su interior, se levantó, se lavó de nuevo la cara y se quedó mirándose a los ojos, a escasos centímetros del espejo. Miró durante unos instantes sus pupilas fijamente.

—Alma, no has llegado ni a la mitad de tu vida. No te engañes, Alma. Sal del lamento. Todavía eres joven y tienes todo por delante. Haz que tu vida signifique algo para ti misma, no sólo para tus hijas. Si tu padre lo consiguió al final de su vida, ¿qué no harás tú que no has alcanzado ni la mitad de la tuya? Este viaje también es para ti. Dios mío… este viaje también es para ti —Alma comenzó a llorar desconsoladamente al darse cuenta de que, durante todo este tiempo, ella se había imaginado que su padre sólo había preparado este viaje para su hermano… pero no era así, estaba engañándose a sí misma. El viaje interior también era para ella. Ahora lo veía claro. Su padre dejó el mismo legado para ambos y, hasta ahora, lo había ignorado, más bien, rechazado, convenciéndose de que sólo era para salvar a Samuel.

—¡Dios mío! ¡Ahora lo veo claro! ¡Me estás ayudando a mí también papá! —Alma se cubrió los ojos con ambas manos, gritando silenciosamente en un llanto ahogado. Se contrajo sobre sí misma, se agachó y se tumbó en el suelo del baño, en posición fetal. Temblaba cada vez que el llanto pugnaba por salir.

—¡Cómo he podido estar tan ciega! ¡Papá! ¡Mamá! ¡Os echo tanto de menos!

Alma lloró y lloró hasta que el cansancio la venció y se quedó dormida.

A la mañana siguiente, unos golpes la despertaron de un sobresalto.

—¡Alma! ¡Alma! ¿Estás bien? ¡Abre la puerta! Alma! ¿Me oyes? ¡Alma! —gritaba desesperado Samuel al otro lado de la puerta del baño.

Alma, confusa, se levantó agarrotada por haber dormido sobre el frío suelo. Como pudo, abrió el pestillo de la puerta que la mantenía encerrada. Samuel entró como una exhalación.

—¡Alma! ¿Estás bien? ¡Dime! —Samuel gritaba fuera de sí, con los ojos llenos de pavor.

—Sí, Sam… estoy bien. No te preocupes… —respondió a media voz.

—¡Alma! Llevo un montón de minutos golpeando la puerta. Estaba a punto de darle una patada para echarla abajo. ¿No me oías?

—Me había quedado dormida en el suelo.

—¿Cómo que te has quedado dormida en el suelo? ¿Qué te ha ocurrido?

—Tuve una pesadilla y me desvelé. No me dormía, así que me quedé sentada contra la pared del baño y, parece que finalmente me quedé dormida.

—Me has dado un susto de muerte. Te juro que me he temido lo peor.

—Lo siento, hermanito. Por lo visto, estaba profundamente dormida y no me había enterado.

—Pero, ¿estás bien? Tienes muy mala cara —le dijo Samuel tomando su cara entre sus manos.

—Estoy cansada de no haber dormido estas dos noches, pero estoy bien. No te preocupes —aseguró Alma intentando ocultarle lo que había sentido durante esa noche, para no preocuparle.

—A ver si puedes dormir durante el vuelo a Ruanda —le sugirió Samuel.

—Yo creo que sí que dormiré, porque estoy realmente agotada —señaló Alma atusándose el pelo y frotándose el cuero cabelludo.

—¿Nos vestimos y bajamos a desayunar? El taxi vendrá a por nosotros en hora y media.

—Vale, me ducho y salgo —respondió Alma.

Durante la ducha, Alma rememoró su descubrimiento de la noche anterior. Tomó la determinación de aceptar el regalo de su padre y aprender para hacer que su vida fuera extraordinaria de verdad, sobre todo por ella y para ella. Súbitamente, la conversación en la laguna con Rubén le vino a la mente.

—Buscar el propósito… —murmuró mientras le caía el agua caliente de la ducha por la cara— Debo buscar el para qué estoy en este mundo. Me niego a creer que sólo soy madre y que sólo seré abuela, sé que nací para algo más y pienso descubrirlo.

Secándose después de la ducha. Volvió a mirarse al espejo y se dijo a sí misma:

—Alma, lo voy a hacer por ti. Tu vida va a ser extraordinaria. No me conformaré con menos —mirando hacia arriba, cerró los ojos y posó su mano en el corazón, diciendo para sí: "Papá, gracias por este hermoso regalo. Te quiero papá. Gracias mamá. Te quiero".

Alma inspiró con fuerza, llenando todo lo que podía sus pulmones y asintió con la cabeza, convencida de lo que acababa de decir.

El taxi llegó a la hora establecida por el albacea. Alma y Samuel estaban aguardándole a la entrada. Del taxi se bajó un hombre bajito, con la tez morena, el pelo negro y bigote. Tendría unos sesenta años y se movía rápido y ágil, pese a su barriga prominente.

—¡Muy buenos días! —saludó hablando en perfecto inglés, aunque con un acento muy exótico— Mi nombre es Ahmed y soy su chófer.

—¡Hola! Ella es Alma y yo soy Samuel. ¡Gracias por recogernos! —dijo Samuel muy sonriente. Cada vez le gustaban más los taxistas y sus historias.

—Soy Ahmed. Siento no haber podido recogerles ayer. Cuando salía de la ciudad pinché una rueda en mitad de la autovía. Toda una odisea.

—No se preocupe, encontramos un taxi rápidamente. Además, el hotel está realmente cerca del aeropuerto.

—Me alegro de que no tuvieran ningún contratiempo. Déjenme que meta las maletas en el taxi —manifestó haciendo el gesto de agarrarlas por el asa.

—Le ayudo —ofreció Samuel.

—No se preocupe —respondió metiendo la maleta más pesada, la de Alma, casi sin esfuerzo—. Estoy muy acostumbrado a esto.

—¡Pues sí que tiene usted fuerza! —dijo sorprendida Alma.

—Siempre la he tenido, y, desde que me alisté en el ejército, más todavía.

—¿En el ejército holandés? —preguntó Samuel.

—No. En el egipcio —respondió Ahmed, cerrando el capó del coche.

Samuel miró a Alma sonriendo, con los ojos llenos de ilusión intuyendo que se avecinaba una historia interesante.

—¿Puedo hacerle una pregunta? —dijo Alma entrando en el taxi.

—Sí, por supuesto. Dígame.

—¿Conoció usted a mi padre? ¿Martín? —miró a Samuel de reojo, murmurando "esta vez, no se me escapa".

—Pues sí señora. Le conocí poco tiempo, pero le conocí muy bien —confirmó Ahmed con misterio.

—Cuéntenos cómo le conoció, ¡por favor! —suplicó Alma.

—Por supuesto, ¡es un honor! —Ahmed se puso el cinturón de seguridad y arrancó su taxi, rumbo al aeropuerto. Comenzó a hablar, mirando de cuando en cuando por el retrovisor—. Su padre, Martín, coincidió conmigo en un vuelo que iba de Holanda a Egipto.

—¿Nuestro padre estuvo en Egipto también? —preguntó muy sorprendido Samuel.

—¡Ya lo creo! Era un apasionado de la historia antigua egipcia y, por esa razón, fue por primera vez a mi país natal. Cuando nos conocimos, era la primera vez que iba. Luego, volvió a visitarme en sucesivas ocasiones y, poco a poco, dejó de sentirse atraído por la historia de los faraones, para interesarse por las pequeñas historias de personas como yo.

Samuel se sobrecogió cuando se percató de la coincidencia entre su padre y él, acerca del gusto por las historias personales. Últimamente encontraba cada vez más cosas en común con su padre, cosa que le asombraba mucho, porque su creencia, hasta ese momento, era justo la contraria.

—¿Qué historias le contó a nuestro padre? —interrogó Alma.

—Historias de todo tipo. Sobre todo, las historias sobre situaciones que tuve que vivir en la guerra.

—¿Usted sufrió una guerra? —preguntó Alma.

—Sí, la guerra del 6 de octubre o el Yom kipur, como lo llamaron los israelíes —contestó Ahmed asomando sus ojos por el retrovisor central— contra Israel.

—Fue porque los israelíes ocuparon territorios de Egipto, ¿no es así? —dijo Samuel.

—¿Qué? No le he escuchado bien —dijo Ahmed.

195

—Decía que fue porque Israel ocupó territorios de Egipto —repitió en un tono más alto, Samuel

—Así es. Israel ocupó el Sinaí y los altos del Golán, pero en realidad lo que quería era controlar el canal de Suez, en territorio egipcio.

—Supongo que nuestro padre le contó la historia de nuestro abuelo en la Guerra Civil española —aventuró Alma.

—Sí. Me contó que había encontrado un diario en el que contaba algunos de sus días en la guerra. Yo le conté mis historias en la guerra, como que hacíamos turnos de tres o cuatro días sin dormir y para ello nos daban unas pastillas para permanecer despiertos y otras para dormir dos días seguidos. O cómo convivíamos en los túneles que excavamos en el segundo ejército de tierra, en el Sinaí, sin ver la luz del sol.

—Las guerras son algo terrible que nunca deberían ocurrir — afirmó Alma. Samuel asintió con la cabeza, dando la razón a su hermana.

—¿Cómo dice? —preguntó Ahmed girando un poco su cabeza para escuchar lo que decía.

—Decía que las guerras son terribles y que nunca deberían ocurrir —repitió Alma hablando más despacio.

—Desde luego. Durante las guerras se hacen cosas que nos acercan más a los animales salvajes que a los humanos. Bueno, ni los animales hacen lo que los humanos en las guerras.

—Usted tuvo suerte, volvió sano y salvo —apreció Samuel.

—Sí, tuve mucha suerte, la verdad. De hecho, cayó una bomba a unos metros de mí, perforando la tierra y afectando a uno de los túneles. Yo caí inconsciente. Cuando desperté, estaba en un hospital. La guerra, que había durado pocos días más, había terminado con un acuerdo entre Egipto e Israel. Nadie había avisado a mi familia de que estaba vivo y convaleciente en un hospital del ejército. Mis padres me dieron por muerto al no tener noticias mías en semanas. Me dieron el alta casi un mes más tarde y habiendo perdido la audición de mi oído derecho. Cuando entré por la puerta de mi casa mis padres creyeron ver a un fantasma. ¡Casi se mueren del susto!

—Dios mío… —dijo Alma a punto de llorar, imaginándose a Ahmed entrando a su casa.

—Menuda historia, Ahmed… —musitó absorto Samuel.

—Dígame —contestó Ahmed sin haberle entendido bien.

—¡Menuda historia más dura! —repitió, esta vez en voz alta Samuel.

—Pero vuestro padre no volvió a verme por estas historias.

—¿Ah no? Y, entonces, ¿por qué razón volvió? —preguntó Alma asomándose hacia adelante para que la escuchara.

—Por cómo logré superar todas ellas —afirmó Ahmed.

—Y ¿cómo lo hizo? —preguntó Alma.

—Con mucho tiempo y mucho trabajo interior —explicó Ahmed— El gobierno, me dio un puesto de trabajo en la Universidad de Alejandría, así fue como pude rehacer mi vida tras la contienda. He trabajado allí, felizmente, hasta hace unos años. Paso a paso, comencé a comprender a las personas que me habían enviado a la pesadilla de la guerra y entendí que, desde su perspectiva, la razón por la que lo hicieron era lícita. Tened en cuenta que, para mí, no fue nada fácil. No sólo me quedé sordo de un oído, sino que además, desde entonces no he sido capaz de dormir una noche entera. Pero hubo algo mucho más complicado: hacer desaparecer el odio que me inculcaron desde pequeño hacia los israelíes. Reforzado, sobretodo, después de ver las barbaridades que hicieron durante la guerra. Fíjense que hasta enterraron vivos a compañeros míos que capturaron del ejército de tierra.

—¡Qué horror! —exclamó Alma tapándose la boca.

—Aunque, barbaridades se hicieron por ambos bandos —añadió Ahmed, entrando ya al recinto del aeropuerto.

—Suele ocurrir en todas las guerras —añadió Samuel.

—La clave fue ser consciente de que, si conservaba el odio en mi vida nunca podría ser plenamente feliz. Cada vez que me acordaba de los israelíes, me ardía el estómago y sentía un dolor insoportable en la parte izquierda de mi cuello, provocándome unas jaquecas que me mantenían días enteros en cama. Pero había otra consecuencia aún peor, mis hijos heredarían este odio y lo transmitirían a sus hijos y así en una rueda de rencor heredado interminable. Mi familia ya había dedicado demasiado tiempo a ese sentimiento. Odiábamos a personas que ni siquiera conocíamos, tan sólo por lo que nos contaban de ellos.

—Pero, lo que hicieron… hay cosas que son muy difíciles de comprender —manifestó Samuel.

—No, querido Samuel, para superar ese odio hice algo mucho más grande que comprenderles.

—¿El qué? —preguntó expectante.

—Les perdoné —aseveró Ahmed, justo cuando aparcaba en la zona de estacionamiento de taxis.

Samuel se quedó paralizado por la respuesta de Ahmed. Sentía un profundo rechazo a la idea de perdonar sin que la otra parte pidiera disculpas. Ahmed notó al instante que Samuel disentía con lo que le acababa de decir, así que volvió a insistir.

—Lo que yo le puedo contar, Samuel, es que, para mí, el perdón fue liberador. Cuando decidí perdonarles de verdad, un sentimiento de absoluta libertad me inundó. Sentí que todo mi cuerpo se relajaba. Nunca había imaginado la opresión con la que convivía a diario, alimentada por todos los ámbitos posibles: televisión, prensa, radio, comentarios de mis amigos… El bombardeo era tan incesante que llegué a creer que mi vida era aquello y que esa angustia era algo normal en cualquier ser humano. Pero cuando desapareció, de la noche a la mañana fui consciente de toda la tensión con la que había convivido.

—Entiendo y admiro que quisiera perdonarles, Ahmed, pero si en lugar de un oído hubiera perdido un hijo o a su esposa o a ambos a la vez, ¿qué habría hecho en ese caso?

—Perdonarles igualmente —respondió sin dudar Ahmed—. Me costaría mucho más tiempo, sin duda, pero lo haría.

—¿Aunque ellos no le pidieran perdón por lo que hicieron? —reincidió Samuel.

—Eso no importa. El odio es sólo tuyo, tú lo decidiste y la decisión de eliminarlo también es tuya y sólo hay una manera de hacerlo, perdonando de todo corazón.

Samuel no se quedó muy convencido de lo que Ahmed trataba de explicarles, pero no quiso insistir más.

—Ahmed —dijo Alma que había estado callada y muy atenta a la conversación—. Supongo que mi padre quiso saber cómo superó su odio, porque él albergaba odio hacia alguien, ¿verdad?

—Así es. Odiaba con todas sus fuerzas a las personas que le arrebataron su empresa.

—¿Pero quería dejar de odiarlas? —preguntó Alma.

—Para eso volvió a Egipto —sentenció Ahmed.

—¿Y lo consiguió? —indagó Alma.

—Creo que sí, aunque no pudimos volver a vernos, mi intuición me dice que sí lo consiguió. Siempre que alguien decide perdonar a algo o a alguien, siempre lo consigue, tardará más o menos, pero es una decisión que no tiene marcha atrás.

—¿Hagan lo que hagan? —insistió Alma.

—Sí, hagan lo que hagan, porque, insisto, sólo tiene que ver con uno mismo, con nadie más. Mire, se lo explicaré de otra manera: si lo que desea es sacar de tu vida a las personas que le hicieron daño, la mejor manera de hacer justo lo contrario, es odiarles. Si lo que quiere de verdad es no tenerlos nunca jamás en su vida, entonces perdóneles.

—Tiene sentido… —respondió Alma.

Samuel seguía sin estar de acuerdo y continuaba pensando que se podía vivir perfectamente odiando a alguien sin mantenerlos en su vida diaria.

—Y, por no alargar más la conversación, la última pregunta, si me lo permite —propuso Alma.

—Sí, claro, por supuesto —accedió Ahmed.

—¿Cómo es que ya no vive en Egipto? —preguntó sonriendo Alma.

—¡Esa es otra gran historia! Digamos, resumiendo, que siempre había querido conocer Europa y mi hija mayor quería venir aquí a finalizar su carrera universitaria, así que nos vinimos los cuatro: mis dos hijas, mi mujer y yo. No pensaba trabajar más, porque ya estoy jubilado, pero me ofrecieron un empleo de taxista y vi que podía ganar dinero mientras mi hija terminaba sus estudios, así que accedí.

—¡Nunca lo habría imaginado! Habría apostado por una emigración por la situación inestable del país —afirmó Alma.

—Es cierto que no es la mejor situación, pero como en Alejandría no se vive en ningún sitio —dijo riendo Ahmed.

—Bueno, ¡vamos para adentro que se nos va a hacer tarde! —dijo Samuel mirando el reloj.

Después de sacar las maletas del taxi, los hermanos se despidieron del encantador Ahmed.

—Muchas gracias por todo lo que nos ha contado, Ahmed —declaró Alma.

—De nada, es un placer haberles contado una parte de la historia que viví con su padre. Fue una bellísima persona —aseguró Ahmed poniendo su mano sobre el corazón.

—Gracias por la conversación Ahmed, me ha hecho pensar mucho —asintió Samuel

—Gracias a ustedes por escucharme tan atentamente.

—He de decirle que alabo lo que ha conseguido.

—Samuel, usted también lo puede conseguir.

—Si lo decido… —respondió Samuel con una mueca y guiñándole un ojo.

Ahmed se marchó con su taxi y Alma y Samuel entraron en el aeropuerto. Decidieron acceder directamente a la zona de seguridad, para evitar contratiempos de última hora, como el que les ocurrió en Guayaquil. Esta vez, los agentes de seguridad no pusieron ninguna traba para pasar con las urnas, tras analizarlas concienzudamente y leer detenidamente los certificados de defunción.

El vuelo, rumbo a Kigali, despegó puntualmente, a las 11:20. a.m.

El país de las mil colinas y el millón de sonrisas

Durante el vuelo, Alma quiso indagar un poco más en lo que le ocurrió a Samuel durante el rito de la ayahuasca. Sentía una mezcla de miedo y curiosidad. Miedo porque le contara algo que no casara con lo que ella pensara y curiosidad de saber que hay detrás de la muerte en este mundo.

—Sam —dijo mientras se quitaba los auriculares que estaba usando para ver una película.

—Dime, Alma —respondió Samuel, quitándose los suyos.

—Cuando moriste… ¿Qué fue lo que viste? ¿Viste a papá y a mamá?

—Vaya, no me esperaba que me preguntaras por eso ahora… —contestó Samuel girándose hacia ella.

—Si no te apetece, podemos hablarlo en otro momento —sugirió Alma.

—No, ahora es un momento perfecto para hablarlo —Samuel pausó la película que estaba viendo y continuó—. No vi a nuestros padres, en realidad no vi a nadie y vi a todo el mundo.

—Explícate —pidió Alma.

—Vi cómo estamos todos unidos por un hilo dorado de luz y todos estos hilos se juntaban en el mismo punto. Sentí que todos somos lo mismo, Alma. Sentí que somos Uno solo. Por eso te digo que no los vi, pero los pude sentir. Allí arriba Alma, todos somos nuestra esencia, amor puro.

—Me encanta lo que acabas de decir…

—Es lo que sentí.

—Y, ¿llegaste a ver toda tu vida?, es lo típico que se suele contar de estas situaciones. ¿La viste pasar, así como en diapositivas a toda velocidad?

—Sí.

—¿En serio? —preguntó Alma boquiabierta.

—No, lo que ocurrió fue que vi como que mi vida pasaba toda a la vez, como si no existiera el tiempo.

—No lo entiendo. Quieres decir, ¿como si no hubiera tiempo?

—¡Exactamente! Sin tiempo. No había un antes y un después. Es un sentimiento difícil de explicar, pero sentí que todo el pasado, el presente y el futuro, se entremezclaban y se conectaban entre sí. Era como si pudieras ver por completo tu vida, en toda su magnitud y en un sólo vistazo.

—Eso es algo… extraordinario, Sam. ¿Es como si estuviéramos viviendo a la vez en universos paralelos?

—Sí, algo parecido a eso, como si fueran dimensiones paralelas en las que está ocurriendo todo al mismo tiempo.

—Estoy intentando hacerme una idea, pero lo que sentiste fue muy extraño y bastante complejo para que lo pueda comprender.

—Es verdad, realmente es así. Incluso ahora, después de haberlo vivido, cuando lo rememoro, ya no consigo recordar todo lo que sentí, aunque sí recuerdo que no me causó sorpresa, al contrario, lo viví con mucha calma, como si ya conociera de antemano que era así, no sé si me explico.

—¿Como si recordaras que ya lo sabías? —preguntó Alma.

—¡Exactamente! Como si lo reviviera —confirmó Samuel.

—¿Entonces, crees que la vida está planificada previamente?

—¡No, no! No me refería a eso, sino que sabía previamente que la vida no tenía un antes y un después —Samuel hizo una pequeña pausa para pensar mejor cómo expresar lo que quería decir—. Cuando estaba en esa situación, la sensación de tiempo desapareció por completo, no existía. Es como si la vida estuviera pasando ahora mismo, a la vez, todos los momentos al mismo tiempo… ¡Buff! —resopló— Ni yo mismo sé explicarlo.

—Creo que me voy haciendo una idea, aunque es imposible para mí, al menos por ahora, imaginarme cómo puede ser posible.

—Hasta para mí lo es.

—Me he quedado con ganas de preguntarte algo de lo del hilo que nos une.

—Adelante, pregunta —aceptó Samuel escuchando atentamente.

—Si sentiste o viste, o las dos cosas, que todos somos uno solo… — Alma se calló de repente, no estaba muy segura de decir lo que tenía en la mente.

—¿Sí? —Samuel dio pie a que continuara.

—Si todos somos Uno, Sam, entonces, no tiene sentido que odiemos a ciertas personas, ¿no crees?

Samuel se quedó inmóvil durante unos segundos, mirando a los ojos de su hermana. Inmediatamente reaccionó, girando su cabeza hacia delante y bajando su mirada. Sabía que lo que le acababa de decir era completamente cierto, pero, por alguna razón que no acababa de entender, se resistía a aceptarlo del todo. De pronto, quiso defenderse, como si lo que le acababa de decir atacara a su persona.

—Alma, hay cosas que son muy difíciles, por no decir imposibles, de perdonar. Ellos también están unidos por el hilo, sí, pero son los que nos infringieron daño a nosotros, es decir, nos atacaron a todos nosotros.

—Sí, pero si los perdonas, ¿no crees que ese beneficio no será sólo para ti, sino para todos nosotros? Si todos somos Uno, lo somos para todo.

Samuel se quedó de nuevo meditando las palabras de Alma, en silencio. Alma tenía razón, pero Samuel no lo aceptaba, se resistía a perdonarles sin más, aunque eso repercutiera a todos. Finalmente, sólo acertó a responderle:

—Alma, por ahora no estoy preparado para perdonar lo que hicieron. Provocaron que nuestra vida se fuera por el retrete, aprovechando el peor momento anímico por el que estaba pasando papá. Son malas personas. Dios sabrá lo que hacer con ellas cuando mueran, yo no soy quien para perdonarles.

Alma, viendo que su hermano no iba a dar su brazo a torcer no quiso insistirle más.

—Está bien, Samuel. Te entiendo, está bien… Gracias por contarme lo que viviste. Es una experiencia que poca gente ha vivido. Yo sé que eres una persona muy especial y, como te dijo Kunturi, ahora también creo que estás aquí por algo, estoy segura de que lo descubrirás muy pronto.

Samuel se limitó a asentir ligeramente con la cabeza. Alma acarició su mano y se puso los auriculares de nuevo, para continuar viendo la película, aunque, en realidad, lo que más le apetecía era seguir hablando con él, pero notaba que su energía se había cerrado sobre sí misma. Mientras pasaba lo que quedaba de película imperceptible a sus ojos sin prestarle la más mínima atención, estuvo pensando todo lo que le había dicho Samuel. Él, en cambio, no se volvió a poner los auriculares. Intentó distraerse reanudando la película donde la había detenido, pero sin ni siquiera escucharla. Sus pensamientos también produjeron que la película pasara por sus ojos sin verla.

El avión aterrizó en el aeropuerto de Kigali a las ocho menos cuarto de la tarde. Pese a la distancia con Holanda, el huso horario sólo les diferenciaba en una hora más en Ruanda. Lo primero que les llamó la atención durante el descenso era lo verde que era todo el territorio. Samuel tenía en su mente una imagen diferente que él mismo se había imaginado del país, mucho más desértico. La pista de aterrizaje estaba embutida dentro de la capital. El avión tomó tierra suavemente y los pasajeros, en su mayoría, africanos, comenzaron a aplaudir el buen hacer del piloto. Alma y Samuel se unieron al aplauso inmediatamente.

La terminal del aeropuerto era moderna y de reducidas dimensiones, estaba muy bien conservada. A Alma le pareció que era como el esqueleto de una barca enorme. A Samuel no le terminó de convencer el parecido que le veía su hermana, pero asintió con la cabeza ante su insistencia.

La recogida de maletas fue bastante rápida. Tras cruzar por la puerta de llegadas, una mujer de piel negra, vestida con una túnica verde oliva, gafas de metal con cristales estrechos y ligeramente ahumados y con una toga de color beige anudada perfectamente en su cabeza, les recibió con una amplia sonrisa que se veía a decenas de metros de distancia.

—¡Bienvenidos a Ruanda! —exclamó en perfecto inglés abriendo los brazos de par en par—. Mi nombre es Odile Mukasarasi y voy a ser vuestra acompañante durante estos días en nuestro precioso país de las mil colinas.

—¡Hola Odile! ¡Muchas gracias por el recibimiento! —respondió efusivamente Alma, contagiándose de la alegría que destilaba Odile.

—¡Muchas gracias Odile! Ella es Alma y yo soy Samuel.

—¡Lo sé! ¡Estaba deseando conoceros! Me ha hablado tanto de vosotros...

—¿Nuestro padre? —preguntó Alma.

—¿Quién sino? —contestó sonriendo.

—Cierto... ¡He preguntado una tontería! —rio Alma.

—¿Habéis tenido buen viaje?

—Sí, ¡ha sido perfecto! —contestó Samuel.

—Acompañadme, os llevaré al hotel para que podáis descansar, seguro que estáis cansados de tanto ajetreo —dijo Odile.

—Te lo agradecemos. Lo cierto es que, al menos yo, estoy rendida —afirmó Alma cerrando los ojos e inspirando para luego resoplar al sacar todo el aire de sus pulmones.

—Sí, nos vendrá bien.

—Es una pena que no podáis ver Kigali de día, ya casi ha anochecido del todo. Pero ya habrá tiempo de que conozcáis la capital, aunque no es lo mejor que tiene.

—¿Qué otras cosas tiene? —indagó Alma.

—Su gente —afirmó girándose hacia ellos y sonriendo.

Samuel miró a Alma curvando una ceja.

—¡Esto promete! —susurró Samuel al oído de Alma.

Salieron del aeropuerto en dirección al estacionamiento. La temperatura era muy agradable, no hacía ni demasiado calor ni demasiado frío.

—Me esperaba más calor —indicó Samuel mirando al cielo.

—Aquí la temperatura siempre es bastante suave durante todo el año.

—¡Estupendo! Además, ¡no hay humedad! —apreció Alma.

—En la ciudad no mucho, pero en el campo sí que se nota —puntualizó Odile.

—¡Seguro que no será tanta como en el Amazonas! —aseguró Samuel.

—¡Es verdad! ¡Si venís de allí! ¿Os ha gustado?

—¡Muchísimo! —respondió Alma.

—Yo tengo ganas de ir a ver el paraíso que me contó vuestro padre. Aquel es mi coche —dijo señalando una *pick-up*.

—¡No puede ser! ¡Un *Toyota*! ¡Ja, ja, ja! —carcajeó Alma, pellizcando a Samuel en el brazo.

Samuel se quedó mirando al coche, como enfocándolo bien por la poca luz que había y la distancia a la que se encontraba.

—Ese no es...

—No es un *Toyota*, es un *Mitsubishi* —aclaró Odile.

—¡Toma! ¡Ja, ja, ja! ¡Ni siquiera sabes distinguir un *Toyota* de uno que no lo es! —bromeó Samuel, devolviéndole el pellizco a Alma.

—Bueno, es casi un *Toyota*, porque lo que es seguro es que no puede ser un *Mazda*.

—Pues… —irrumpió en la disputa Odile— os vais a reír, pero también tengo un *Mazda 2*, uno de pequeño tamaño.

—Espera, que no he oído bien la marca, ¿me la puedes repetir, Alma? —bromeó Samuel con el dedo índice de su mano apuntando a su oreja.

—¡Ja, ja, ja! —dijo silabeando Alma.

Odile los miraba sorprendida de ver este juego infantil entre ambos, aunque le provocaba cierta ternura.

Salieron del recinto del aeropuerto y se adentraron en la ciudad, con destino al hotel. Los hermanos estaban pegados a los cristales de las ventanillas, oteando lo que se podía apreciar de la ciudad de noche.

—Parece una ciudad occidental —observó Samuel.

—Kigali ha cambiado muchísimo desde el año 1994. Es otra ciudad, limpia, moderna y bien organizada.

—¿Por qué cambió desde ese año? —preguntó Alma inclinándose hacia delante.

—Porque ese año fue el del genocidio —respondió con normalidad.

—Ah… no recordaba que fuera hace tanto tiempo. Habría jurado que se produjo hace mucho menos —dijo Alma.

—Pues… no. Ya ha pasado casi un cuarto de siglo.

—Entonces, creo que han hecho una gran labor porque la ciudad está impecable. Al menos, lo que se puede ver en estos momentos.

—Mañana daremos una vuelta y os enseñaré más lugares. Aunque el objetivo de esta visita no es hacer turismo.

—¡Genial! —respondió Samuel.

—Y, ¿cuál se supone que es el objetivo de nuestra visita a Ruanda?

—No adelantemos acontecimientos. Sólo os puedo decir que os va a sorprender —respondió Odile levantando la mano derecha mientras la agitaba levemente, intentando transmitir calma.

—Venimos preparados de antemano —certificó Samuel.

—Supongo que el resto de viajes habrá estado plagado de sorpresas y aprendizajes de todo tipo.

—Exactamente, de todo tipo —asintió Samuel.

—Perfecto, porque os habrá preparado para lo que vais a tener la oportunidad de vivir aquí. Sólo os voy a adelantar que vuestro padre comenzó su verdadero cambio aquí. Aquí fue donde pudo, por fin, comenzar a reconstruirse de nuevo y crear el maravilloso Martín que acabó siendo.

—¿Y no nos puede adelantar algo más? —solicitó Alma.

—Ya habrá tiempo para eso, no os preocupéis. Mirad, ese es el hotel.

Antes de llegar a la entrada, Alma se fijó en un edificio moderno de paredes de cristal, con forma curva, que podría estar perfectamente en cualquier ciudad norteamericana.

Al cabo de unos pocos metros, el *Mitsubishi* enfiló la entrada de un hotel que tenía toda la pinta de ser de lujo. Un cartel en piedra con tres triángulos azules sobre el nombre del hotel, 'Hôtel des Mille Collines', les daba la bienvenida. A su lado, una caseta de seguridad, donde un hombre uniformado les dio el alto. Chequeó los papeles que Odile le enseñó y les dejó vía libre.

La iluminación nocturna del hotel lo hacía imponente. Estaba formado por dos edificios unidos en forma de "L". Las habitaciones que daban a la entrada principal tenían un pequeño balcón con cristales tintados en las barandillas, formando en cada uno de ellos un pequeño triángulo que sobresalía de la fachada.

—No me esperaba en absoluto dormir en un hotel así en Ruanda. Pensé que íbamos a dormir en casa de algún amigo de nuestro padre.

—Este hotel es un símbolo importante para nosotros. Ya habrá tiempo para dormir en casas de amigos de Martín —dijo girándose y guiñándoles un ojo, al mismo tiempo que mostraba su preciosa sonrisa.

—Vamos para adentro.

El hall del hotel no era muy grande, pero sí muy acogedor. A la derecha, había varios sofás tapizados con telas jaspeadas negras, acompañados por unos cojines y varios *puffs* en tonos blancos con flores tejidas en negro. En la imponente recepción, completamente tallada en madera, un joven muy agradable les dio una cálida bienvenida al hotel.

—¡Buenas noches! —saludó en inglés— Bienvenidos al *Hôtel del mille colline*. Yo soy Christopher y estoy aquí para lo que necesiten.

—¡Hola! Buenas noches —dijo Odile. Alma y Samuel saludaron con la mano—. Ellos son Samuel y Alma Calleja, había una reserva a su nombre para una de las suites.

Alma se acercó disimuladamente a su hermano, se inclinó hacia su oreja y le susurró:

—¿He oído bien? ¿Suite?

—Sí hermanita, has oído bien —ratificó Samuel.

Odile se giró con las tarjetas de las habitaciones en la mano.

—Bueno, chicos, os dejo que descanséis. Disfrutad de este maravilloso hotel. Mañana os espero aquí a las diez de la mañana, así os dará tiempo de disfrutar de los manjares que se ofrecen en el desayuno.

—Muchas gracias Odile —dijo Samuel sonriéndole.

—Gracias Odile, ¡que descanses! —añadió Alma.

Los dos hermanos subieron a su habitación, una suite, en la quinta planta. Al abrir la puerta de la habitación 511, se quedaron cautivados por las vistas de la ciudad que se veían a través de los ventanales. Samuel insertó la tarjeta en el activador de las luces y toda la suite se encendió al instante. Constaba de dos estancias separadas, como si fuera un pequeño apartamento.

—Pero, ¡si es más grande que el piso en el que estuve viviendo con papá! —exclamó Samuel poniéndose la mano sobre su frente.

—¡Sí que es grande, sí!

La primera de las estancias hacía las veces de sala de estar, con un sofá de piel negro y dos sillones a rayas de color crema. En frente, un mueble de madera sostenía una televisión plana. Al fondo, la sala daba a un balcón. Alma se acercó para ver las vistas que ofrecía.

—¡Anda! Esta habitación tiene la orientación hacia el interior del hotel —dijo mientras abría la puerta para salir al balcón—. ¡Hay una piscina debajo! —exclamó girándose hacia adentro para que Samuel la oyera— ¡Parece que hay un bar al lado también!

—¡No está nada mal este hotel! ¿No te parece increíble que estemos en mitad de África en un hotel de lujo? Desde luego, ¡este viaje está superando todas mis expectativas con creces! ¿Has visto la habitación?

—¡No! ¡Voy ahora mismo a verla!

La habitación principal era amplia y tenía dos camas gemelas tipo *king size.* Por lo que indicaba el cabecero, originalmente la habitación estaba preparada con una sola cama, pero se las habían ingeniado para meter dos. Había también dos mesillas de madera que habían tenido que arrinconar, debido a las dimensiones de las camas. El baño, con ducha y bañera, tenía dos lavabos simétricos y una pequeña estantería de cristal, fijada en la pared, a ambos lados de los lavabos con una amplia gama de productos de higiene personal.

Samuel se lanzó sobre una de las camas.

—Me quedaría ahora mismo durmiendo hasta mañana —dijo abrazando una de las almohadas.

—Veo que ya has elegido cama —manifestó Alma cruzándose de brazos.

—¿Quieres ésta? A mí me da igual —ofreció Samuel.

—No, no tengo preferencias, quédate en esa.

—Vale, mejor, ya le he cogido cariño y todo —dijo con los ojos cerrados y estrujando la almohada para acoplársela mejor.

—¿Te vas a quedar ahí ya? Yo quiero cenar en el restaurante, seguro que se come de maravilla aquí.

—No tengo mucha hambre, pero si quieres, vamos.

—Por mí, sí. Me cambio de ropa, llamo a Robert y nos vamos.

—Ok, despiértame cuando estés preparada… —dijo sin abrir los ojos.

Alma llamó a Robert.

—¿Sí? —contestó con una voz adormilada.

—¿Cariño? Soy yo. ¿Estabas durmiendo?

—Eh… sí me he quedado dormido encima de la cama. No he dormido bien esta pasada noche y estaba descansando.

—Vale amor, entonces te dejo que descanses.

—No, no importa. ¿Qué tal el viaje?

—Bien, todo bien.

—¿Dónde estáis ahora? —preguntó Robert despistado. Alma se sorprendió de aquella pregunta. Su marido siempre estaba atento a todo y no se le escapaba ningún detalle. Que no se acordara de dónde estaba le preocupó sobremanera.

—No recuerdas donde íbamos…

—No me acuerdo. ¿Dónde era?

—Estamos en Ruanda.

—¡Ah! Sí, en Ruanda, es verdad.

—¿Estás bien, Robert? —insistió de nuevo.

—Sí, sólo que estaba dormido profundamente y me está costando espabilarme.

—Pues hablamos mañana y descansas, ¿vale?

—De acuerdo. Un beso cariño.

—Te quiero…

—Y yo a ti, pequeña. Mañana hablamos con calma.

—Vale amor. Chao.

—Chao.

Alma se quedó mirando la pantalla de su móvil, con la foto en la que aparecían los cinco muy sonrientes. Este viaje se le estaba haciendo eterno y todavía se preveía un destino más. Respiró profundamente, guardó su móvil en el bolso y despertó a Samuel.

Los hermanos se presentaron a los diez minutos en *Le panorama restaurant*, situado en la parte superior del hotel, con unas vistas panorámicas de Kigali espectaculares. El restaurante era precioso aunque no muy grande. Tenía una fila de mesas redondas, con sillas de forja y cojines de color blanco con rayas negras imitando la corteza de un árbol. Cerca de los ventanales había unas anchas columnas rematadas en ladrillo con tonos tierra claros y realzadas por una buena iluminación y, entre ellas, se situaban las mejores mesas, pegadas a los grandes miradores. Un pianista ruandés amenizaba la noche tocando piezas de bandas sonoras de películas clásicas en un piano de cola ubicado a mitad de la sala.

Sin dudarlo un segundo, Alma y Samuel se sentaron en una de las mesas con mejores vistas de la ciudad. Después de revisar la carta una decena de veces, Alma eligió una ensalada *Mille Colline* y un risotto con champiñones y parmesano. En cambio, Samuel prefirió un *carpaccio* de buey, con aceite de oliva virgen extra y parmesano y un salmón escalfado con vino blanco e hinojo, aunque los dos terminaron probando de todos los platos.

Se imaginaron a su padre en el hotel, si es que lo estuvo, y estuvieron elucubrando qué le hizo visitar un país para ellos, tan remoto y del que casi no se conoce nada, más allá del genocidio que ocurrió hace tanto tiempo. Pronto averiguarían qué vino a buscar Martín a Ruanda y descubrirían si lo consiguió encontrar o no.

A la mañana siguiente y tras tomar un completo desayuno en un salón al lado de la piscina, se encontraron con Odile a la hora acordada.

—¡Muy buenos días! ¿Cómo habéis descansado? —preguntó con su sonrisa resplandeciente.

—¡Buenos días! ¡Estupendamente, la verdad! —dijo Alma abrazándola.

—Es imposible dormir mal en un sitio así —respondió Samuel.

—¿Nos sentamos en uno de estos sofás? —propuso Odile, señalando a los sofás de la entrada.

Los tres se sentaron alrededor de una pequeña mesa rectangular.

—Bueno chicos, lo que os voy a contar ahora no es de mi agrado, pero es necesario para que entendáis el resto de la historia, que es la parte que verdaderamente importa.

Samuel y Alma estaban expectantes. No entendían muy bien qué quería decir, pero no dijeron nada y esperaron pacientemente, hasta que Odile les contara.

—Este hotel no es un hotel cualquiera —dijo tras inspirar profundamente y cerrando los ojos, como para tomar impulso para comenzar—. Durante el genocidio, en este hotel se refugiaron más de 1.200 personas, huyendo de la matanza.

Alma y Samuel, se sobrecogieron al instante. Odile prosiguió proporcionando más detalles:

—Todo estalló en abril de 1994, cuando el avión del presidente de Ruanda, Habyarimana, y en el que iba el presidente de la vecina Burundi, ambos de la etnia Hutu, fue alcanzado por un misil y derribado, provocando la muerte de todos los ocupantes. Todo comenzó ese mismo día y no os lo vais a creer, fue planificado por militares y paramilitares en este mismo hotel. Estáis en el epicentro del genocidio posterior.

Alma se tapó la boca por la emoción que le causaron las palabras de Odile. Samuel se frotó la mejilla y su barbilla, como solía hacer cuando estaba pensativo. Después se acarició repetidamente su nuca suavemente. Odile, prosiguió su relato.

—Justo aquí, en este hotel, se planificaron las peores atrocidades que la humanidad ha conocido en su historia reciente, pero, por el contrario, también alberga las historias más bellas de Amor y de Generosidad infinita. Se puede decir que este hotel contiene todo lo que un ser humano puede ofrecer —Odile, hizo una pausa para observar el hotel. Hizo un pequeño recorrido, con su mirada, a todo lo que había a su alrededor. Alma y Samuel, al verla, la imitaron al unísono.

Odile, centrándose de nuevo en ellos, les sonrió y continuó.

—Como podéis observar, hoy es un lugar de paz. Toda la ciudad lo es y esto sólo es posible por una única razón.

—¿Cuál, Odile? —preguntó Alma interesada.

—Todo esto es gracias al Perdón. Al Perdón más allá de toda razón. Sólo cuando los ruandeses abrazamos el verdadero perdón, tuvimos el poder de reconstruirnos como seres humanos, como sociedad y como nación.

Samuel se quedó mirando a sus pequeños ojos. No acertaba a decir nada, sólo pestañeaba de vez en cuando. Sus palabras retumbaban en su interior. Odile, sostuvo su mirada durante varios segundos, para luego proseguir.

—Pero, para llegar a esta situación tuvimos que pasar o, mejor dicho, crear, muchas situaciones intermedias que, finalmente, nos llevaron a donde ahora estamos. No ha sido un camino fácil —dijo negando con la cabeza, recordando lo duro que había sido el proceso. Inspiró, se irguió todo lo que pudo y les anunció—. Chicos, ¡habéis venido al país donde todo vuestro poder interior puede ser liberado! ¡Bienvenidos a Ruanda, el país de las mil colinas y el millón de sonrisas! —dijo emocionada.

Alma sonreía por todo lo que les esperaba. Sabía, por todo lo que había experimentado en su vida, que el perdón tenía un poder sanador inigualable. De hecho, ella sólo consiguió continuar con su vida gracias a que perdonó todo lo que ocurrió. Estaba emocionada por saber que, por fin, Samuel, podría dar el salto definitivo hacia su recuperación. Después de todo lo que él vivió en Ecuador, estaba convencida de que era el momento.

Pese a que Samuel notaba el creciente entusiasmo de su hermana, él no lo percibía así. De hecho, comenzó a notar cómo algo se cerraba en su interior. No le provocaba rechazo tener que hablar del perdón, ni de nada parecido. Él realmente creía que ya había avanzado lo suficiente como para que su vida fuera feliz y plena a su regreso a Pittsburgh. Intuía, incluso, que lo que le esperaba en este sorprendente país, podría hacerle retroceder de nuevo y eso no se lo iba a permitir.

—Os quiero contar de donde partimos, para que seáis conscientes de hasta donde hemos sido capaces de avanzar. Como os he dicho antes, para mí, contar esto no es plato de buen gusto, pero ahora puedo hacerlo. Hasta hace unos años me hubiera sido imposible.

Odile se recolocó en el sofá, apoyándose en el respaldo y preparándose para contar algo que, ciertamente, todavía le incomodaba.

—Todo comenzó mucho antes de lo que la gente conoce. Nos tenemos que remontar varios siglos atrás para entender cómo se llegó a la situación que desembocó en el fatídico genocidio. Antes de la llegada de los europeos, a finales del siglo XIX, en las montañas que ahora pertenecen a Ruanda habitaban poblados de la etnia twa, los famosos pigmeos africanos. Los twa subsistían mediante la caza. Hacia el siglo XI, los twa dejaron de estar solos en la zona, con la llegada de nuevos pobladores de la etnia hutu, expertos agrícolas y que se establecieron en la zona por la riqueza de las tierras que ahora pertenecen al Congo, a Ruanda y a Burundi. Los hutus y los twa convivieron en paz durante más de tres siglos.

Se estima que, durante el siglo XVI, una nueva etnia se asentó en el territorio actual de Ruanda. Esta nueva etnia, los tutsis, eran pastores y, a su llegada, quisieron someter tanto a los hutus como a los twa, por la fuerza. Pese a ser una minoría, comparado con la mayoritaria etnia hutu, estaban mejor preparados para la lucha y consiguieron dominar el territorio bajo el mandato de un sólo rey, un *mwami*. Tras el rápido sometimiento, los tres pueblos convivieron en un sistema feudal en el que los hutus trabajaban las tierras y cuidaban los animales de los señores feudales tutsis y se heredaban generación tras generación. Los twa, en cambio, conservaron su endogamia y continuaron siendo un pueblo mucho más independiente que los otros dos.

Pese a lo que pudiera parecer, los hutus tenían casi los mismos derechos que los tutsis en aquella época. Cuando los primeros europeos, alemanes, llegaron a la zona, entre los hutus y los tutsis no había diferencias significativas, aunque la monarquía tutsi seguía existiendo. Físicamente, la mayor diferencia era que los tutsis eran más altos que los hutus y mucho más que los pigmeos. Ambas etnias, los tutsis y los hutus hablaban la misma lengua y se regían por las mismas leyes creadas por los tutsis, así, los hutus no dejaban de ser un pueblo sometido. Cuando Alemania perdió la Primera Guerra Mundial, los europeos se repartieron el territorio, como si les perteneciera, y Ruanda y Burundi le correspondió a Bélgica. Tras la Segunda Guerra Mundial, las Naciones Unidas encargaron a Bélgica la administración de todo el África Central, con la intención de crear naciones independientes, pero bien organizadas. Al menos, organizadas desde el punto de vista europeo, claro. Para ello, los belgas usaron el sistema feudal que había en la zona y utilizaron a los tutsis para controlar todo el territorio.

—Vaya, menudo resumen has hecho de varios siglos en pocos minutos — admiró Samuel—. ¡Muchas gracias!

—Es importante que sepáis los precedentes de lo que os contaré después —hizo una pequeña pausa y continúo—. Durante los años siguientes, al fin de la Segunda Guerra Mundial, se produjeron los cambios más profundos en la organización del país y que condujeron, a la postre, a tensiones internas que acabaron de la peor manera posible. Los belgas creyeron de verdad que los tutsis eran una raza superior a los hutus. No les culpo, era la mentalidad de la época, que se lo digan a los nazis… A causa de esa manera de pensar favorecieron a esta etnia minoritaria, la mía, los tutsis.

Todo cambió muy rápido. El mwami Mutara III, que reinaba entonces, adoptó el cristianismo impuesto por los belgas. De hecho, su padre abdicó en él porque no quiso acceder a las exigencias de los europeos en temas de religión. Poco después, a los belgas no se les ocurrió mejor manera de controlar a la población que hacer una división, más que de razas, de castas, en la que se consideró que si tenías más de diez vacas eras tutsi y si tenías menos, o ninguna, eras hutu y, lo peor de todo, estabas obligado a trabajos forzados. Así comenzó todo. La monarquía tutsi podría haberse opuesto a esto, pero lo aceptó de buen grado y así fue como se creó el sentimiento de inferioridad del pueblo hutu que perdura en nuestros días.

—Visto con la perspectiva del tiempo, esta división es lo más estúpido que uno se pueda imaginar —afirmó Samuel.

—Lo fue y, también, un terrible error porque estigmatizó a toda una población y provocó que ese sentimiento de inferioridad se transformara en rabia y odio, no hacia los colonos belgas que permanecían en la sombra, sino contra los tutsis. Los hutus se rebelaron contra la monarquía, curiosamente también con el apoyo de los belgas que promovieron el surgimiento de movimientos democráticos. Los dirigentes tutsis, aunque tarde, se dieron cuenta de la traición de los belgas y aplacaron las revueltas acabando con sus cabecillas. Pero eso no consiguió borrar el sentimiento de revancha de tantos siglos de sometimiento y de las desigualdades de los años anteriores. Finalmente, los hutus se levantaron contra los tutsis en masa y con armas que les proveyeron los europeos, matando a más de 100.000 tutsis y desplazando

214

a más de 150.000. Acabaron con la monarquía tutsi y declararon la república de Ruanda.

Desde entonces y de eso os estoy hablando en los años cincuenta y sesenta del siglo pasado…

—Pero… ¿no es el genocidio entonces? —preguntó extrañada Alma.

—Fue un genocidio también, pero no el más cruento, el que conocemos todos —aclaró Odile.

—Entonces, ¿los promotores de las matanzas fueron los belgas? —preguntó Samuel con ánimo acusador.

—Digamos que consiguieron lo que querían urdiendo tramas entre todos. Yo quiero pensar que nunca se imaginaron que estallaría de aquella manera…

—No era muy difícil de prever —aseguró Samuel.

—El tiempo te da una perspectiva que en ese momento no se tenía. No creo que nadie quisiera tal caos.

—¿Y qué ocurrió desde entonces? —preguntó Alma muy interesada en saber cómo acabó la historia del país.

—Tan sólo dos años después de aquello se declaró la independencia de Bélgica. Burundi también se constituyó como país independiente, desvinculándose de Ruanda, al que siempre había estado unido. Desde entonces se han vivido los peores años de esta región. Los cientos de miles de tutsis desplazados al Congo y a Uganda, desestabilizaron aquellas zonas. Por otro lado, Uganda favoreció la creación de una guerrilla tutsi para recuperar el poder de Ruanda y hacían continuas incursiones para debilitar al país. A finales de 1980 se creó, también en Uganda, el ejército patriótico ruandés, el APR, con sus siglas en francés y un movimiento político llamado Frente Patriótico Ruandés o FPR. El creador de este ejército, entre otros, fue nuestro actual presidente, Paul Kagame.

—¡Menudo berenjenal! Ahora sí que me sorprendo por completo de lo bien que está el país —exclamó Samuel alzando la mano y frotándose su frente.

—Desde luego que sí… Nuestra historia reciente es bien complicada.

—Tiene un gran mérito que la hayáis superado.

—Bueno, faltan muchas cosas por saber… —dijo Odile de forma misteriosa.

—Supongo que este ejército, finalmente entró en el país y se hizo con el poder —conjeturó Samuel.

—Así es, aunque llegó tarde para evitar la purga que luego se le llamó genocidio.

🎧⑥ Odile guardó silencio durante unos momentos, como reordenando las ideas que quería transmitirles. Ambos hermanos intuían cuál era la intención de la ruandesa contándoles todo esto, pero aguardaron expectantes a que terminara.

—Desde la independencia de Ruanda el país ha sido gobernado por hutus moderados. Recalco lo de moderados, porque había hutus muy radicales, de los que hablaré después. Poco a poco, los tutsis desplazados fueron volviendo a sus aldeas, hasta que casi todos retornaron. El FPR, desde Uganda, mantenía en mente una sola idea, derrocar al presidente hutu. Por ello, desde principios de 1990 recrudecieron sus acciones paramilitares y atacaban constantemente a posiciones hutus en el norte del país. Este dato es muy importante y será clave para lo que finalmente ocurrió.

Los hutus radicales comenzaron a lanzar proclamas en contra de la etnia tutsi, diciendo que eran cómplices del ejército paramilitar del APR, que tantas muertes provocaba en muchas aldeas. Empezaron a organizarse en organizaciones llamadas *interahamwe* que significa "los que pelean juntos". Debido a los continuos ataques tutsis, numerosos hutus se alistaron en las filas de estas organizaciones y se radicalizaron en contra de todos los tutsis, pertenecieran o no al APR. El presidente, en un gesto que le honra, redactó una nueva constitución para aplacar los desequilibrios que ahora sufrían los tutsis, intentando que bajara la tensión. Este hecho, lejos de resultar beneficioso, provocó una rabia incontrolable de los hutus radicales por las concesiones a una etnia que les había dominado tantos siglos y los paramilitares tutsis vieron insuficientes las reformas y siguieron atacando.

Con todo esto, llegamos al punto en el que estalló todo. Como veis, jamás un genocidio es fortuito, siempre es premeditado.

—No tenía ni idea de todo lo que nos estás contando, Odile —dijo Alma.

—En esto último, te doy toda la razón —aceptó Samuel— nadie es capaz de hacer algo así, de la noche a la mañana. Esto tiene que tener un caldo de cultivo previo muy potente, para que estalle de la manera que estalló.

Odile, asintió concordando con lo que Samuel le decía. Continuó diciendo:

—Durante más de cuarenta años, se ha cultivado el odio y la separación entre ruandeses. El gobierno hutu de la época hizo algo que marcaría el destino del país. Al igual que hicieron los belgas, incluyeron en los documentos de identidad de todos los ruandeses su etnia. Si alguien, al hacerse el documento, no lo tenía claro, el representante del gobierno decidía por él, primero, comprobando la etnia del padre y si no podía averiguarla por su aspecto físico decidía si pertenecía a los tutsis o a los hutus. Fue una época muy complicada para todos, en el que reinó el odio y que abrió las puertas al peor enemigo de una sociedad: la desconfianza. Durante los años previos al genocidio, desde numerosos medios se alentó a marcar las diferencias entre las dos etnias. Esta desconfianza sólo puede traer consigo una cosa, lo único que tiene tanto poder como para destrozar vidas, ¿sabéis lo que es?

Alma y Samuel se sobresaltaron al no esperar que les preguntara. Estaban tan absortos con la historia, que se quedaron muy desconcertados con la pregunta. Ninguno sabía muy bien qué contestar a ello, aunque Alma se arriesgó a responder.

—¿El odio?

—No, hay algo mucho más poderoso que el odio, de hecho, es generado por él… El miedo.

—¡El miedo! —repitió impresionada Alma.

—El miedo es el germen de las peores acciones que un ser humano es capaz de hacer. Fijaos bien en lo que pudo hacer el miedo acumulado durante más de cuarenta años. Os lo voy a contar.

Odile pidió un vaso de agua a un botones que pasaba por ahí.

—¿Queréis vosotros algo? —ofreció Odile.

—No, gracias —dijo Alma

—Yo tampoco.

—Bien, como os decía, con todo este miedo acumulado y todas las tensiones arraigadas en todos los niveles de la sociedad ruandesa. El ejército del actual presidente intentó una y otra vez derrocar al gobierno hutu moderado.

En una de las incursiones del APR, que había crecido en número y armamento, murieron cientos de hutus y el miedo se apoderó de las almas de todos los hutus de Ruanda. Comenzaron a radicalizarse más aún, amenazando a través de proclamas constantes en una radio privada financiada por ellos mismos. En Ruanda, la radio es el medio de comunicación más usado, por lo que el daño que produjeron esos mensajes de odio hacia las "cucarachas", como acostumbraban a llamar a los tutsis, fue de una magnitud extraordinaria, extendiendo el pánico entre la población de Ruanda, independientemente de su etnia. Los hutus se llenaron de miedo porque pensaban que el ejército del FPR, junto con los ciudadanos tutsis acabarían con ellos de la noche a la mañana y, por su parte, los tutsis sentían el mismo miedo acerca de lo que los hutus, abrumadora mayoría en el país, podrían hacerles.

Todo estalló por los aires junto con el avión presidencial. Se acusó de inmediato a la organización del FPR como ideóloga del asesinato y al ejército tutsi del APR como el brazo ejecutor del mismo.

Ese día, los dirigentes del ejército presidencial y de los radicales hutu de las *interahamwe*, planificaron, en este mismo hotel, la purga de los tutsis con la intención de exterminarlos por completo. Y casi lo consiguen...

—Yo vi unas imágenes que me sobrecogieron. Recuerdo ver cuerpos tirados en las cunetas de la carretera, a miles de ellos. Era bastante joven cuando las vi y me impactaron muchísimo —explicó Alma.

—Esas imágenes no fueron del genocidio.

—¡Ah! ¿No? —exclamó boquiabierta.

—No. Esas imágenes fueron grabadas en la huida de los hutus hacia el Congo. Os cuento. El genocidio estalló ese mismo día de la muerte del presidente hutu y se extendió durante tres meses. Cuando el FPR llegó a Kigali y se hizo con el poder, el genocidio ya se había producido. Entonces, todas las personas hutu, habiendo participado o no en las matanzas, sintieron tanto miedo de la venganza de los tutsis que abandonaron todo lo que tenían y se dirigieron hacia Goma, una región del Congo fronteriza con Ruanda. Los cadáveres que viste fueron causados por la hambruna y, sobre todo, por la epidemia de cólera que se extendió como la pólvora.

Fijaos bien, otra vez el miedo jugando su cruento papel. La gran mayoría de los hutus no participaron en el genocidio, de hecho, muchos

218

hutus moderados fueron igualmente masacrados a manos de hutus radicales acusándoles de que protegían a los tutsis. Finalmente, casi dos millones de personas huyeron despavoridos al Congo.

—¡Dos millones! —exclamó asombrado Samuel.

—Los números son espeluznantes. Para que os hagáis una idea, desde que comenzó el genocidio hasta que el FPR entró en Kigali ochocientas mil personas, en un gran porcentaje, tutsis, fueron descuartizadas, violadas, asesinadas, quemadas, ahogadas... La mitad de la población tutsi del país fue aniquilada en sólo tres meses.

—Dios mío... ¡qué locura! ¡Es inconcebible! —exclamó asustada Alma.

—Reitero mi intención de contaros esto para que sepáis de donde partimos, ¿de acuerdo? Ya ha habido demasiados años de lamentos. Sólo quiero poneros en antecedentes.

—De acuerdo, Odile —dijo Samuel—. Tengo una pregunta que me está rondando por la mente desde hace rato. Las guerras que vivimos en la actualidad normalmente son causadas por las diferentes maneras de ver la vida, según la religión, aunque nunca es esa la verdadera razón, siempre es económica. Pero nos lo venden así. Ruanda, ¿sigue siendo una nación cristiana desde que el rey tutsi la aceptó?

—Aquí, tanto hutus, como tutsis, somos todos cristianos.

—Y aun así...

—Como tú bien has dicho, todo es por dinero. Recuerda que en Ruanda se 'limpian', incluso ahora, en la actualidad, miles de toneladas de minerales muy valiosos, procedentes del vecino Congo. Desde diamantes, pasando por el codiciado coltán, mineral clave para la fabricación de los *smartphones* actuales. Es el mayor productor del mundo de cobalto mineral y de cobre, además de tener grandes cantidades de oro. Su bendición, los recursos naturales, también es su maldición y desde que los belgas se fueron del país, el Congo se ha visto sumido en guerras internas para controlar la extracción de minerales por todo el territorio, especialmente en la zona colindante con Uganda y con Ruanda. De hecho, ahora mismo, esa zona es la más peligrosa del mundo, donde hay más de cuarenta grupos armados y dicen los rumores, muchos de ellos financiados por nuestro gobierno y el del vecino Uganda. Pero esto sólo os lo confesaré a vosotros.

—Siempre es lo mismo, siempre es por dinero, aunque lo disfracen de guerra santa o étnica —confirmó Samuel.

—Aquí se usó a Dios y a la religión para justo lo contrario a lo que se supone que enseñan. En nombre de Dios, los hutus radicales cometieron los asesinatos más horribles, incitando a la población a que acabaran con nosotros porque Dios estaba de su lado y deseaba su exterminio.

—Todas las guerras son una locura colectiva —afirmó Samuel.

—Absolutamente todas. Y, si introduces el factor miedo en la sociedad, puedes manejarlas a tu antojo. No es fácil relacionar el miedo con el odio, no es una relación directa ni sencilla de ver, pero si lo analizáis, todo odio, toda rabia, toda sed de venganza, nace de un miedo, de un miedo a que te quiten tu propia vida, o la de tus familiares, o que te dejen sin comida ni agua o miedo a que alguien vengue algo que tú o alguien de tu familia ha hecho. Miedo, siempre miedo. Es el sentimiento negativo más poderoso que existe, es el arma más extraordinaria, infalible, discreta, penetra en las mentes y los corazones de las personas sin hacer ruido y los destruye por dentro.

Samuel y Alma meditaron durante algunos minutos sobre lo que Odile les transmitía.

—¿Sabes Odile?

—Dime, Alma.

—Me acabo de dar cuenta de que el miedo es el motor de la mayoría de los gobiernos del mundo, incluido el de nuestro país. Nos infunden miedo a lo diferente, a lo que no conocemos, a lo extranjero y de ahí surge el odio y la lucha. Nuestro país está dominado por el miedo, miedo a los terroristas árabes de todo el mundo, miedo a China, miedo a los inmigrantes de América Latina, miedo, miedo, siempre miedo. De hecho, la mayoría de la gente elige a un representante que es el que más miedo le ha suscitado, casi siempre es así. No importa el país que observes, siempre se cumple.

—Una visión muy sabia, Alma. Así es. Aquí no inventamos nada que no pasara antes en el resto del mundo, incluso siglos atrás. Fíjate que, hace dos mil años, ¿por qué mataron a Jesús?

—Por miedo... —contestó rápidamente Alma.

—Exactamente, por miedo. Pero no un miedo a que él los pudiera matar... es mucho más sutil, miedo a que todo lo que estaba establecido se derrumbara, así, el poder que residía en unas pocas manos se tendría que repartir entre otras muchas. Tenían miedo a creer que la gente, de repente, despertara de su letargo y quisiera acabar con sus gobernantes. Por eso lo mataron.

—Estoy segura de ello.

—Por miedo degenerado en venganza, muchos hutus murieron tras la usurpación del poder en el gobierno por parte de los tutsis. Nada comparado con lo que ocurrió contra nosotros, pero también se estima que murieron más de cien mil personas a lo largo de los siguientes meses.

—Me parece increíble que este país siga en pie —apreció Samuel.

—Como dato final, para que sepáis la magnitud de la tragedia, en los siguientes 15 años, se ha juzgado a un total de dos millones de hutus.

—Pero, ¿cómo es eso posible? —dijo abrumada Alma.

—Gracias a que se reintrodujeron los tribunales *gacaca*, tribunales populares que se instauraron en cada pueblo, con representantes nombrados por la propia población y en los que se escuchaban a ambas partes y se decidía, según una tabla de castigos de cárcel establecidos por el gobierno, si entraban en prisión y por cuanto tiempo.

—Dos millones de acusados... Dios, es como si los ciudadanos de seis Pittsburgh se convirtieran, de repente, en sospechosos de asesinato.

—¡Seis Pittsburgh! ¡Buff! Esto es demasiado para mi... —dijo Alma frotándose los ojos e inspirando profundamente.

—Paramos si queréis —sugirió Odile.

—No, no... mejor, terminemos cuanto antes —declaró Alma.

—Bueno, sólo quería añadir, como preámbulo de la realidad que vais a ver ahora, la historia de este hotel.

—¡Es verdad! ¡Por favor, adelante! —dijo Alma.

—El genocidio pudo ser mucho más reducido, si las fuerzas de Bélgica que estaban aquí y las francesas de la Unión Europea que se desplazaron, hubieran intervenido.

—Supongo que no hicieron nada —dijo Samuel.

—Sí, sí que hicieron, algo completamente inesperado —Odile hizo una breve pausa para hidratarse—. Bien, cuando el genocidio estalló, en este hotel belga, trabajaba un hombre de etnia hutu llamado Paul Rusesabagina, que estaba casado con una tutsi, lo cual le convertía en un traidor. El día siguiente al que comenzaron las matanzas por todos los rincones del país, Paul se llevó a su familia y a familias de vecinos tutsis a este hotel. Durante los más de los tres meses que duró el genocidio, más de 1.200 personas estuvieron a resguardo aquí. En él había unos pocos periodistas extranjeros, soldados de la ONU, turistas franceses y belgas y el resto tutsis que lograron escapar de la muerte. Paul se las ingenió para negociar todo lo que pudo con los asesinos que cada día venían a este hotel a acabar con las cucarachas. De hecho, Paul cuenta que en una ocasión un jefe del ejército presidencial le dio una pistola y le dijo que acabara con todos, empezando por su mujer y su hijo.

—Dios mío… eso es verdaderamente horrible —exclamó Alma sujetándose la cabeza e inclinándose hacia el suelo.

—Creo que conozco la historia. ¿Este hotel es el de la película "Hotel Ruanda"? —pregunto Samuel.

—Sí, aunque no está rodada aquí.

—Es una historia muy dura e impactante —añadió Samuel.

—A los pocos días de estallar el conflicto —continuó Odile— los soldados franceses se llevaron a todos los extranjeros del hotel. Al poco, a los periodistas y, por último, a los soldados que quedaban de la ONU. Paul se quedó solo frente al peligro. Ni siquiera salvaron a su mujer y a sus hijos que intentaron sin éxito huir por otros medios. Aun así, salvó a todas las personas que quedaron de morir a machetazos. Este hotel fue el único sitio de Ruanda donde no hubo derramamiento de sangre.

—¡Buff!… —resopló Alma. Un escalofrío recorrió su espalda.

—El pobre Paul ha terminado exiliado de Ruanda, amenazado por el actual gobierno debido a sus duras críticas lanzadas contra Kagame y sus venganzas y buscado por los hutus repartidos por el mundo para acabar con él —informó Odile—. Una vez contó en una entrevista que unos africanos que iban en coche le sacaron de una carretera en Bélgica donde vivía y se empotró contra un camión. Se salvó de milagro

—¡Madre mía! O sea que acabó odiado por todos los bandos —afirmó Samuel.

—Incluso hubo personas que a pesar de haber sido salvadas por él, le criticaban por haberse dado tanta importancia para engrandecer su figura para la película —añadió Odile.

—Las historias contadas por Hollywood no suelen ser nunca muy fidedignas —admitió Samuel.

—Ni la ONU, ni las Naciones Unidas, movieron un dedo para evitar la matanza —explicó Odile—. Ese hecho, también ha sido clave para lo que está ocurriendo hoy en día en este país. Lo que sí hicieron fue que, tras los tres meses de caos, cuando el FPR retomó el poder llegaron miles de soldados franceses y belgas de nuevo, pero, en lugar de parar las muertes, sólo estuvieron para hacer un cordón de seguridad y que todos los hutus huyeran del país de forma segura, hasta el Congo.

El ejército APR no pudo capturar a los asesinos del genocidio porque se escabulleron entre los más de dos millones de desplazados. Aun así, durante los primeros años después del genocidio, guerrillas tutsis han realizado varias incursiones en el Congo para aniquilar a cientos de miles de hutus como venganza. Se calcula que unos 350.000 en total. Ahora todo aquello queda lejos.

—¡No puedo más! No entiendo por qué mi padre nos ha hecho venir aquí. Esto que estás contando Odile, es terrible. Me estoy sintiendo muy incómoda, creo que no quiero saber nada más —dijo exhausta Alma.

—Lo siento mucho, Alma. Era necesario para que os hicierais una ligera idea de cómo estábamos hace tan sólo veinticinco años.

—¿Ligera?

—Sí, los detalles son mucho peores que lo que os he contado con grandes números —aclaró Odile.

—Lo sé, pero, ¡no entiendo por qué tenemos que saber nosotros todo esto! ¡Es horrible! ¡Es que ya no aguanto más!

—Está bien, ya os he contado casi todo lo que quería para que estéis preparados para aprender la gran lección que la gente de Ruanda os puede ofrecer para el resto de vuestras vidas.

Alma se quedó mirando a Odile sin decir nada. Odile, con gesto amable, hizo una pequeña mueca a Alma.

—Bueno, ¿nos vamos a tomar el aire?

—Sí, ¡por favor! —aceptó Samuel, levantándose de un brinco. A Alma que todavía seguía afectada, le costó un poco más levantarse.

—¿Dónde nos llevas ahora? —preguntó Samuel.

—Vamos a ver un poco la ciudad. ¿Os apetece?

—¡Sí! —contestó Samuel. Alma permaneció sin decir palabra.

Odile se subió a su *pick-up*, Samuel y Alma se subieron a continuación.

—Bueno, Kigali no tiene monumentos que llamen la atención, tan sólo uno que, hoy, seguro que no vamos a verlo.

—¿Cuál es? —preguntó Samuel intrigado.

—El que está dedicado al genocidio —respondió Odile.

—No, mejor que no —respondió Samuel, mirando de reojo a Alma.

—Eso mismo pienso yo. Se acabó el pasado, ¡vamos a ver vida!

Al salir del hotel, señaló al edificio de oficinas que vio Alma cuando llegaron la noche anterior.

—Mirad, este es parte del distrito moderno de la ciudad, donde se han empezado a establecer cientos de empresas extranjeras, que ven a Ruanda como la puerta de entrada a África —explicó Odile, agachándose para ver la envergadura del edificio.

—¿Es seguro el país ahora? —preguntó Alma, que poco a poco recobraba el ánimo.

—Desde luego. Podríamos ir andando a cualquier parte, pero así pasaremos menos calor. ¡Hoy el sol calienta mucho!

Odile paró en una plaza redonda, con un gran jardín en el centro y una bandera de Ruanda ondeando en un mástil. Bajo un árbol, un grupo de personas se reunían para celebrar algo, por lo que indicaban sus trajes de fiesta.

—¿Qué es esto, Odile? —preguntó Samuel.

—Esta es la plaza de la Unidad Nacional. Aquellos de allí están celebrando una boda. Es muy típico aquí hacer este tipo de celebraciones al aire libre. El gobierno ha hecho mucho hincapié en crear una identidad nacional que nos una a todos bajo la nueva bandera que veis allí.

—Es muy bonita. Me gusta la combinación de colores.

—Desde luego, es mucho más bonita y amable que la anterior, que todavía recordaba a Europa. El detalle del sol resplandeciente siempre me ha gustado mucho.

Odile dio la vuelta a la rotonda y avanzó unos cuantos metros, hasta parar frente a un enorme edificio.

—Este es el ayuntamiento de Kigali. No tiene nada de especial, pero mirad todos los grandes edificios que tiene a su alrededor, todos bancos. La actividad económica de Ruanda está en plena ebullición. ¡Por cierto! aquel de allí —dijo apuntando con el dedo al lado contrario de donde estaba el ayuntamiento— es mi café preferido. No os podéis ir de aquí sin probar el mejor café del mundo, ¡el ruandés!

—¡Ya lo hemos probado! ¡En el desayuno! y te confirmo que es el mejor que hemos probado jamás —exclamó Samuel.

—Se está invirtiendo ingentes cantidades de dinero en plantaciones de café y somos uno de los mayores exportadores del mundo —informó Odile.

—Yo me llevaré unos cuantos paquetes para que Robert los pruebe —dijo Alma.

—Bueno, esta es la parte moderna, ahora vamos a ver la más mundana de la ciudad. El barrio de Remera.

Odile se introdujo en el tráfico, un poco más denso, de la zona. Paró muy cerca de un edificio que parecía un mercado.

—Éste es el mercado municipal. Aquí hay absolutamente de todo. Yo compro aquí siempre.

Alrededor del edificio principal, decenas de pequeños puestos ofrecían alimentos, ropa y artículos de primera necesidad. El entorno bullía de gente por todos los sitios.

—¿Es siempre así? —preguntó Alma alzando la voz para que Odile, que estaba a unos metros por delante, le oyera.

—¡Casi siempre!

Samuel, de repente, se giró hacia su hermana y le tiró de la camiseta señalando una tienda en una esquina, en la que había dos peces dibujados y en el centro de ambos, aparecía el nombre del establecimiento: *The blessed fish. God bless you.*

—Bonito nombre para una pescadería —bromeó Samuel.

Dentro de la nave principal aún había más bullicio si cabe. La nave era una gran techumbre metálica soportada por pequeños pilares de madera. Gracias a su gran altura, unos cinco o seis metros, el calor acumulado casi no se apreciaba. Los puestos estaban uno junto al otro, apenas había separación entre ellos, como en cualquier mercado de Europa. Allí se encontraban puestos con toda clase de verduras, frutas, hortalizas, legumbres…

—¡Tiene un aspecto impresionante!

—La tierra en Ruanda es muy fértil.

—¡Ya me gustaría a mí tener un mercado así en Miami! —certificó Alma.

—Anda que en Pittsburgh, que para encontrar un tomate que sepa a tomate, ¡tienes que pagar un dineral! —agregó Samuel.

La mayoría de las personas que atendían en los puestos eran mujeres, aunque también había algún que otro hombre.

—Desde que hemos salido, veo a muchísimas más mujeres que hombres —observó Alma.

—Tras el genocidio, quedaron muchas más mujeres y hemos copado la mayoría de los espacios reservados para los varones. De hecho, tengo una amiga que ha creado un grupo de percusión, sólo de mujeres de todas las etnias y lugares. Hasta hace bien poco, los tambores y timbales, sólo eran tocados por hombres. Esto es sólo un pequeño ejemplo de la revolución femenina que se está produciendo en Ruanda.

—Pero, ¿por qué quedaron muchas más mujeres que hombres? —preguntó ingenuamente, Alma.

—No lo quieras saber, Alma.

Alma se quedó parada, pensando en la respuesta. Decenas de cosas se le pasaron por la cabeza, ninguna buena, así que prefirió hacerle caso a Odile y no indagar más en el tema.

—Se me está ocurriendo que vayamos a otro tipo de mercado, de objetos de artesanía. ¿Qué os parece? —ofreció Odile.

—¿Artesanía? ¡Sí por favor! —gritó Alma. Samuel se encogió de hombros, indicando que no le importaba.

Los tres subieron al coche y se dirigieron al distrito de Kiyovu. Llegaron hasta un sitio lleno de pequeñas casas de madera, pintadas con llamativos colores, en azul, verde y amarillo, los colores de Ruanda. A la entrada, en el lateral de una de las casetas, rezaba: *Caplaki, cooperative des artistes plasticiens de Kigali*[3].

Esta es una de las iniciativas que el gobierno de la ciudad ha lanzado en los últimos años. Es una cooperativa de artistas artesanos. Se está fomentando mucho el turismo internacional y los objetos artesanales son de lo más codiciado por todos los que nos vienen a visitar. Aquí os vais a pasar un buen rato mirando. Luego, si os apetece, comeremos. Yo estaré dando una vuelta por aquí cerca, hay un parque ahí detrás al que me gusta mucho ir —dijo señalando unos árboles que había detrás de las casetas.

—De acuerdo, Odile. Muchas gracias. Daremos una vuelta, a ver lo qué nos encontramos —apuntó Alma.

—Yo no creo que compre nada —afirmó Samuel.

Los dos hermanos recorrieron caseta por caseta, a cada cual más diversa en cuanto a los artículos que vendía. Había bolsos, vestidos,

---

[3] Trad. del francés: Caplaki, Cooperativa de los artistas plásticos de Kigali.

pañuelos, alfombras, cerámicas decoradas con colores llamativos, miles de máscaras, abalorios, figuras talladas en madera, gorilas de distintos tamaños...por haber, había hasta puntas de lanza imitación de las originales con las que se cazaba. Alma se volvió loca con tantas cosas atractivas y, según palabras de su hermano, compró media cooperativa. En realidad compró un detalle para cada hija, para Robert y para Flora. Samuel tampoco se fue con las manos vacías, de hecho, se enamoró de un pequeño hombre tallado en madera negra, de unos veinte centímetros, con la cabeza desproporcionada con respecto al cuerpo, grandes ojos cerrados y una enorme boca pintada de color dorado toda ella. El cuerpo, desnudo, tenía las piernas más cortas que los brazos y estos, terminaban apoyados en la cintura. A Alma le horrorizó la elección de su hermano, que estaba completamente entusiasmado con el diminuto varón.

—Fíjate bien, Alma. Es igual que las figuras precolombinas de América latina. ¿No te parece extraño? Quizás los ojos y la boca sean más grandes, pero es casi igual que esas figuras. ¿Sabes cuáles son?

—No, y ni quiero saberlo. Me da escalofríos cuando lo miro. No lo saques de la bolsa en todo el viaje, por favor te lo pido.

—Vale, de acuerdo, no lo sacaré. Si te lo encuentras fuera, a lo mejor es que ha querido salir él mismo.

—¡Samuel! No empieces con tus tonterías que luego no pego ojo.

—¡Ja, ja, ja! Si es que eres la misma niña que eras...

—Y tú el mismo niño memo de siempre. Anda, si quieres comprarla, cómprala y que la metan en una bolsa —dijo Alma molesta.

Samuel le pidió una bolsa para llevarla al chico que les atendía.

—Lo siento señor, como mucho puedo darle una de papel. En Ruanda las bolsas de plástico están completamente prohibidas. Si llevan una mejor la escondan, si no la policía se la quitará —advirtió el chico.

—Mira, eso está muy bien —dijo Alma—. Podrían tomar ejemplo en todo el mundo.

Cuando habían decidido que ya era suficiente, Samuel entró en la última de las casetas de madera. Allí una mujer muy mayor le saludó sonriendo, enseñando el único diente que le quedaba. La tienda estaba un poco menos iluminada que el resto y sólo vendía máscaras tradicionales ruandesas. Samuel había estado viendo otras máscaras en el resto de tiendas y había decidido quedarse únicamente con el hombrecillo de la cabeza desproporcionada, pero, aun así, se sintió atraído por las de aquella tienda. Estuvo revisando una por una, pero ninguna le gustaba demasiado.

En el momento en que se despedía de la anciana y se disponía a salir por la puerta, la mujer hizo una especie de silbido para llamarle la atención. Samuel se giró de inmediato y la pequeña ruandesa le hizo señales con la mano para que se acercara de nuevo. Samuel, dudando, se aproximó hacia ella. Le sonrió, se levantó de la silla en la que estaba sentada con una agilidad inesperada y de detrás de una gran máscara que parecía un pájaro, apareció otra diferente que enseguida atrajo el interés de Samuel. La mujer señaló varias veces a la máscara y luego a él insistentemente, como si supiera que le estaba destinada. Sorprendido por lo acertado de la elección se acercó para mirarla con detenimiento. Era de color ocre y tenía pelo confeccionado con unas cuerdas trenzadas del mismo color, que imitaban el cabello a la perfección. Representaba a una persona de nariz muy estrecha y barbilla puntiaguda. Sus cejas eran curvadas y simulaban las alas de un ave. Lo que más llamaba la atención eran los ojos, que recordaban a un grano de café, quizás un poco más alargados. Estaban semi-abiertos, lo que le diferenciaba del resto de máscaras que, o bien los tenían completamente abiertos o cerrados. Se acercó para observarlos con más detalle y le pareció que le miraban fijamente, pese a no tener pupilas talladas, sólo el espacio que dejaban los dos párpados. Samuel se movió de un lado para el otro.

—Parece como si me siguiera con la mirada…

Por último, Samuel se fijó en los símbolos tallados. En cada prominente pómulo, debajo de los ojos, tenía una estrella de seis puntas hecha a base de sencillas líneas sin volumen. Que hubiera estrellas en una máscara llamaba poderosamente la atención a Samuel.

Fijándose un poco más, se sobresaltó de repente. Su corazón comenzó a palpitar a toda velocidad.

—No puede ser… —dijo en voz baja.

Se giró hacia la anciana, que lo observaba desde su silla, buscando algún tipo de explicación. Lo que había encontrado eran dos líneas que surgían desde cada uno de los ojos y se unían con una central que subía por la nariz, hacia la parte superior de la frente. Las líneas, muy juntas, se adentraban en el cráneo y se perdían en el pelo. Por alguna extraña razón, estas líneas le recordaron inmediatamente al hilo de luz que vio tras su muerte. Eran demasiadas coincidencias: estrellas, líneas que suben hacia la parte superior de la cabeza… y, para rematar, la anciana tenía claro que esa era la máscara para Samuel. Desde luego no era ningún experto en máscaras, pero ninguna de las que había visto en otras tiendas se parecía a aquella en algo. Ésta era especial.

—Esta máscara era para mí. Es como si me hubiera estado esperando —dijo sujetándola con sus manos—. ¡Señora! —gritó hacia la anciana— ¿Puedo hacerle una pregunta?

Ella hizo gestos indicando que no le entendía.

—Qué pena que no me entienda, me encantaría saber de dónde procede… —dijo para sí mientras miraba y remiraba la máscara desde todos los ángulos— ¡Me la llevo! ¿Cuánto es, señora?

La anciana volvió a agitar las manos, haciéndole entender que no le entendía ni una palabra. Samuel hizo el gesto internacional de frotarse el dedo índice y corazón, con el dedo gordo, para que la mujer le dijera el precio. La anciana volvió a repetir los mismos ademanes. Samuel, volvió a revisar la máscara, para ver si tenía algún precio.

—Se le ha debido caer, porque las demás sí que lo tienen pegado.

Sin saber muy bien cómo hacérselo entender, sacó la tarjeta y, señalándola, volvió a preguntarle:

—¿Cuánto? —preguntó mostrándolo. La anciana cambió un poco el gesto que repetía sin cesar y pareció como que no quería cobrarle—. ¿No me va a cobrar? ¿No quiere cobrarme? —preguntó mientras hacia el gesto de llevársela fuera de la tienda.

La anciana, al ver que no se entendían, se levantó de un salto de la silla, cosa que volvió a asombrar a Samuel, y le empujó con suavidad hasta la salida.

—¿En serio no me quiere cobrar nada? —insistió Samuel, mientras la mujer lo llevaba a la salida.

Cuando llegaron al quicio de la puerta, la mujer agitó la mano derecha hacia el exterior, indicándole que se marchara sin pagar.

Samuel, extrañado por el comportamiento de la señora, le agradeció el regalo, haciéndole una pequeña reverencia. La mujer finalmente sonrió el gesto de Samuel y volvió a indicarle que se fuera. Sin esperar a que él se marchara se dio media vuelta y volvió de nuevo a su silla.

Samuel miró la máscara a la luz del día. Le pareció aún más llamativa y extrañamente bonita. Alma le llamó a unos cuantos metros de distancia.

—¡Sam! ¡Sam! —Samuel levantó la mirada y se acercó a su hermana— ¡Sam! Necesito tu opinión. ¿Cuál te gusta para mí este pañuelo morado o este otro verde?

Todavía asombrado por lo que le había ocurrido, no prestó atención a lo que Alma le trataba de decir. Alma, al comprobar que no le hacía caso, volvió a llamarle.

—¡Sam! ¿Qué te ocurre? ¡Te estoy hablando!

—Eh… ¡Sí! perdona, es que me ha pasado una cosa…

—Bueno, me vas a ayudar o no, ¿el verde o el morado? —insistió de nuevo, enseñándole los dos pañuelos.

—Los dos, cómprate los dos, Alma —respondió casi sin mirarlos.

—Sam, ¿se puede saber qué te ha ocurrido?

—Pues… algo muy raro, Alma.

—Cuando tú dices "algo raro", me echo a temblar. Cuéntame qué te ha ocurrido.

—Pues, verás… he entrado en aquella tienda y me ha atendido una señora muy mayor. Es una tienda de máscaras. He estado echando una ojeada y no me convencía ninguna y, cuando iba a salir, la mujer me ha llamado y me ha enseñado ésta —dijo enseñándole la máscara— escondida detrás de otra con forma de pájaro.

—Sam, yo no duermo con eso en la misma habitación. Menudas dos cosas te has comprado, ya podrías haberte comprado una camisa, o una mochila… algo más normal —dijo Alma acompañándolo con el gesto del entrecomillado.

—No, si no la he comprado.

—¿La has robado? —dijo asustada.

—¡Qué dices! ¿Me crees capaz de algo así? ¡Me la ha regalado ella!

—¿Cómo? ¿En serio? —dijo Alma impresionada.

—De verdad, no me la ha querido cobrar. Un poco más y me echa de la tienda a patadas.

—Yo quiero ver a esa mujer.

—Vamos si quieres.

Alma acompañó a Samuel de regreso a la caseta de la tienda. Cuando estaban ya cerca, Samuel puso cara de extrañado, porque no recordaba que hubiera cerrado la puerta al salir. Al llegar, empujó la puerta para entrar y estaba cerrada.

—Pero… si acabo de estar dentro… —dijo titubeando.

—Sam, ¿estás seguro de que era ésta?

—¿Cómo no lo voy a estar, Alma? ¡Acabo de salir de ella!

—Sí, sí sería raro, pero como yo no he visto en cuál has entrado...

A Samuel le entró la duda y se asomó por la ventana. Efectivamente, ésa era la tienda de máscaras donde había estado.

—Sí, sí, es ésta. Sin duda.

Extrañados, se separaron de la caseta unos metros y la revisaron por los costados. En ese momento, un hombre de la caseta más cercana, viendo que estaban intentando entrar, les gritó:

—¡Se ha ido a comer! ¡Volverá enseguida!

—¡Ah! ¡Muchas gracias! —respondió Samuel, también gritando—. Menos mal, me había imaginado de todo —le dijo a Alma.

—Pues sí, desde luego contigo cualquier cosa puede pasar.

El hombre de al lado, al ver que no se movían, se acercó.

—Si esperan un cuarto de hora, como mucho, ya habrá vuelto de comer.

—¡Pues sí que come rápido! —exclamó sorprendido Samuel.

—Hombre... rápido, rápido... se ha marchado hace una hora, más o menos.

Samuel, se quedó paralizado por unos segundos. Luego le preguntó.

—Pero... si acabo de comprar, bueno, de comprar no... bueno, que acabo de estar ahí dentro, hace cinco minutos.

—Pues... no sé. Pero Pascal se ha ido hace una hora — informó el hombre.

—Disculpe, ¿Pascal es nombre de hombre o de mujer? —preguntó muy extrañado.

—De hombre por supuesto. Pascal es mi amigo y es hombre.

Samuel no entendía nada.

—Pero... si me ha atendido una señora mayor.

—Pues... aquí no trabaja nadie tan mayor.

—Tenía un sólo diente, abajo.

—No sé quién le ha podido atender, pero no hay nadie con esa descripción trabajando aquí, se lo puedo asegurar porque nos conocemos todos, somos una pequeña familia.

—No puede ser. Acabo de estar ahí dentro y he adquirido esta máscara —dijo enseñándosela.

El hombre tomó la máscara y se quedó mirándola con detenimiento.

—Esta máscara no es de por aquí. No había visto ninguna así nunca y, créame, sé de máscaras.

Samuel, turbado por lo que estaba pasando, agarró la máscara de nuevo, se despidió del hombre un poco contrariado y se volvió a la puerta de la tienda para intentar abrirla de nuevo. Al ver que no lo conseguía, se volvió a asomar por la ventana, para comprobar que era esa la tienda. Estaba todo allí, hasta se veía la silla donde estaba la anciana sentada. Samuel se giró hacia su hermana, con cara de enfado y le dijo,

—¡Vámonos!

—¿Qué te ocurre, Sam? —preguntó desconcertada.

—¡Nada!

—¡Sam! ¡Dime qué te pasa! —insistió.

—¡Nada! ¡Vámonos ya! —dijo sin dejar de andar.

—¡Sam! ¿Quieres parar de una vez? ¡Para! —dijo apretando los puños y plantándose en seco sin moverse.

Samuel se paró también, cabizbajo. Inspiró profundamente y se quedó mirando a la máscara. Alma, al ver que no se movía fue a su encuentro.

—Sam, ¡dime qué te ocurre!

—Alma, sé que me han pasado cosas muy raras.

—Muchas —confirmó Alma.

—Yo, después de lo de la ayahuasca, estoy abierto a todo. Casi te podría jurar que después de lo que vi y sentí ahora me creo casi todo lo que me cuenten siempre y cuando me cuadre, claro. Pero, me da rabia cuando Dios, la fuerza superior o como quiera que se llame, juega conmigo.

—¿Crees que ha estado jugando contigo?

—Sí. Si no fuera así, ¿por qué razón haría que una mujer que no existe me regalara una máscara extraña?

—Pero… ¿Y qué habrías preferido?

—¡Pues no sé! Al menos saber que no estoy hablando con una persona y sí con un espíritu.

—Y ¿qué habrías hecho diferente?, suponiendo que has hablado con uno, cosa que me deja perturbada a más no poder —parpadeó rápidamente varias veces, arqueando las cejas.

—Le preguntaría algo.

—¿El qué, si se puede saber?

—¡Por qué estoy vivo! —gritó enfadado mirando al cielo.

Alma se quedó petrificada. No se esperaba una respuesta así. Escucharla le produjo un profundo dolor, al pensar que su hermano todavía deseaba estar muerto. Ella había supuesto que Samuel había mejorado enormemente, pero al parecer se equivocó. La cara que puso, la delató por completo.

—Y ahora, ¿qué te pasa a ti?

—Que me entristece lo que dices.

—¿Por qué dices eso? —dijo muy sorprendido.

—¿Que por qué lo digo? ¿Tú que crees? —replicó muy molesta por la actitud de Samuel.

—Pues... ni idea, por eso te pregunto —respondió Samuel encogiéndose de hombros.

—¡Porque preferirías haber muerto! —dijo gritándole a la cara.

Samuel se quedó con cara de póker. Alma se había girado para no mirarle a la cara, resoplando y agitando suavemente su cabeza.

—¿Sabes Sam? Creo que me vuelvo a casa —dijo sin mirarle. Samuel no respondió nada—. Esto no tiene ningún sentido. Robert me necesita allí y estoy aquí, perdiendo el tiempo. Parece que lo que nos preparó papá no ha surtido ningún efecto. Yo creo que ya no merece la pena seguir. Me vuelvo a casa.

—Alma... —dijo de forma condescendiente.

—¡Déjalo, Sam! Estoy muy cansada... No sé ni por qué te convencí de venir a la otra punta del mundo. ¿Qué pintamos aquí, en mitad de África? Le voy a escribir al albacea y le voy a decir que lo dejo.

—Alma... —repitió Samuel, esperando a que su hermana le hiciera caso.

—¿Qué? —respondió completamente girada hacia el lado contrario.

—Alma, sé que te confesé que, por mí, me habría quedado en aquel lugar cuando morí. Estaba tan bien, tan libre, me sentía tan amado, que no lo habría dejado por nada.

—Haberte quedado si era lo que querías —sentenció Alma.

—No me pude quedar, me devolvieron aquí. Pero ahora tengo la necesidad imperiosa de saber por qué me ocurrió. Quiero saber por qué volví.

—La pregunta que te estás formulando es equivocada.

—¿Cómo dices? —respondió perplejo.

—La pregunta no es "por qué" —contestó Alma girándose para verle, al fin—. La pregunta que debes hacerte es "para que". Para qué estás aquí. Esa es la pregunta que deberías hacerte si quisieras hallar respuestas.

—Para qué estoy aquí… —repitió Samuel en voz baja.

—Exacto, es el para qué el que tienes que buscar, no la razón de por qué estás aquí…

—Tienes razón Alma —dijo mirando hacia el suelo, meditando lo que acababa de transmitirle.

—Bueno, creo que hasta aquí hemos llegado. Yo me vuelvo a Miami.

—Alma, no lo hagas.

—¿Por qué me iba a quedar?

—No por qué, sino para qué —respondió parafraseándola.

Alma se quedó mirando a Samuel. Tras unos interminables segundos, Samuel sonrió. Alma hizo lo mismo.

—Anda, ven aquí y dame un abrazo.

—Eres un desagradecido.

—Pero, ¿por qué me atacas ahora?

—Por qué, no…

—¡Para qué! ¡Ja, ja, ja! —rio Samuel, provocando la risa de Alma, que accedió finalmente a abrazarse a él—. Alma… No quiero que creas que me apetece morir de nuevo. Yo quiero estar aquí, pero me corroe el no saber la razón de seguir en este mundo.

—Sam, tienes que tener paciencia. Confía en que, si has vuelto, es para que hagas algo, o para que aprendas algo, no es necesariamente que sea algo que tengas que hacer antes de morir, quizás es, simplemente, aprender una lección que te quedaba pendiente.

Samuel reflexionó sobre lo que le había dicho Alma. Quizás sólo fuera eso, que asimilara una lección de vida que no había aprendido en el momento de haber muerto. Desde luego, él creía que había aprendido muchísimo desde entonces y tan sólo habían pasado unos días.

—Tienes razón, Alma. No he tenido ni la más mínima paciencia. Creo que me está costando asumir todo lo que me ha pasado. Al menos más de lo que había creído en un principio.

—Pensaba que te habías iluminado o algo parecido. Me reconforta saber que todavía eres humano.

—Muy graciosa... Pues no te despistes, hermanita, porque ya he tomado la delantera.

—Hombre, normal, jugando sucio.

—¿Cómo que jugando sucio?

—Pues sí, has tenido que morir para adelantarme... eso es jugar sucio... —dijo con media sonrisa.

—Pues... ¡ya sabes!

—Olvídalo, prefiero ir a mi ritmo —dijo guiñándole un ojo.

—Entonces, no te vas, ¿verdad?

—Si sacas de la bolsa al muñeco ese, mañana mismo me cojo un vuelo de vuelta a Miami —bromeó Alma riéndose con Samuel—. Bueno, ¿buscamos a Odile y comemos? ¡Yo ya tengo hambre!

—Y yo también. Vamos primero al coche a ver si ha vuelto.

Odile les esperaba apoyada en la *pick-up*. Estaba absorta mirando la pantalla de su móvil, cuando los hermanos llegaron.

—¡Hola Odile! Ya hemos terminado —dijo Alma.

—¡Hola! ¿Habéis comprado muchas cosas?

—La verdad es que sí. Tengo un detalle para cada miembro de la familia —informó Alma—. Mi hermano ha comprado un par de cosas.

—Sí, he comprado un hombrecillo con una gran cabeza —bromeó—. Y esta máscara.

—Déjame ver... —dijo Odile y la examinó unos segundos— No había visto una máscara así antes. No parece de por aquí.

—Eso mismo me ha dicho un hombre de una caseta al verla —Samuel quiso ocultar cómo la obtuvo.

—Muy curiosa... ¿Bueno, nos vamos a comer?

—¡Sí! —respondieron ambos.

—Aquí cerca hay una hamburguesería de muy buena calidad.

—No sé a ti, Samuel, pero a mí me apetece algo diferente, venimos del país de la hamburguesa.

—¡Ah! ¡Sin problema! Conozco un buen restaurante de un chef que cocina platos franceses y también típicos de esta zona. Además, no está lejos de aquí.

—¡Suena muy bien! —exclamó Samuel.

—No se hable más, ¡tengo un hambre atroz! —dijo Alma frotándose la barriga.

En cinco minutos se plantaron en el restaurante L'Épicurien. Por suerte encontraron mesa para los tres.

—Normalmente en este sitio hay que venir con reserva, pero hoy, ¡hemos tenido suerte! —comentó Odile en voz baja una vez que se hubieron sentado en la mesa.

—Y además, ¡al lado de este jardín precioso! —añadió Alma.

La mesa en la que se sentaron estaba ubicada en el porche, en la parte posterior del restaurante. Todo estaba cuidado hasta el más mínimo detalle, se notaba que allí se mimaba el negocio. Junto al porche había un gran jardín, con un camino de piedras que lo atravesaba. El césped estaba en perfecto estado y las plantas de múltiples colores y formas estaban plantadas concienzudamente formando una gama cromática muy variada que combinaba entre sí. La sala interior no era demasiado grande, pero cabían unas diez mesas, las mismas que en el porche. El restaurante no era especialmente lujoso, pero sí muy acogedor. Como nota curiosa, en mitad del jardín tenían preparada una estructura de madera que daba cobijo a una mesa para una pareja, rodeada con una cortina blanca. Durante el día no se usaba, pero, por lo que le contó a Samuel el camarero, por la noche estaba muy solicitada.

Al finalizar la deliciosa comida y mientras esperaban los cafés, Odile quiso indagar sobre lo que opinaban de lo que había mostrado hasta entonces.

—Bueno, chicos, ¿Os ha gustado lo que hemos visitado hasta ahora?

—Sí. Estoy gratamente sorprendida. No me esperaba una ciudad tan moderna y limpia. Tenía una imagen que distaba bastante de lo que nos has enseñado.

—Es cierto —contestó Samuel.

—Y, ¿no os ha llamado la atención nada en particular? —preguntó con aire misterioso.

Alma miró a su hermano para ver si él se había fijado en algo; pero, a juzgar por su cara, tenía la misma expresión de incertidumbre que ella.

Tras un buen rato repasando lo que habían estado viendo, que no era mucho, Samuel se atrevió a decir algo.

—No sé, a mí me ha llamado la atención una pescadería del mercado donde hemos estado, pero no creo que te refieras a eso.

—No… Me refiero a algo mucho más generalizado.

—Necesito tomarme primero el café… —bromeó Alma.

—¿No os habéis fijado que hay mucha gente caminando por la calle?

—Ahora que lo dices, sí. Hay mucha animación.

—Eso es porque Ruanda es un país muy seguro. Me atrevería a decir que es el más seguro del continente.

—¿Incluso para las mujeres? —preguntó Alma.

—Sí, incluso para nosotras —afirmó Odile—. El hecho de que haya más mujeres que hombres en el país ha supuesto un gran cambio en nuestra sociedad. Todavía queda mucho del comportamiento machista africano, pero nada que ver con lo que había. Hay mucho trabajo por hacer, pero hemos avanzado una inmensidad.

—Siempre he pensado que, si hubiera un bien común, África sería un vergel sin igual. Pero parece que de momento la inestabilidad le gana la partida a la paz y a la prosperidad en la gran mayoría de los países africanos —opinó Samuel.

—Es una cosa que jamás he comprendido. Aunque supongo que África va unos siglos por detrás del primer mundo, en cuanto a organización y relaciones comerciales entre los países del continente —añadió Odile—. Es como si ahora estuviéramos como cuando en Europa estaban todos enfrentados, aunque, a decir verdad, han estado así hasta hace bien poco.

—Ojalá se comenzara a crear riqueza para la gente, eso sería la piedra angular de su evolución.

—Has hecho una reflexión muy buena, Samuel. El gobierno actual no es perfecto, tiene sus puntos oscuros, pero lo que sí está haciendo, y que ayuda mucho a la recuperación de la sociedad ruandesa, es generar riqueza para todos. ¿Sabíais que hay muchos extranjeros que vienen a instalar sus compañías? Existen muchas facilidades para hacerlo y es mucho más barato que en la mayoría de países de Europa y América.

—Sí, ya hemos visto los bancos extranjeros que hay aquí —afirmó Alma.

—No sólo han abierto oficinas bancarias, sino que han surgido empresas de nueva creación de todos los sectores —rectificó Odile—. Si la riqueza se reparte, la inestabilidad de un país baja a cotas casi nulas. Eso es lo que pretende este gobierno con Ruanda.

—Está claro, la pobreza genera guerras.

Un camarero les trajo los cafés.

—Uno de nuestros productos estrella es precisamente el café, un generador de riqueza clave para Ruanda. Aquí la tierra es muy fértil y el clima es muy propicio para el cultivo de uno de los mejores cafés del mundo —explicó Odile y añadió seguidamente—. Todo esto, de lo que ahora sois testigos, tiene un protagonista: el Perdón —Odile bebió un sorbo del negro café. Apoyó la taza en el plato y continuó hablando de forma pausada—. La gran lección que Ruanda puede dar a la humanidad es que todo se puede perdonar de verdad. Gracias a que los habitantes de este país tuvieron la voluntad de perdonar y perdonaron, hemos podido tener un futuro prometedor. Si ese perdón no se hubiera producido estoy segura de que, ahora mismo, no estaríamos hablando aquí sentados —Odile hizo una pequeña pausa antes de continuar—. No sé si os habréis dado cuenta de una cosa más.

—¿De cuál? —preguntó Alma sin pensar.

—¿Verdad que no habéis notado algo que haga indicar que aquí convive más de una etnia? —preguntó Odile.

—Lo cierto es que no. Para nada —respondió Samuel.

—Pues… actualmente, estamos en las mismas proporciones que cuando estalló el genocidio, puesto que la mayoría de los hutus huidos al Congo han regresado. Pero la sociedad ya no es la misma. La primera medida que se tomó fue la abolición de las etnias y la eliminación de las tarjetas de identificación. De hecho, es ilegal que te lo pregunten en cualquier sitio. Hemos conseguido que convivamos en paz tan sólo veinticinco años después de la horrible matanza.

—Tengo una duda… —interrumpió Samuel— ¿Nos estás diciendo que todo el mundo en Ruanda ha perdonado de corazón y que no hay rencores de ningún tipo? Es que me resulta imposible de creer.

—Lo mismo le pasó a tu padre —contestó Odile—. A él también le resultaba muy complicado, casi imposible, el entender que, como país, Ruanda perdonara lo que ocurrió.

—¿Y lo consiguió? —preguntó Alma de inmediato.

—Sí. Lo consiguió. No fue fácil, porque tuvo que sufrir una catarsis total, pero lo hizo.

—¿Es necesario que estemos los dos en esto? —interrumpió Samuel.

—¿Por qué dices eso, Sam? —dijo sorprendida por la pregunta de su hermano.

—Mira, yo entiendo que papá quisiera lo mejor para nosotros —respondió a su hermana—. Pero yo no soy papá, no tengo por qué hacer las mismas cosas que hizo él.

—¿Te refieres entonces a que no quieres perdonar a George y a Mary? —preguntó Alma intentando entender el comportamiento repentino de Samuel.

—No es que no quiera, Alma, es que no puedo.

—No quieres Samuel, no quieres —insistió Alma.

—Vale, pues ¡no quiero! —explotó visiblemente molesto—. Es una elección mía y debes respetarme —reafirmó Samuel.

Alma iba a responderle, cuando Odile levantó la mano para frenarla.

—Samuel, no hay obligación de hacer nada que no quieras. Si así lo deseas, puedes quedarte en el hotel desde hoy mismo, hasta que os vayáis —dijo Odile tratando de tranquilizarle.

—Creo que eso va a ser lo mejor —ponderó Samuel.

—Yo creo que no —opinó Alma.

—Y yo creo que sí —contestó casi sin dejar terminar a Alma.

—Tranquila, Alma. Todo está bien, no pasa nada —repitió Odile.

—Sí pasa, pasa que todo lo que ha evolucionado se va a ir al garete por su maldito orgullo —dijo mirándole—. Con todo lo que has vivido y todavía no eres capaz de verlo…

—Alma, déjame tranquilo —respondió Samuel sin mirarla, enseñándole la palma de la mano, con intención de detenerla.

—¿Pero no eras tú el que decía que estábamos todos unidos? ¿No eras tú el que decía que lo único que existe es el amor y que todo lo demás es mentira? ¿Eras tú esa persona o ya lo has olvidado?

Samuel se quedó en silencio, respirando con rapidez. Notaba que su cuerpo se había puesto en alerta. El agarrotamiento de la espalda a la altura de la unión con el cuello, viejo conocido de Samuel, apareció en un abrir y cerrar de ojos. Sus piernas temblaban por el movimiento de sus pies, delatando su nerviosismo. Apretó los dientes con fuerza durante algunos segundos, hasta que, finalmente, haciendo un esfuerzo de contención titánico, contestó de forma sosegada a su hermana:

—Alma, yo no soy como papá. Mentalmente soy mucho más fuerte. Él era mucho más débil. Yo no puedo ni quiero perdonarles, sobre todo porque ellos jamás se han retractado de lo que hicieron. Primero tendrían que ser ellos los que me lo suplicaran. Después de eso, me lo pensaría.

—Muy bien hermanito. Veo que has aprendido mucho durante estos viajes… ¡Bravo! Enhorabuena, me quito el sombrero —dijo Alma en tono sarcástico, al mismo tiempo que hacía el gesto de quitarse un sombrero de su cabeza. Después, comenzó a aplaudirle—. Es que ni aun muriendo, ni viendo a Dios como lo viste, te das cuenta de la importancia de perdonar… Dime, Samuel, si según tus propias palabras todos somos lo mismo, si tú no les perdonas, ¿a quién crees que no estás perdonando? Es más, si les condenas, ¿a quién crees que estás condenando? Yo me había tragado ese cuento que me soltaste de que todos estábamos unidos en un mismo punto a Dios, todos éramos uno… de verdad que me lo había creído. Pero veo que tú, no.

Samuel se levantó como un resorte de la mesa, derramando el agua de un vaso y se alejó a toda velocidad, adentrándose en el jardín. El resto de comensales se quedaron mirándole, atónitos.

—Perdona a mi hermano, Odile —exculpó Alma, visiblemente avergonzada.

—No te preocupes, es normal que uno se defienda cuando se siente atacado. Una pregunta, ¿qué has querido decir con que murió y vio a Dios? —preguntó intrigada.

—Fue hace tan sólo unos días. Probó la ayahuasca, unas hierbas alucinógenas del Amazonas y no sabemos muy bien lo que ocurrió, pero tuvo un paro cardíaco. Él vivió lo que vulgarmente se conoce como una experiencia cercana a la muerte. Estuvo varios minutos literalmente muerto —Alma comenzó a sollozar—. Pensé que le perdía, pensé que nunca lo volvería a ver con vida. Pero Dios le dio una segunda oportunidad… y, ¡me fastidia que la desaproveche de esta manera!

—Alma, como dice una frase muy conocida, tú puedes llevar a Samuel hasta la fuente y enseñarle a beber, pero no puedes beber por él. Si no quiere escuchar nada de lo que quiero contaros, está en su derecho.

—Lo sé, pero es que… —Alma se enjugó las lágrimas que brotaban abundantemente de sus ojos—. Sé que lo único que le queda es precisamente esto, perdonar. Tan sólo le queda este paso para que vuelva a vivir una vida plena —Alma sacó un pañuelo de papel de su bolso y se secó las lágrimas—. Sé perfectamente que, si no les perdona, se condenará a vivir una vida miserable de odio y rencor.

—Alma, debes entender que es el paso más duro que existe. El perdón es la puerta que te da paso a una vida en paz, sin odios ni rencores, sin miedos ni ataduras… Pero es una puerta que no te deja ver qué hay tras ella, lo que provoca miedo, miedo a lo desconocido y miedo a que te traicionen una vez que has dado el paso de perdonar. El perdón es básicamente un acto de fe absoluta. Es un paso muy difícil y él tiene que estar preparado para darlo.

—¡Es que sé que lo está!

—Puede que sí, pero el momento lo decidirá él, Alma. No podemos obligarle.

—Lo sé… —Alma se ocultó tras el pañuelo y se dejó llorar—. Si al menos te escuchara… —decía entre lamentos.

—Cuando se le pase el ataque de rabia, hablaré con él.

Samuel todavía sentía mucho resentimiento en su interior. El estómago le ardía y el dolor del cuello había alcanzado su cota máxima. Intentó estirar el músculo, como solía hacer, pero ya estaba demasiado agarrotado para que se relajara y le dejara de doler. Sabía que esto sólo lo paliaba una pastilla de un antiinflamatorio o algo más fuerte. A este estado de nerviosismo se le sumó el sentimiento de vergüenza y de culpabilidad por haberse dejado arrastrar por la rabia y haberse levantado de la mesa de esa manera. Odile no se lo merecía.

—Es que siempre sabe cómo sacarme de mis casillas —murmuró para sí mismo.

Deambuló durante unos minutos por el fondo del jardín. Para tranquilizarse observó con detenimiento todas las plantas que había. Se acercó a un árbol que sobresalía del resto y vio que colgando de una rama había algo que no se podía distinguir con claridad, debido a las abundantes hojas de las ramas inferiores que entorpecían la visión. Se inclinó hacia adelante, casi metiéndose dentro de la pequeña zona vallada donde estaba plantado para verlo mejor. La curiosidad le recomía.

—¡Es un murciélago! —gritó— pero, ¡si es enorme!

De pronto, un recuerdo se le apareció como un flash en su mente. Recordó cuando estaba en la selva con Kunturi y estaban observando con calma lo que había a su alrededor. Aquel fue el momento en el que descubrió al murciélago y a la pantera. En ese instante, recordó la conversación que tanto le había impresionado. Se extrañó de cómo la mente se olvidaba de manera tan rápida de lo que ella quería, incluso de cosas tan impactantes como aquellas. Se acordó de Kunturi hablándole de ver la realidad con los ojos del espíritu.

—¿Cómo es posible que casi lo haya olvidado? —Samuel se quedó pensativo. Vio una roca decorativa y se sentó en ella—. Ver con los ojos del espíritu… Creo que con el dolor de cuello que tengo ahora mismo, los ojos del espíritu los tengo cerrados de par en par… ¡Ayyy! —gimió cuando se pellizcó con la palma de su mano para intentar relajar la zona.

Samuel intentó rememorar la valiosa conversación con el chamán y algunas dudas le asaltaron la mente: ¿Cómo sería su aura ahora? ¿Seguiría siendo morada? ¿El rechazo a lo que Odile quería contarle le habría cambiado su energía tanto como para afectar a su entorno? ¿Estaría ahora afectando a todo con sus pensamientos negativos? Samuel conocía perfectamente la respuesta a todas esas preguntas.

—¿Por qué me cuesta tanto hablar del perdón? —dijo mirando al cielo— ¿Es esto a lo que he vuelto? ¿Es ésta la lección que debo aprender?

Samuel bajó su mirada para enfocarla en sus manos. Desde luego, sabía que la reacción que acababa de tener era más propia del anterior Samuel que del que ahora estaba sentado en aquella roca.

—Parecía que lo había interiorizado mejor, pero enseguida sale mi antiguo Samuel. Se nota que lo tengo bien arraigado… —pensó—. O cambio mi mentalidad de una vez, o estoy afectando negativamente a todo mi entorno, y éste a todo lo demás. Estoy contaminando con mis pensamientos a esta tierra y esta gente no se lo merece.

Inspiró profundamente sin dejar de mirar sus propias manos.

—No creo que me pase nada por escucharla. Hasta ahora mi padre ha acertado en todo. Podría seguir confiando un poco más en lo que eligió para nosotros… —murmuró.

Volvió a tomar aire, miró al cielo de nuevo y se imaginó el haz de luz que nacía desde su nuca y subía hacia el infinito. Se imaginó cortándolo con sus rabias y pensamientos negativos y que caía sin luz, inerte sobre su cabeza. Imaginó una vida en la que no volvería a sentir ese amor que vivió, una vida en el que el sentimiento de soledad le dominase de nuevo junto con el abandono y la apatía sin ilusión alguna… y todo porque decidió no aprender la lección por la que regresó a este mundo.

—A lo mejor merece la alegría, ¿verdad, Vini? —preguntó mirando a su izquierda donde dijo Kunturi que estaba en aquella ocasión. Samuel sonrió pensando que él estaría allí, junto a él, dispuesto a echarlo del cielo las veces que hiciera falta hasta que aprendiese la lección.

Se levantó mucho más sosegado y relajado con intención de volver a la mesa. De camino, un escalofrío recorrió súbitamente su espalda y subió por la nuca. Era la señal inequívoca de que había elegido correctamente. Samuel levantó la mirada de nuevo y, sonriendo, dijo:

—Gracias por esta segunda oportunidad.

Cuando iba a llegar a la mesa se dio cuenta de que el dolor de cuello casi había desaparecido por completo. Jamás, en los miles de veces que le había dolido se le pasó sin tomarse nada. Samuel se quedó estupefacto por aquello.

—Hola... siento el numerito que he montado. Lo siento mucho, de verdad —dijo Samuel mirando a Odile.

—¿Y a mí no me vas a decir nada? —exigió Alma al ver que no la miraba.

—Sí, Alma —dijo en tono conciliador— a ti también te pido disculpas.

—Eso está mejor —asintió Alma con una mueca.

—Tranquilo, Samuel. Anda, siéntate y tómate el café. ¿Quieres que pida otro? Ese estará muy frío.

—No, muchas gracias. Me gusta el café templado o casi frío.

—Como quieras —respondió Odile.

—¿Estás más tranquilo? —preguntó Alma en tono conciliador.

—Sí... mucho más tranquilo —respondió agitando la cuchara del café.

—Sam, todo lo que te digo es porque te quiero y deseo que estés bien —confesó Alma.

—Lo sé Alma. Es sólo que... —hizo una pausa antes de continuar con lo que quería decir— Parece que me obligas a hacer siempre lo que tú quieres y cuando tú quieres y eso me saca de quicio.

—Siento haberte dicho lo que tenías que hacer. Es que hay veces que lo tengo tan claro que veo que te equivocas e intento que no cometas el error.

—Pues déjame que lo cometa, soy ya bastante mayorcito para decidir equivocarme, ¿no crees? —replicó Samuel.

—Tienes razón, Sam. Lo siento mucho, no lo volveré a hacer más.

—A ver si es verdad, porque te lo he dicho decenas de veces, Alma.

—¡Confía en mí, hombre! Haré lo posible por no volver a entrometerme en tu vida y en tus decisiones.

—De acuerdo… te daré un voto de confianza —aceptó finalmente Samuel—. Odile, quiero que sepas que voy a intentarlo. Al menos te escucharé, ¿de acuerdo?

—Perfecto Samuel, acabas de dar un paso de gigante. No te penará el haberlo dado. Te lo prometo —dijo Odile con la mano en el corazón.

—Mi padre… —comenzó a decir Samuel a Odile.

—¿Sí?

—¿Consiguió entonces perdonar a todos?

—Sí Samuel, lo consiguió, aunque no fue nada fácil.

—¿Cuánto le costó? —preguntó Samuel.

—No le costó mucho tiempo, le costó mucho esfuerzo.

Samuel bajó la mirada. Parpadeó rápidamente varias veces, mientras inspiraba para llenar por completo sus pulmones.

—Sam, él quería liberarse de todo aquello, para demostraros a vosotros que se podía hacer. Y te doy mi palabra de que lo hizo. Tuvo que venir hasta África para poder conseguirlo, imagínate lo dispuesto que se encontraba. Jamás cejó en su empeño. Conoció a decenas de personas que aportaron su granito de arena y le ayudaron a avanzar paso a paso. Pero el paso definitivo lo consiguió dar aquí, en Ruanda. Tu padre se hizo muy fuerte mentalmente al liberarse del odio que le maniataba. Hay que ser una persona muy valiente para perdonar y tu padre lo fue. Tu padre se marchó de Ruanda siendo una persona mucho más fuerte y decidida a llevar a cabo millones de ideas que tenía en la cabeza. Nunca paraba de imaginar cosas nuevas, era un torbellino de creatividad.

Samuel se acababa de dar cuenta de que el más débil de los dos era precisamente él, porque era incapaz de perdonarles, en cambio, su padre sí lo fue. Volvió a recordar las palabras de Kunturi de que los ojos del cuerpo ven lo que quieren ver, influenciados por los pensamientos.

—Samuel —continuó Odile—. Si los ruandeses pudieron y tu padre pudo, tú puedes. Todos somos Uno, ¿recuerdas?

Se quedó mirándola, sosteniendo su intensa mirada. Sabía que decía la verdad, él mismo lo sintió así cuando murió. Entonces, ¿Por qué tanta resistencia? No tenía por ahora una respuesta a eso, aunque pronto la descubriría…

Después del accidentado café, los tres se dirigieron de nuevo al coche de Odile.

—Os voy a presentar a una persona maravillosa que ha hecho muchísimo por este país.

Atravesaron toda la ciudad y subieron por una de las colinas que la rodeaba. Por el camino se percibía que era una zona de lujo, por las casas que se intuían por encima de los muros que las ocultaban. En lo alto de la colina, a la entrada de lo que parecía un enorme parque, les aguardaba un señor mayor que llevaba puestas unas gafas con los cristales oscurecidos. Enfundado en un traje gris, camisa a rayas y corbata marrón. Al ver aparecer el coche les sonrió y agitó su brazo en señal de bienvenida. Odile aparcó en un pequeño parking ubicado al borde del monte.

—Este es el parque *Heaven*, como veis el nombre hace honor a las vistas porque parece que estamos en el cielo de la ciudad. Desde aquí se tienen las vistas más maravillosas, no sólo de Kigali, sino del valle que es surcado por el río Nyabarongo, haciendo infinidad de serpenteos desde el lago Rweru en la frontera con Burundi.

—Bueno, vamos a conocer a Pierre —propuso Odile.

Los tres descendieron del vehículo y se acercaron a la puerta del parque donde Pierre les esperaba.

—¡Bienvenidos a Ruanda! —les recibió con una amplia sonrisa—. Soy Pierre, Odile y yo somos amigos desde hace muchos años, ¿verdad Odile? —dijo saludándola muy afectivamente con un abrazo.

—Muchos, Pierre… ¡más de treinta! Chicos, os presento a Pierre Rwanyindo.

Pierre era un hombre que aparentaba tener cerca de los ochenta años, aunque se conservaba joven a juzgar por el saludable aspecto de la piel de su cara. Tenía unos rasgos algo diferentes a Odile. Su tez era más oscura, tenía grandes ojos, su nariz era ancha y chata y sus labios prominentes. Casi no tenía pelo y el poco que le quedaba lo tenía cortado al cero. Pese a que no era muy alto, sus manos eran de grandes dimensiones.

—Por fin conozco a los hijos de mi amigo Martín —dijo Pierre—. Siento mucho su fallecimiento. Ninguno nos lo esperábamos.

—Muchas gracias —respondieron ambos.

—Yo soy Alma y él es Samuel —dijo Alma sonriendo—. Así que conoció a nuestro padre.

—¡Uy! Ya lo creo que lo conocimos. Un gran hombre, sin duda. Nos ayudó económicamente en muchos proyectos que llevamos a cabo desde el instituto —explicó Pierre.

—Disculpe, ¿qué instituto? —preguntó Alma.

—¡Ah! No lo sabéis, ¡claro! El instituto de investigación y diálogo por la paz en Ruanda. Os iré contando a qué nos dedicamos mientras damos una vuelta por el parque, así aprovechamos que el sol se está ocultando tras las nubes.

—¡Sí, perfecto! —aceptó Alma.

—Pierre es uno de los impulsores de la reconciliación de Ruanda —informó Odile.

—¿Cómo? —dijo Alma sorprendida.

—Bueno, sólo fui uno más. Los verdaderos protagonistas de todo el proceso de reconciliación fueron las personas que decidieron perdonar y las que decidieron pedir perdón —dijo Pierre mientras se adentraba en el parque.

—No te quites mérito, Pierre —recriminó amablemente Odile—. El instituto que él dirigía promovió muchas acciones para que los tutsis pudieran pasar página y continuar sus vidas y lo mismo para los hutus. Aunque fue un proceso muy duro y complicado.

—El perdón es un proceso, no es algo esporádico que surge de repente —explicó Pierre—. Es como una planta que hay que regar a diario y, poco a poco, va dando sus frutos. El paso final es la reconciliación con la persona que te hizo daño.

—Pero, ¿cómo se consigue llegar a eso? Me imagino las situaciones por las que pasaron las víctimas y no puedo concebir que pudieran perdonarles —confesó Samuel.

—No tenían otra opción —respondió Pierre.

—¿No?

—No. Era perdonar o vivir atemorizados.

—¿Os dais cuenta? Otra vez el miedo enfrentado al perdón. Siempre está en oposición a todo lo que nos permite que vivamos plenamente y en paz. Si la gente se hubiera dejado vencer por el miedo de nuevo, ¿qué creéis que habría ocurrido entonces?

Alma y Samuel reflexionaron sobre lo que les acababan de decir, Alma lo tuvo claro.

—Habría habido de nuevo otra matanza. Por miedo a que les volvieran a aniquilar los tutsis habrían intentado acabar con los hutus, disfrazando el miedo en venganza. Pero, en realidad, es sólo eso, miedo.

—No podría haberlo explicado mejor, Alma —señaló sonriendo Pierre—. Imaginaos este país hace veinticinco años más o menos. Un millón de muertos, casi todos tutsis, aniquilados no por un ejército en un campo de batalla, sino asesinados por sus propios vecinos, por sus familiares, por sus amigos. Una locura colectiva que acabó a machetazos con cientos de miles de vidas en tan sólo tres meses. Hutus, genocidas o no, huidos tras la llegada del ejército tutsi que venía de un país extranjero. Ruanda estaba absolutamente destrozada. Las personas que sobrevivieron estaban completamente rotas por todo lo que tuvieron que vivir. Imagináoslo por un segundo. Mirad los cimientos sobre los que tuvo que reconstruirse este país.

—Me ha venido a la cabeza la Guerra Civil española, pero este conflicto es mucho peor. Aquí se produjo la mayor locura colectiva de la historia…

—Por desgracia no es la única. Quizás la más sangrienta sí, pero se han seguido produciendo genocidios en muchas partes del mundo. El último en Birmania, hoy conocido como Myanmar, donde ahora mismo están ejecutando a todos los miembros de una etnia, igual que ocurrió aquí, sólo que en este caso el resto de la población no participa activamente en las matanzas como sí ocurrió en nuestro conflicto —dijo apesadumbrado Pierre—. Y, por desgracia, también la comunidad internacional ha vuelto a mirar para otro lado, exactamente igual que en nuestro caso.

—El mundo no aprende —aseveró Samuel.

—El mundo no aprende porque no se le ha enseñado otra cosa diferente y vuelve una y otra vez a lo conocido, a reaccionar con violencia frente al miedo —replicó Pierre—. La gente no sabe actuar de otra manera. Por eso es tan importante el caso ruandés. Lo que tenemos que dar a conocer al resto del mundo. El mundo tiene que saber que hay otra manera y que es mucho más efectiva y mucho menos dolorosa para todas las partes.

—Desde luego, viendo cómo está Ruanda hoy en día se puede asegurar que es mucho más efectiva.

—Cuando acabó el genocidio ni siquiera se sabía bien la magnitud de todo lo que ocurrió. Yo, por aquel entonces, culpaba a las Naciones Unidas, a los franceses y a los belgas de no mover un dedo por haberlo detenido a tiempo. De hecho, ellos tenían la fuerza suficiente como para haberlo parado, pero decidieron no hacer nada —dijo Odile—. Pero visto con la perspectiva del tiempo, el abandono que supuso en aquel momento produjo que Ruanda supiera que estaba sola en esto. O tomaba las riendas de su historia o no lo haría nadie por ella. Nos hicimos responsables de nuestro propio destino. Ahora sé que aquello fue nuestra salvación. Parece una contradicción, pero lo creo firmemente. Echad un vistazo a la situación de los países en los que las Naciones Unidas o la ONU han intervenido, siguen igual o incluso peor, porque ponen en manos de otras personas su futuro. El Congo, por ejemplo, nunca se ha responsabilizado de su propia historia. Ha descargado en manos extranjeras la responsabilidad que les pertenece sólo a ellos y reclaman soluciones como quien reza a Dios para que le solucione la vida y no mueve un dedo para arreglarlo por él mismo.

—¿Y qué hicisteis para conseguir reconciliaros, Pierre? —preguntó Samuel.

—Tuvimos que hacer un enorme trabajo —respondió Pierre—. Cuando el instituto se puso en marcha, la mayoría de los ruandeses ni siquiera vivía en el país. Gran parte de los hutus se había exiliado al Congo, malviviendo en tiendas de campaña en campos de refugiados, y en Ruanda no quedaban más que los supervivientes de la masacre.

—Estoy sobrecogida por el enorme cambio que habéis hecho…y en tan poco tiempo… —dijo Alma con ambas manos en el corazón.

—Todavía no eres consciente de cuanto… —anunció Odile.

—Los fundadores del instituto pensamos que había que involucrar a todas las partes. Primero, al nuevo gobierno que estaba formándose, después a las víctimas y por último a los hutus.

Convencimos, no sin mucho esfuerzo, al gobierno de que permitiera la entrada de los ciudadanos ruandeses que estaban exiliados. El gobierno aceptó, pero con la premisa de que encerraría a todos aquellos que participaron en el genocidio. La justicia era y es básica en nuestra evolución. En los primeros meses fueron muy pocos los hutus que se atrevieron a volver. Tened en cuenta que volvían a sus casas, a sus pueblos, donde sólo quedaban los supervivientes de las matanzas causadas por personas de su misma etnia. Volvían con un miedo atroz. De hecho, la mayoría retornó porque preferían arriesgarse a morir en sus casas que de hambre en el Congo. Con el paso de los meses, la mayoría de los hutus abandonaron el campo de refugiados y volvieron a sus viviendas abandonadas años atrás —asintió Pierre, recordando el enorme esfuerzo que les había costado a él y a sus compatriotas.

Los cuatro recorrieron un camino empedrado hasta llegar a un pequeño mirador situado en un jardín extremadamente cuidado, desde el que se veía parte de la ciudad. En lo alto del jardín había una carpa destinada a eventos sociales.

—En ese momento fue cuando decidimos que teníamos que hacer algo más para que nunca más se repitiera la historia. Así fue cómo descubrimos que la única manera de crear un futuro juntos era perdonándonos. Para ello tomamos varias medidas. La primera fue crear lugares de diálogo en cada población, donde cada uno podía expresar lo que sentía, para que hubiera más entendimiento entre todos. Funcionaron sorprendentemente bien. La gente escuchaba a todas las partes y salía de las reuniones mucho más esperanzada que cuanto entró. Fue un trabajo constante por parte de toda la sociedad —explicó Pierre.

Miró al horizonte, inspiró el aire cálido que circulaba y continuó.

—Después, dimos el paso más duro de todos. El gobierno ya había encerrado a cientos de miles de hutus en las cárceles. Gracias a los tribunales *gacaca*, que se instauraron en cada población, este proceso se llevó a cabo mucho más rápido de lo que podría haberse hecho de cualquier otro modo. Por supuesto, las sentencias no estaban exentas de irregularidades y amenazas por ambos bandos a las personas que ejercían de jueces, muchas de ellas, mujeres que habían sido violadas repetidamente durante los tres meses del genocidio. Pero pese a todo, funcionaron relativamente bien. Fueron muy eficaces y fue extremadamente necesario que fuera así, porque el país se desestabilizaba cada día que pasaba sin que los responsables fueran procesados. Tenéis que poneros en la piel de personas que sufrieron la muerte de sus familiares a manos de vecinos que habían vuelto a vivir a sus casas en el mismo pueblo o ciudad. Fue un infierno para las víctimas, pero también para los verdugos. La gran mayoría de los hutus que cometieron asesinatos lo hicieron por miedo a que les mataran a ellos mismos, como así sucedió en miles de casos. Sin duda, había que poner una solución a todo esto. El gobierno no podía soportar el peso de tener a cientos de miles de personas hacinadas en cárceles. No era ni humano ni económicamente viable. Además, daba una imagen nefasta de cara al exterior, y hay que tener en cuenta que Ruanda vivía de la contribución de muchos países extranjeros, sobre todo de aquellos que se sintieron culpables por no haber actuado antes. Así que se nos ocurrió crear campos de reeducación voluntaria, para reintegrar a los hutus que habían cometido delitos de sangre. Allí, se les enseñaría una nueva mentalidad y se les formaría en trabajos que el país necesitaba en ese momento. Aquí nunca vinieron los que estaban procesados por numerosas muertes o muy implicados en la promoción del genocidio; esa gente continuó en las cárceles. Por último, si querían retornar a sus casas debían pedir perdón a sus víctimas mediante una carta.

—¿Cómo? —exclamó muy sorprendido Samuel— ¿Enviaban cartas de perdón? Y, ¿cómo se lo tomaban las víctimas?

—Pues… al principio lo recibieron con cólera. La gran mayoría no quería ni oír hablar del asesino o asesina, porque hubo de ambos sexos… —dijo Pierre—. Pero con el tiempo, con casos muy aislados al principio, ensalzados por la propaganda del gobierno que quería a toda costa que la reconciliación funcionara, comenzó a producirse el milagro.

—Pero, ¿cómo saben que el perdón fue real?

—Mira a tu alrededor, ¿tú qué crees? —respondió Odile— Parece imposible, ¿verdad?

—Sí… parece imposible… —dijo en voz baja Samuel mirando al suelo.

—Mira Samuel, a los ojos de alguien que viene de occidente, donde la respuesta más común ante hechos así es la venganza, donde incluso se ensalza como una virtud, donde están bombardeando con historias en películas y series, en la que un "héroe" se enfunda el traje de juez, acusador y verdugo, Ruanda le rompe todos los esquemas. Cientos de periodistas han ido entrevistándome a lo largo de los años y, ¿sabes qué publicaban?

—Que todo era una farsa —respondió rápidamente Samuel.

—Exactamente. Además, sólo se decían estupideces en contra del gobierno y no se daban cuenta de que el gobierno ha ayudado a que todos los ruandeses dieran el paso más difícil de sus vidas. Eso no se ensalzaba, sólo se fijaban en los fallos del proceso, que si los tribunales *gacaca* no funcionaban bien, que si había miles de presos, que se notaba la tensión en las calles… Occidente está contaminado por la negatividad y por el miedo. Ése es el mal de la humanidad, el miedo. Nosotros lo estamos demostrando, lo vivimos cada día. Nuestro país ha evolucionado más que ninguno en toda África y esto es sólo el principio.

Pero todavía existen personas que no se lo creen, ni aun viendo estos resultados palpables. Están esperando a que fracasemos. Parece que están deseando que suceda otra masacre para decir, ¿ves? ¡Lo sabía! —gritó Pierre alterado— ¿Cómo puede un ser humano pensar así? —hizo una pausa— ¿Sabes por qué algunas personas no se creen que esto es verdad? Porque su alma está raptada por el miedo. Miedo a perdonar. Miedo a ceder. Miedo a dar el paso definitivo para liberarse. Miedo a la traición. Miedo a no tener razón. Miedo… Créeme, sé muy bien de lo que hablo, he tenido el miedo, el terror, cara a cara desde hace más de veinte años —dijo sosteniendo la mirada con Samuel—. Conozco bien todos sus envoltorios, todas sus estratagemas. El miedo ya no me engaña, nunca más, lo detecto en milisegundos con sólo mirar a los ojos.

Samuel no sabía por dónde salir. Se quedó sin habla. Quería haber sido capaz de contestarle, pero ni quiso, ni fue capaz. Pierre notó el malestar en su cara y le sonrió con amabilidad. Posó la mano en su hombro y le invitó a seguir caminando.

—¿Sabéis? —dijo al cabo de unos minutos—. Odile tiene un grupo de música y baile. ¿Os lo ha contado?

—No, no les he dicho nada todavía —respondió ella.

—Pero, los llevarás, supongo… —dijo Pierre.

—Sí, esa es la idea.

—Hace grandes avances con las mujeres que se integran en el grupo. Os va a encantar conocerlas —añadió Pierre.

—No tantos como tú, Pierre, has conseguido cambiar la mentalidad de miles de personas y, como consecuencia, la de toda una sociedad. Mirad si ha funcionado la labor de Pierre que el instituto para la paz ha cerrado porque ya no hace falta; ahora con los clubes de diálogo es más que suficiente. También he de deciros que tenéis delante al hombre que promovió el actual sistema de producción agrícola del país e impulsó un sistema fiscal transparente para la recaudación de impuestos y su reinversión en múltiples áreas para mejorar la vida de los ruandeses. Nuestro país le debe mucho a este hombre, mucho.

—He recibido tanto cariño de vuelta que todo el esfuerzo ha merecido la pena. Ahora, viendo cómo está mi país, me siento profundamente orgulloso de pertenecer a él. Tenemos el futuro en nuestras manos y lo estamos creando en nuestros propios términos.

—¡Me dan ganas de venirme a vivir aquí! —dijo Alma sonriendo.

—¡Serías bien recibida! ¡Je, je, je! —contestó Pierre.

Tras la conversación con Pierre, llegó el momento de despedirse de él. Samuel, todavía un poco trastocado, manifestó:

—Gracias Pierre por todo lo que nos has contado.

—Siento haber sido tan directo Samuel, pero llevo demasiados años luchando contra el miedo como para dejarlo vivir ni un segundo más. Si detectas que el miedo te limita deshazte de él de inmediato, no te traerá nada bueno —le aconsejó Pierre.

—Lo intentaré —respondió Samuel cabizbajo.

—Sé que lo harás. Ya has comenzado el proceso —le aseguró.

—Pierre, no tengo palabras para describir lo agradecida que estoy, no sólo por la conversación de hoy, sino por su contribución a Ruanda y, por extensión, al mundo. Usted lo ha hecho mejor de lo que era y eso le convierte en un verdadero héroe.

—Muchas gracias por tus palabras, Alma. Pero héroes son todos y cada uno de los que creyeron en el perdón como solución a todos sus miedos. Ellos son los auténticos héroes.

—Gracias Pierre. Te llamaré pronto —dijo Odile abrazándole.

—Cuando quieras Odile.

Los hermanos no pronunciaron ni una palabra en el camino de vuelta al hotel. Odile respetó su silencio necesario para que comprendieran todo lo que habían escuchado y sentido. El día siguiente sería el día más duro para ellos, pero todavía lo desconocían.

—Bueno chicos, es más que suficiente por hoy —dijo Odile al llegar a la puerta del hotel—. ¿Mañana a la misma hora?

—De acuerdo —respondió Alma. Samuel sólo asintió con la cabeza.

—Hasta mañana entonces —se despidió Odile arrancando el coche.

—¡Hasta mañana Odile! —dijo Alma.

Alma y Samuel casi no hablaron en lo que quedó de tarde. De hecho, ni siquiera quisieron cenar. Samuel optó por salir a dar una vuelta antes de irse a dormir. Alma aprovechó para hablar con las trillizas, las echaba muchísimo de menos y, sobre todo, con Robert. No había dejado de pensar en él en todo el día.

Samuel decidió pasear para tomar un poco el aire. Su cabeza le iba a mil por hora. Sentía una lucha en su interior como nunca antes. Estaba dividido en dos mitades de su ser claramente diferenciadas y enfrentadas. Sabía que había dentro de él un conflicto y que no había una posible solución amistosa entre ambas partes. Después de todo lo que había escuchado hoy, una muerte más se debía producir; no había otra opción. O moría el Samuel que había sido hasta entonces o moría el nuevo que acababa de nacer. No podían coexistir. Deseaba con todas sus fuerzas que el nuevo Samuel ganara la disputa, pero se resistía con la misma fuerza a perder muchas cosas con las que se identificaba de su anterior versión. Caminó sin rumbo durante más de media hora. Todavía había mucho ambiente, gente que iba y venía de cenar. No podía imaginarse cómo pudo pasar lo que pasó viendo cómo era la ciudad en ese momento. Desde luego, si el perdón consiguió todo lo que veía, él estaba dispuesto a intentarlo de verdad, sin saber todavía cómo, pero lo intentaría. Aún tenía que cambiar su mentalidad para superar la rabia, el dolor, el rencor y el resentimiento que surgían cada vez que George y Mary aparecían en su mente y eso pasaba inexorablemente porque su antiguo 'yo' muriera. La manera de ver la realidad del 'antiguo' Samuel era incompatible con todo lo que había vivido desde que retornó a este mundo. Sobre todo, estaba en contra de cualquier tipo de perdón, mucho menos sin que la otra parte hubiera pedido ser perdonada. Caminando sin rumbo, terminó llegando a la parte trasera del ayuntamiento y allí se encontró con una estatua muy curiosa: una pareja de gorilas a tamaño natural, con una cría a la espalda de la hembra. Le llamó poderosamente la atención que estuviera esa escultura allí, justo enfrente del ayuntamiento. No sabía si en Ruanda había gorilas, pero debía haberlos o de lo contrario, no tendrían una estatua en un lugar tan importante. Sacó su móvil del bolsillo y buscó "gorilas en Ruanda". Los resultados que le mostró el móvil fueron abrumadores. En el territorio de los volcanes existía una especie endémica casi en extinción, el gorila de montaña. En Ruanda se habían propuesto conservar su hábitat como estaba actualmente, aunque muy afectado ya por los cultivos de los humanos en la zona donde vivían.

—¡Volcanes! ¡No puede ser! ¡Otra vez volcanes! ¡Dios...! tengo que ir allí —dijo para sí mismo.

Emocionado, tomó el camino de vuelta al hotel. Cuando llegó a la puerta del hall del establecimiento, un señor octogenario intentaba abrirla sin éxito. Por lo visto, tenía una estatura tan baja que el detector no se activaba con su presencia.

Al llegar Samuel a su lado, la puerta se abrió de inmediato.

—Gracias joven —le dijo el anciano en inglés con un acento que Samuel no pudo descifrar—. Esta puerta no me dejaba entrar.

—¡De nada! Estará mal regulada —contestó Samuel sonriéndole.

—A lo mejor es que como soy tan mayor, ¡ya ni me tiene en cuenta! —contestó riendo.

—¡No diga eso, hombre! —dijo Samuel levantando los dos brazos.

Los dos se dirigieron al ascensor más cercano.

—¿De dónde eres? —preguntó el anciano.

—De Estados Unidos.

—Ah... Bonita tierra.

—¿La conoce usted?

—Sí, la he visitado en numerosas ocasiones. Ejercí de médico e iba a convenciones en Estados Unidos. Se le daba muy bien a tu país organizar convenciones.

—Sí... desde luego que sí. Somos expertos en eso.

—¿Estás de vacaciones aquí?

—Sí, más o menos.

—No lo tienes muy claro.

—Es complicado de explicar.

El ascensor parecía estar muy ocupado, porque no cambiaba de piso.

—¿Te está gustando Ruanda? —indagó el anciano.

—Sí... lo cierto es que sí. Me impresiona mucho cómo ha evolucionado en estos años desde el genocidio.

—¿Quieres que te cuente un cuento corto? —propuso de repente el anciano.

—Esto... Sí, claro, adelante —dijo sorprendido Samuel.

—Es una leyenda africana de mi país. Dice así: Un investigador europeo quería estudiar las costumbres de las tribus africanas del sur del continente. Cuando llegó a un poblado quiso hacerles una pequeña prueba a unos niños, para ver cómo reaccionaban. Les propuso un juego que consistía en que el primero que llegara a una canasta llena de frutas, que colocó bajo un árbol, se quedaría con ella. Cuando el concurso comenzó, todos los niños se unieron con sus manos y se acercaron a la cesta, la agarraron y se la trajeron de vuelta. Felices, todos comieron de las frutas. Cuando él, asombrado por su comportamiento les preguntó que por qué no habían corrido para ver quién llegaba primero, le contestaron: '¡*Ubuntu, Ubuntu*! ¿Cómo uno de nosotros podría estar feliz si el resto estuviéramos tristes?'

El ascensor llevaba un tiempo abierto, esperando a que subieran. Samuel, absorto por el cuento, ni se había dado cuenta. Se quedó mirando a aquel adorable anciano y le dijo:

—¡Vaya! Muchas gracias. Es un cuento muy bonito.

—Parece que los ruandeses por fin se han dado cuenta de que tienen que ir todos a por la cesta de la fruta y comérsela juntos.

—Eso parece... qué bonito aprendizaje. Muchas gracias por contarme esta preciosa leyenda. Menuda lección —añadió sonriéndole y haciéndole un gesto para que subiera al ascensor—. ¿A qué piso va? —le preguntó Samuel.

—Voy al más alto.

—Yo voy al quinto. Bajaré antes que usted.

El ascensor marcó el número cinco en el indicador y se abrieron las puertas.

—Que tenga muy buena noche, señor —se despidió Samuel amablemente.

—Lo mismo te deseo, hijo.

El ascensor cerró sus puertas. Samuel se quedó con un gesto de ternura en el rostro, sonriendo por lo que había pasado. De pronto se dio cuenta de que el ascensor no subía. Esperó casi medio minuto y pulsó para que se abriera. Inmediatamente, el ascensor se abrió. Samuel se quedó congelado. Allí no había nadie. El anciano se había esfumado. Samuel, temblando, dio un paso atrás. Con los ojos todavía abiertos como platos, el ascensor cerró sus puertas.

—¡Otra vez! ¡Me ha pasado otra vez! Pero... por qué... —Samuel estaba muy confundido. Al menos, había dejado de asustarse con estas situaciones cuando se daba cuenta de que habían ocurrido.

—*Ubuntu*… !Voy a buscarlo en el móvil! —pensó Samuel.

Con la rapidez que le caracterizaba, sacó de nuevo su móvil. Todavía estaban los gorilas allí.

—Esto se lo tengo que contar a Alma — dijo al verlos.

Al buscar la palabra *Ubuntu*, lo primero que encontró fue un sistema operativo para PC.

—Ya decía yo que me sonaba.

Buscando un poco más, dio con algunas de las interpretaciones de la palabra. Le gustó mucho un par de ellas: 'Soy porque todos somos' y 'Yo soy lo que soy, por lo que todos somos'. Desde la perspectiva que tenía Samuel ahora, estos dos significados cobraban un sentido mucho más grande y profundo.

Cuando iba a apagar la pantalla del móvil, se fijó en unas palabras de Desmond Tutu, un famoso obispo premio Nobel de la Paz que luchó contra el *Apartheid*. La cita describía *Ubuntu* como una filosofía de vida extendida también por Nelson Mandela y decía de ella: "Una persona con *Ubuntu* es abierta y está disponible para los demás, respalda a los demás, no se siente amenazado cuando otros son capaces y son buenos en algo, porque está seguro de sí mismo ya que sabe que pertenece a una gran totalidad que se decrece cuando otras personas son humilladas o menospreciadas, cuando otros son torturados u oprimidos"

—Está bien… he entendido el mensaje —dijo Samuel mirando hacia arriba— ¡Podrías avisarme cuando mandas a alguien para que no crea que es una persona más! —bajó la cabeza y antes de pasar la tarjeta por la cerradura de su habitación elevó su mirada de nuevo y añadió—. Gracias, por cierto —sonrió mientras accedía.

Al entrar no vio a Alma.

—¿Alma? No te vas a creer lo que me acaba de suceder. ¿Alma? ¿Estás aquí?

Samuel buscó por la habitación y por el baño y Alma no aparecía. Finalmente, se dio cuenta de que la puerta del balcón estaba entreabierta. Se asomó por el cristal de la puerta y la vio apoyada en la barandilla. Triste.

—¡Alma! —dijo al salir al balcón.

—¡Qué susto! ¡Sam! ¡Casi me da algo!

—Perdona, es que no me oías. Llevo llamándote desde que he entrado a la habitación.

—No me he enterado, estaba aquí pensando en mis cosas.

—¿Sabes? he visto una estatua de unos gorilas y… no te vas a creer lo que me ha pasado subiendo en el ascensor… —Samuel estaba tan entusiasmado por contarle todo, que no se había percatado de que estaba llorando—. Alma, ¿estás bien? ¿qué te ocurre?

—Es Robert…

—¿Qué le ocurre?

—Está cayendo en picado, Sam. Está abatido. He llamado a Flora después y me ha confesado, tras insistirle, que Robert lleva dos días sin salir de casa, en pijama, casi sin comer.

—Está pasando su luto, Alma. Es normal. Ha sido un duro golpe.

—Sí Sam, pero ya sabes cómo es Robert y nunca se ha doblegado ante nada. Ha superado millones de cosas más importantes que ésta. No lo entiendo… está realmente hundido. Estoy muy preocupada por él, Sam.

—¿Quieres que volvamos a casa? —propuso Samuel.

—No lo descarto Sam. Todavía me debato entre lo que me aconsejó Flora, el chico de la cafetería de Guayaquil y mis ganas de estar a su lado.

—¿Qué te dice él?

—Que está un poco triste pero que lo superará, que saldrá adelante.

—Y, ¿tú qué opinas?

—No lo sé, Sam. Esa es mi duda.

—Mira, te propongo que vayas tanteándole y si detectas o Flora te informa de que ha empeorado nos volvemos inmediatamente. ¿De acuerdo?

—De acuerdo, Sam… muchas gracias, hermanito.

—Confía en Robert, es una persona fuerte.

—Lo sé, pero nunca lo había visto así.

—Estaremos atentos.

—¿Qué me querías contar?

—Nada, tonterías mías, ya te lo contaré mañana.

—Como quieras…

—Anda, ven —Samuel abrazó a su hermana y se quedaron mirando las luces de la ciudad durante unos minutos.

—Sam, te he de confesar una cosa.

—Dime, ¿qué es?

—Me siento un poco fuera de todo esto.

—¿Fuera de qué? —preguntó sorprendido.

—Fuera de este viaje que estamos realizando.

—¿Por qué dices eso?

—Porque parece que todo es por y para ti, Sam.

—Eso no es cierto, Alma.

—Tengo la sensación de que papá preparó todo esto para salvarte y yo sólo estoy de acompañante. No sé si continuaré más después de este viaje —afirmó molesta, pese a que en su mente estaban muy presentes las imágenes de lo que había vivido en aquel baño del hotel de Ámsterdam.

—¡No digas tonterías, Alma! —dijo levantando su cabeza de la de Alma y mirándola de frente—. ¿Me vas a decir ahora que no has aprendido cosas? ¿Me estás diciendo que no has descubierto cosas de papá que no sabías?

—Sí eso sí que lo he hecho…

—¿Y sobre ti? ¿No has descubierto nada sobre ti misma? ¿Crees de verdad que todo lo que estamos viviendo es sólo para mí? Yo creo que estás muy equivocada, Alma.

—Sí, he aprendido muchas cosas, es verdad. Pero no me negarás que este viaje está siendo toda una transformación para ti. Para mí son pequeños aprendizajes o recordatorios de cosas que ya sabía, pero nada de gran calado.

—Alma, ¿no te estarás dejando vencer por el miedo a que Robert empeore y tú no estés allí? —sugirió Samuel.

—Puede que influya… Pero sí que tengo esa sensación, Sam.

—Mira Alma, yo estaba mucho peor que tú cuando iniciamos estos viajes, por lo que mi transformación tiene que ser, por obligación, más visible que la tuya. Además, nadie esperaba lo que ocurrió con la ayahuasca, eso lo cambió todo para siempre. Me ha cambiado de tal manera que todavía no sé el impacto que va a tener en mí, pero intuyo que va a ser un salto de gigante en mi evolución como ser humano —Samuel paró un instante para mirar aún más de cerca a los ojos de su hermana—. Alma, todavía nos quedan muchos lugares por visitar, personas que conocer, ¡no estamos ni a la mitad de lo que papá nos preparó del viaje!

—No sé Sam… estoy un poco desanimada. Quizás, lo mejor sea que me marche a casa.

—Vamos a descansar y como un amigo me aconsejó una vez: "Espérate a la mañana siguiente, no tomes ninguna decisión ahora, tan sólo espera a despertar mañana y lo verás todo mucho más claro".

—¿Quién dices que te aconsejó eso?

—Un amigo.

—Está bien. Te haré caso. Estoy muy cansada. Supongo que mañana lo veré con otros ojos.

—Con los del espíritu —pensó Samuel.

Eran las 4:15 a.m., cuando Alma se despertó sobresaltada por el sueño recurrente que había vuelvo a tener. Esta vez consiguió despertarse antes de que el volcán comenzara a entrar en erupción. Samuel dormía plácidamente en la cama de al lado. Molesta por no poder dormir toda la noche sin interrupción, se levantó y se fue a la otra habitación de la suite donde estaba el sofá. Miró a través de los cristales del balcón y comprobó que todavía no había comenzado a amanecer. Miró la hora y comprobó que todavía era muy pronto, pensó que podría acostarse de nuevo, pero se había despejado demasiado como para volver a dormirse. Se dejó caer en el sofá, un poco desesperada y al apoyarse con todo su peso se clavó algo que le hizo estremecerse de dolor.

—¡Maldita sea! Lo que me faltaba, ¿qué es esto? —miró en el interior de una bolsa de papel sobre la que se había sentado— ¡¡Dios!! ¡Pero qué es esto! ¡¡Ahhhrrrrrgggggggggggghhh!! —chilló asustada.

Samuel saltó de la cama muy alterado. Se tropezó con sus zapatillas y cayó al suelo.

—¡Alma! ¿Dónde estás? ¿Qué te pasa? —exclamó mientras se intentaba incorporar.

—¡Ahhhhrrrrrrghhhhh! ¡Ahhhrrrgghhh! —gritaba sin parar.

Samuel salió corriendo de la habitación, encendió la luz del pequeño salón y vio a Alma con la bolsa de papel donde estaba la máscara. Al verla con más luz Alma aún gritó con más violencia

—¡¡AAAAAAHHHHH!! ¡¡AHHHHH!!!!!!

—¡Tranquila Alma! ¡Es sólo la máscara! ¡Tranquila! —gritaba Samuel. Se la quitó de un manotazo y le abrazó para tranquilizarla. Estaba temblando completamente del susto— ¡Tranquila Alma! ya está, es sólo la máscara... tranquila —repetía mientras le acariciaba el pelo y la abrazaba fuertemente.

Alma gimoteaba desconsoladamente.

—Ha sido un susto gordo, ¿eh, pequeña? Tranquila, ya ha pasado.

—Casi me muero del susto, Sam. ¿Qué hace eso ahí?

—Lo dejé sin guardar en la maleta. No pensé que fueras a abrirlo.

—Pues ya ves que sí. ¡Dios, qué angustia!

—Ya pasó, tranquila.

—Como vuelvas a sacar eso a la luz, lo quemo —exclamó llena de rabia señalándola con el dedo.

—Vale, vale —respondió Samuel riendo.

El teléfono fijo de la habitación sonó y provocó un nuevo sobresalto a Alma.

—No, ¡si de esta noche no paso! Mira a ver quién es…

—¿Sí? —respondió Samuel al auricular del teléfono.

—Sí, ha sido aquí, ha sido un susto sin más. Todo está bien… No, no, muchas gracias, todo está bien… Si, muchas gracias.

—¿Quién era? ¿De recepción?

—Sí, alguna persona habrá llamado asustada por tus chillidos.

—Bastante poco he chillado para la impresión que me he llevado.

—¡Ja, ja, ja! ¡Pero qué exagerada que eres! —exclamó Samuel.

—No sabes lo que es ver la cara de "eso" asomando por la bolsa. Te juro que pensaba que era un bicho enorme…

—¡Ja, ja, ja!

—¡A mí no me hace gracia! —dijo enfadada.

—Perdona, hermanita, es que tenías que haberte visto la cara.

—Te lo digo, Sam. Esconde esa bolsa o te la tiro a la trituradora.

—Pero, ¿no la ibas a quemar? —bromeó Samuel.

—Tú déjala a la vista, que verás —amenazó.

— Ahora mismo la escondo para que no la vuelvas a ver más.

—Mejor.

—Anda, volvamos a dormir.

—Estoy como para dormir ahora.

—Pero, ¿qué hacías en el sofá a esas horas?

—He tenido una pesadilla.

—¿Y qué has soñado en ella?

—Nada, tonterías.

—¿No me lo quieres contar?

—Es que casi ni me acuerdo de lo que era —Alma no tenía ganas de rememorarla en esos momentos.

—Bueno, si te acuerdas, me lo cuentas que yo creo que soy bueno interpretando los sueños —sugirió haciéndole un guiño.

—Vale, si me acuerdo, te lo cuento.

Samuel se volvió a la cama y en poco tiempo concilió el sueño. Alma se quedó sentada en el sofá. Al cabo de casi una hora acabó recostándose y, finalmente, se quedó dormida.

Más allá de la razón

Odile estaba esperándoles cuando bajaron en el ascensor. Notó rápidamente que Alma no se encontraba bien.

—¡Buenos días chicos! Parecéis cansados hoy… ¿habéis desayunado ya?

—Sí, hemos bajado antes —contestó Samuel.

—La verdad es que hoy no he dormido muy bien que digamos —informó Alma.

—Lo siento mucho Alma. Si quieres, puedes quedarte en el hotel a descansar esta mañana —sugirió Odile. Samuel apoyó su consejo asintiendo.

—No, ahora no podría dormirme. Enseguida me hará efecto el café doble que me he tomado y estaré despejada.

—Como quieras. Si en algún momento te sientes mal, o cansada en exceso, podemos volver. Hoy saldremos de la ciudad, pero no iremos muy lejos.

—¿Dónde nos llevas? —preguntó Samuel.

—Vamos a Ntarama, un pequeño pueblo muy cerca de aquí. ¿Marchamos?

—Sí —respondieron ambos.

El coche cruzó Kigali y se adentró en la zona rural del país. El paisaje había cambiado por completo. Subieron una de las colinas que rodeaba la capital y admiraron desde la cima todo un valle de kilómetros de longitud. Al descender por la otra cara de la colina, atravesaron el río que el día anterior observaron desde el jardín, el Nyabarongo. Todo a su alrededor parecía un vergel, rebosaba vida y el color verde cubría el territorio que alcanzaba la vista. De pronto, atravesaron otra ciudad.

—Esto es todavía parte de Kigali, se llama Kigali City Este. Es en realidad una zona residencial de la ciudad. La atravesaremos muy rápidamente.

—Me impresiona el buen estado en el que está la carretera —observó Samuel.

—Después de la guerra una de las cosas que se rehicieron primero fueron las infraestructuras, para poder llegar a todo el país de forma segura y rápida. Desde entonces, el abundante dinero que ha entrado en Ruanda, derivado de donaciones que hicieron numerosos países, se ha utilizado para mejorarlas aún más.

—Pues lo han hecho realmente bien… —confirmó Samuel.

Durante el resto del trayecto, todo lo que alcanzaba la vista eran campos dedicados al cultivo. Atravesaron varias pequeñas poblaciones y a Samuel le llamó la atención que estuvieran todas las casas bien alineadas.

—Odile…

—Dime Samuel.

—Todas estas casas parecen construidas al mismo tiempo.

—Así es. ¡Tienes buen ojo! El gobierno las regaló a personas que se habían quedado sin nada, porque lo perdieron todo en el genocidio.

—Vaya… No había imaginado que fuera así.

—Bueno, ya hemos llegado. Ntarama.

Odile estacionó su vehículo al frente del inicio de un camino estrecho de tierra rojiza que llegaba hasta una estructura metálica que cubría un pequeño edificio de ladrillo. Parecía recién rehabilitado, aunque el inmueble no presentaba un estado óptimo. Era como si lo hubieran conservado a propósito en ese estado. En la entrada del edificio había colocado un mástil donde ondeaba la bandera de Ruanda.

Odile apagó el motor y antes de salir se quitó el cinturón de seguridad y se giró para hablar con los dos hermanos que iban en la parte trasera del coche.

—Siento mucho que no hayas descansado bien esta noche Alma. Lo que os tenía preparado para hoy no es un peldaño más en el camino, es el paso definitivo que dio vuestro padre para poder convertirse en la persona que eligió ser. Lo que vais a ver y a escuchar seguramente herirá vuestros sentimientos. Sin dolor no hay transformación. Hoy os va a doler lo suficiente como para que decidáis seguir el camino que os abrió vuestro padre.

Samuel se quedó en silencio. Alma, resopló y le respondió.

—Odile, creo que no voy a ir. Este viaje está hecho para mi hermano. Yo estoy cansada de escuchar historias tristes de guerras pasadas. Es mi hermano el que tiene que aprender esta lección, no yo. Por eso me quedaré tranquilamente en el coche.

—Alma no digas tonterías. Este viaje es para ambos.

—Mira, Alma. Creo que te estás engañando a ti misma.

—No Odile. Lo tengo muy claro.

—No Alma, tú no puedes saberlo porque no estuviste aquí con tu padre. Esto es para ti —dijo tajantemente.

—¿Qué quieres decir? —preguntó incrédula Alma.

—Lo que has oído. Tu padre ha preparado todo esto para los dos. Cada uno tiene que aprender su parte y tú tienes mucha más parte que aprender que tu hermano.

—¿Cómo dices? —respondió ofendida.

—Tu hermano al menos lo ve y le duele. Tú tienes mucho más que aprender que él porque ni siquiera lo ves.

—Odile, ¿qué es lo que no veo, si se puede saber?

—¿Crees que has perdonado todo lo que tenías que perdonar? —interrogó Odile. Samuel no sabía dónde meterse.

—Por supuesto que sí.

—Yo creo que no.

—Discúlpame, Odile pero tú no me conoces de nada. No sé de dónde te lo has sacado, pero eso es directamente mentira.

—Samuel, ¿puedes salir un momento del coche y esperarnos fuera? —le pidió Odile.

Samuel no sabía qué hacer. Miró a ambas y se encogió de hombros. Alma le hizo un gesto con la cabeza para que saliera.

Cuando Samuel cerró la puerta, Odile le dijo:

—Alma, tu padre te conocía mucho mejor de lo que tú misma seguramente creas. ¿Perdonaste a tu padre?

—Perdona Odile, pero si hablaste tanto con mi padre, ya sabrás que fui yo la que le estuvo cuidando y la que mantuvo el contacto.

—No te estoy preguntando eso.

—No podría haberlo hecho sin perdonarle.

—Sí, sí que podrías haberlo hecho. Tu sentido de la responsabilidad está por encima de todo.

—¿Por qué te empeñas en decirme cosas que no son ciertas?

—¿No lo son?

—Pues no. No lo son. ¿Vamos a estar jugando a este juego todo el día o vas a ir al grano de una vez? —dijo cruzándose de brazos.

—Alma, te pido que me respondas con sinceridad a lo que te voy a preguntar ahora. Si no, no vas a poder avanzar para convertirte en una persona mucho más plena.

—Soy bastante plena.

—Lo vas a ser mucho más cuando perdones.

—Y dale... Bueno, ¿me vas a decir que no he perdonado?

—Acuérdate del último día de vida de tu madre. Tú en el hospital. Tu hermano y tu padre en lugar de estar allí con ella estaban en una reunión. ¿Has perdonado que tu padre y tu hermano eligieran estar trabajando antes que estar junto a tu madre?

Alma se quedó petrificada con un gesto serio. No movía ni un músculo, ni siquiera parpadeaba. Hacía mucho tiempo que había enterrado ese sentimiento. Pero esa pregunta lo desenterró de lo más profundo de su corazón y lo hizo presente. Pensaba que ya no estaría, pero ahí seguía culpándoles por no estar al lado de su madre despidiéndose de ella. Con todo lo que dio su madre por ellos y la cambiaron por una reunión.

—Tu padre obligó a Samuel a quedarse junto a él. Samuel le insistió una y otra vez que fueran al hospital, pero tu padre le convenció de que celebraran la reunión y después fueran a verla.

—Ya era mayorcito para haber decidido por él. Podría haber ido si lo hubiera querido de verdad. Lo que dijo mi padre es una excusa para exculpar a mi hermano, pero no hay excusa que valga. Ambos decidieron no ir al hospital a despedirse de mi madre. Eso es un hecho.

—Como el hecho de que, efectivamente, no los has perdonado por aquello.

Alma volvió a quedarse paralizada por la contundencia de las palabras de Odile. ¿Cómo era posible que una persona que no la conocía pudiera ahondar tanto dentro de sus sentimientos más ocultos? Alma no dijo nada para responder a la pregunta que le había formulado, pero sabía que tenía razón. No les había perdonado.

—¿Perdonaste a tu hermano por querer quitarse la vida? —Odile no dejaba respirar a Alma.

Alma tampoco contestó a esa pregunta. El corazón comenzaba a desbocarse.

—¿Perdonaste a tu padre porque nunca estuvo a tu lado cuando lo necesitabas?

Alma comenzó a ponerse muy roja. Estaba a punto de brotar a llorar, pero aguantaba.

—¿Perdonaste a tu padre por llevar a Samuel a navegar cuando a ti ni siquiera te lo propuso ni una sola vez?

Alma no aguantó más y dejó salir toda la tensión en forma de lágrimas.

—¿Perdonaste a tu madre porque era mucho más permisiva con Samuel que contigo?

Alma lloraba sosteniendo la mirada de Odile. Estoica. Sin decir una palabra.

—¿Perdonaste que tu madre no te dejara salir con aquel chico de tu instituto?

Alma abrió los ojos de par en par. ¿Cómo podía saber eso Odile?

—¿Perdonaste a Mary y a George de cómo le arrebataron la empresa a tu padre?

Sin esperar respuesta, Odile continuó con su acoso.

—¿Perdonaste que tu padre no te dijera nada para evitar que perdiera vuestra casa familiar?

Alma lloraba abundantemente pero no se quitó ni una lágrima. Seguía inmóvil, con los brazos cruzados mirando a aquella mujer que estaba desnudando su alma a base de palabras.

—¿Le perdonaste cuando se abandonó del todo y arrastró a tu hermano con él?

Odile, por fin, hizo una pausa, pero todavía le faltaba la última de las preguntas:

—Alma, ¿alguna vez perdonaste de corazón a alguno de ellos?

Alma estalló gritando y llorando al mismo tiempo. Se tapó sus ojos con las manos y gritó todo lo que pudo. Samuel, que miraba de vez en cuando al interior del coche, oyó sus gritos y corrió hasta el coche, abrió la puerta y se encontró a su hermana deshecha. Rápidamente, entró dentro y la abrazó con fuerza. Alma se abrazó a él y juntos, lloraron todo lo que pudieron. Odile, afectada por todo lo que le había tenido que decir para que reaccionara, salió del coche y estuvo respirando profunda y lentamente durante varios minutos.

—Esto ha sido muy difícil, Martín. Mucho más de lo que me advertiste. Por poco no he sido capaz de hacerlo… ¡Buff! —dijo mirando al cielo— Bueno, ya está. La hemos salvado, Martín, como tú querías, la hemos salvado.

Odile también lloraba por empatía con Alma y por la tensión que había acumulado durante toda la conversación. Después de diez minutos, los dos hermanos salieron del coche. Alma, más tranquila, se acercó a Odile.

—Lo siento mucho, Alma. Siento haberte hecho daño, pero era necesario.

—No lo sientas Odile. Me has abierto los ojos. Vivía ciega y con mi corazón endurecido por la responsabilidad, como tú muy bien me has hecho ver. Ahora lo veo, Odile. Ahora veo que no perdoné, que simplemente oculté aquello en lo más profundo de mi ser, deseando no volverlo a ver.

—Lo que tú probablemente no sabías era que tu vida estaba dirigida, casi en su totalidad, por todas esas cosas que ocultabas. Tú reaccionas a ciertas situaciones de forma automática, dictada por todas estas experiencias que no tienes en tu consciente, pero sí en tu subconsciente, que es el que controla la mayor parte de nuestras vidas —Odile hizo una pausa para cogerle las manos—. Yo recordé hace pocos años que mi padre me había violado cuando era pequeña. Un padre alcohólico y atormentado que vivía aterrado de sí mismo y de su pasado —Alma le apretó con fuerza las manos al oírlo—. Sí Alma… y ¿sabes cuándo lo recordé? Mientras me violaban entre tres, una horda de hutus enloquecidos que asaltó mi pueblo, mientras mataban a mi marido por ser un traidor hutu al casarse con una tutsi como yo. Al acabar con él, degollaron a mi hijo.

Alma y Samuel se quedaron horrorizados, paralizados por las palabras de Odile. De repente, comenzaron a llorar desconsoladamente, sintiendo el dolor que ella había sufrido. Odile lloró con ellos. Hacía más de una década que no derramaba lágrimas tras contar su historia. De hecho, habían pasado muchos años desde la última vez que contó su historia a alguien. Alma no sabía qué decir, ni qué hacer. Lo único que acertó a hacer fue abrazarla intensamente, al igual que Samuel.

—Tranquilos chicos, lo he superado —les dijo sin dejar de abrazarles—. He salido adelante, como podéis ver. La mayoría de las mujeres de mi edad han pasado por lo mismo que yo. Por eso nos reunimos cada semana desde entonces, para apoyarnos y soltar todos los lastres que nos atan a aquellos momentos. Dios quiso que no muriéramos entonces porque teníamos una labor que hacer en este mundo y la estamos haciendo.

—Ahora veo la vida como una sucesión de acontecimientos de los que debo aprender y que son únicamente para mí —continuó diciendo Odile—. Hay veces que te cuesta décadas verlo y hay otras que es instantáneo, pero todo pasa por algo. De hecho, no es casualidad que estéis aquí. No es casualidad que yo conociera a vuestro padre porque coincidimos en una mesa del *Bourbon Coffee* y no es en absoluto casualidad que tú, Alma te hayas negado a venir con nosotros. Todo pasa por algo, Alma, y nosotros tenemos la libertad de elegir qué queremos hacer con ello. Ahora que has visto lo que ocultabas, podrás sanarlo y podrás, por fin, perdonarlo.

—Pero, ¡no sé cómo hacerlo! —gritó Alma deshaciendo el abrazo y clavando sus ojos en Odile.

—Al igual que todos, Alma. Como nos dijo ayer Pierre, el perdón hay que trabajarlo, es un proceso, no ocurre instantáneamente o, al menos, no ocurre así la mayoría de las veces —explicó Odile—. Pero todo comienza con una sola decisión: querer perdonar.

Samuel abrazó a Alma y le recostó su cabeza sobre su pecho. Todo había dado un vuelco. Samuel compartía, con su hermana, el pensamiento de que era él al que estaba dirigido todo lo que Martín había planificado. El hecho de querer haberse suicidado dio pie a que creyera de verdad que su padre había montado todo ese tinglado para él. Pero, en ese momento, sabía que estaba completamente equivocado y, lo que sospechaba desde hacía tantos años, se había desvelado en un instante. Alma le culpaba por no haber estado al lado de su madre en los últimos momentos de su vida. Él sabía que era así, pero también lo había ocultado y, con el tiempo, olvidado. El legado de su padre era definitivamente para ambos, a partes iguales. No había lugar a duda.

—Chicos, hoy es el primer día del resto de vuestra vida. No os voy a enseñar cómo se perdona, os voy a mostrar que todo se puede perdonar. Si de verdad creéis que todos somos lo mismo, como habéis manifestado, entonces, aprenderéis más rápidamente lo que habéis venido a hacer a esta tierra bendecida. Vamos a aquella iglesia —dijo señalando el edificio de ladrillo.

269

Cuando llegaron a la entrada del edificio, se percataron de que efectivamente era una iglesia, aunque parecía llevar muchos años en desuso. Al entrar, vieron apilados en unas estanterías de madera, enormes cantidades de ropa vieja. Parecía que llevaban allí muchos años. Se intuían ropas de mujer, camisas de hombre y algunas de niños. Estaban amarilleadas y sucias.

—He sentido una sensación muy desagradable al entrar aquí —manifestó Samuel.

—¡Yo también! —declaró Alma— No me siento cómoda aquí dentro.

—Salgamos —indicó Odile.

Ya en la entrada, les llevó a la parte trasera del edificio, donde había una pared recubierta con losas de mármol negro, con miles de nombres ordenados alfabéticamente esculpidos en ellas.

—Aquí ocurrió uno de los episodios más terribles de la limpieza étnica que se llevó a cabo en el año 1994. Unas cinco mil personas se hacinaron en la iglesia buscando refugio cuando vieron llegar a un ejército de hutus armados con machetes. No sobrevivió nadie. Murieron en cuestión de minutos. Todos tutsis.

—Odile, esto es inhumano…

—El gobierno lo mantuvo en pie y decidió hacer un monumento para el recuerdo con la intención de que no se olvidara lo ocurrido y que nunca se repitiera. Ahora todos los cuerpos están enterrados bajo tierra en aquel acceso —señaló unas escaleras que bajaban al subsuelo—. Pero estuvo más de una década con todos los restos de los fallecidos esparcidos por toda la iglesia. La estampa era dantesca.

—Agradezco no haberla visto —afirmó Alma.

—Lo mismo digo. No me apetece ver restos humanos ahora mismo —dijo Samuel.

—Quería que vierais el horror que pasaron estas personas —afirmó Odile.

—Pues ya está visto. ¿Nos vamos? —sugirió Alma.

—Sí, quiero presentaros a una de las mujeres que se salvaron, se llama Anastasia y está esperándonos en su casa. Todavía vive aquí —dijo Odile.

—¡Buff! Yo sería incapaz…— admitió Alma.

Odile les acompañó por el pequeño conjunto de casas adyacentes a la iglesia. Éstas estaban dispuestas de diferente manera que las que habían visto por el camino. Parecía que estaban construidas desde hacía mucho tiempo. Llegaron a una, compuesta mitad de adobe y mitad de ladrillo y con el techo metálico. Tenía una sola planta y era diminuta, apenas tendría unos cuarenta metros cuadrados. La puerta estaba abierta y cubierta con una tela para evitar que entraran insectos. Odile tocó en el marco de la puerta y dijo en voz alta:

—¡Anastasia! ¿Estás ahí?

—¡Sí! —se oyó una voz que salía desde el interior.

Una mujer alta y corpulenta salió desde el fondo de la casa. Tenía el pelo corto y muy rizado, el típico pelo africano grueso e indomable. Sus ojos, oscuros como su piel, lucían tristes. Se podría decir que destilaba pesadumbre. Aunque cuando sonreía se iluminaban en todo su esplendor. Tenía una separación bastante notable entre los incisivos superiores, lo que le daba un aspecto muy característico. También tenía una marca oscura en su mejilla izquierda y una cicatriz alargada en mitad de su garganta.

—¡Hola Anastasia! ¿Cómo estás? —saludó con efusividad Odile, abrazándola.

—¡Hola Odile! ¡Qué ganas tenía de verte! —dijo con una gran sonrisa—. Éstos deben ser los hijos de Martín, tu amigo, ¿verdad?

—¡Así es! Ella es Alma y él Samuel.

—Encantada de conoceros —dijo sonriendo y estrechando la mano de ambos.

—Encantada —contestó Alma.

—Encantado de conocerte Anastasia —dijo Samuel.

—Bueno chicos —dijo Odile a modo de introducción—. Mi amada amiga Anastasia se ha prestado a contaros su historia. Ella es una de las mujeres que compone el grupo de apoyo del que os he estado hablando. En él se reúnen personas que quieren superar lo que les ocurrió, la mayoría son mujeres, pero cada vez vienen más hombres, ¿verdad? —dijo mirando a Anastasia, que asentía con la cabeza sonriendo— Al ver lo bien que evolucionan sus mujeres, ellos también quieren participar.

—Esta semana han aparecido dos hombres más —informó Anastasia.

—¡Qué bien!, ¡cómo me alegro! —exclamó Odile.

—Pasad, tomad asiento. ¿Queréis tomar algo? Un café, un té…

—Yo tomaré un té —accedió Odile.

—A mí me apetece probar el café, estoy enamorado del café de aquí. Estoy por regalar toda mi ropa y llenar mi maleta de kilos y kilos de café —bromeó Samuel, provocando la risa de todas.

—Para mí, sólo agua, muchas gracias —dijo Alma.

Se sentaron en unas sillas algo desvencijadas, cada una en un estilo diferente. La estancia estaba pintada de un verde muy vivo y las paredes estaban algo deterioradas. Era una casa muy sencilla con apenas unas cuantas sillas y una pequeña mesa de madera como mobiliario. Al fondo había una diminuta cocina que no tenía más que un fuego con una bombona de butano y un grifo con una pila. Dos colchones, apoyados contra la pared indicaban que allí hacían vida y dormían.

—¿Cómo está Jean Baptiste?

—¡Muy bien! Ahora está en el campo trabajando. Ya es un hombre hecho y derecho. Ha conocido a una chica y parece que se han hecho pareja.

—¡Anda! Me alegro por él y sobre todo, ¡por ella!

—Sí… es una joya, mi hijo… —dijo desde la cocina, inclinando la cabeza a un lado mirando al suelo durante unos segundos— ¡La vida continúa, Odile!

—Eso es lo mejor, ¡que continúe! —añadió Odile.

Anastasia acercó las bebidas a la mesa y se sentó en otra silla que tenía apartada.

—Bueno, chicos. Odile me ha pedido que os contara mi experiencia. Lo cierto es que no sé si soy el mejor ejemplo para vosotros. Todavía no he podido…

—Eres perfecta, Anastasia —interrumpió Odile.

—Bueno, espero que os sirva para algo.

—Seguro que sí —dijo Samuel.

—Estoy convencida —añadió Alma.

—Bueno —Anastasia inspiró profundamente. Bebió un sorbo de su café y comenzó a hablar—. Todo empezó hace justo la edad de mi hijo, veinticinco años. Su edad no es casual. Un día de abril del año 94 yo me retrasé trayendo leña a la casa donde vivía con mis padres. Yo era una joven de dieciséis que iba al instituto. Desde lejos vi llegar al ejército en camionetas, un par de ellas llenas de soldados. Comenzaron a ir casa por casa, sacando a la calle a todos los tutsis que encontraron. Yo soy tutsi y toda mi familia también. Vi correr a todo el mundo y encerrarse en la iglesia. Los acorralaron allí. No tenían escapatoria. Comenzaron a disparar. En pocos minutos los disparos dejaron de sonar, los estaban rematando con machetes. Mis padres y mi hermano fueron asesinados allí. Yo escapé. Cuando se fueron, volví corriendo a mi casa sin que nadie me viera y me escondí en ella. Nunca quise ir a la iglesia a ver lo que había ocurrido. Estuve dos días sin moverme de donde estaba. Sin comer, sin casi beber agua, haciendo mis necesidades en un barreño. Al tercer día, los soldados volvieron. Me encontraron, al igual que al resto de tutsis que no habían matado aquel día. A los chicos les cortaron la cabeza, después de hacerles cortes por todo el cuerpo. Los mataron poco a poco, haciéndoles sufrir —Anastasia bajó la cabeza y continuó—. A nosotras nos violaron repetidas veces. Volvieron varias veces más sólo para violarnos. En cada ocasión nos decían que ya no les servíamos y que nos iban a matar también. Muchas de las chicas se suicidaron después de la tercera o cuarta vez. Preferían morir.

En una de las ocasiones me quedé embarazada. Cuando el ejército de nuestro actual presidente arrebató el poder a los hutus ya nunca más volvieron. Me fui a vivir con mis tíos, los hermanos de mi madre que se salvaron de milagro. Meses más tarde, al verme embarazada de uno de los asesinos de sus familiares me repudiaron. Era una medida de presión para que abortara. Pero yo seguí adelante. Di a luz por cesárea en un hospital de Kigali. Sola, absolutamente sola. Cuando me lo trajeron, hubo un momento en que me dejaron a solas con mi hijo y le comencé a golpear porque me había dado cuenta de que era hijo de un asesino, de un animal. La suerte que tuvo la criatura es que una enfermera me vio enseguida y me detuvo, porque lo tenía en brazos con la intención de tirarlo por la ventana. Mi hijo se recuperó de las magulladuras que le provoqué —Anastasia se aguantaba las lágrimas que pugnaban por salir—. Después de que me sedaran para tranquilizarme, tuve una conversación muy profunda con la enfermera que consiguió pararme a tiempo y me hizo cambiar de idea. Algunas semanas más tarde y tras recapacitar día y noche, decidí ser la madre de mi maravilloso hijo. Le puse Jean Baptiste, en honor a mi padre —Anastasia hizo una pausa para respirar profundamente. Sacó un pañuelo que tenía en un bolsillo y se secó las lágrimas que comenzaban a brotar—. Eso fue el pasado, hoy, mi hijo y yo somos una familia fantástica. Él cuida de mí y yo de él.

—Es una historia terrible —dijo Odile—, como casi todas las que nos ocurrieron.

—Así es. Pero eso forma parte del pasado.

Alma y Samuel no sabían qué decir. Estaban muy afectados por todo lo escuchado. Odile se había empeñado en que ese día les marcara para siempre y estaba surtiendo efecto. De pronto, Samuel quiso saber una cosa:

—Anastasia, ¿puedo hacerte una pregunta?

—Claro, pregúntame lo que quieras.

—¿Has perdonado a los que te provocaron tanto sufrimiento?

—Yo he superado mi sufrimiento y he rehecho mi vida. El gobierno enseñó a los asesinos a pedir perdón y les ha perdonado. De hecho, algunos de ellos eran de los pueblos de alrededor y los tengo que ver casi a diario, están conviviendo entre nosotros, es otro tipo de tortura para nosotras, las víctimas. Yo no comparto la filosofía de vida del perdón. No quiero perdonarles por lo que hicieron. Mataron a mis padres y a mi hermano. Me violaron repetidamente. He visto demasiado horror como para olvidarlo y perdonarles.

Samuel asentía al escucharla. La entendía perfectamente, puesto que él pensaba que todo lo que le hicieron era algo absolutamente imperdonable.

—Ahora soy otra persona —continuó contando Anastasia—. He pasado más de diez años llorando todas las noches hasta que me quedaba dormida. Todavía sueño con los cuerpos apilados de los muertos en las calles. Todavía tengo metido en el recuerdo el hedor de esos cuerpos. Pero, pese a todo, ahora soy una persona fuerte que piensa en su futuro. Ahora soy yo la que ayudo al resto cuando nos reunimos. Ven en mí un referente y eso me impulsa a ser más fuerte aún. Hemos hecho grandes avances en nuestro club de apoyo.

—Es cierto, cada vez que puedo asistir a vuestras reuniones veo que la energía ha crecido y se ha expandido. Noto como la gente va curando las heridas de su corazón y una gran parte es gracias a ti —afirmó Odile.

—'¡¡Oooooh...!!' ¡Gracias querida amiga! Y todo comenzó por ti —agradeció Anastasia.

274

Los tres salieron de la casa de Anastasia. Se despidieron de ella agradeciendo todo lo que les había contado y comprobando de primera mano cómo el ser humano siempre es capaz de superar situaciones extremas.

Volvieron al coche. A Alma se le había revuelto el estómago por todo lo que contó Anastasia. Estaba seria, cabizbaja, meditativa. Como mujer y madre, no concebía el querer asesinar a su propio hijo por pura desesperación y repulsa. Sentía el sufrimiento de Anastasia e intentaba imaginar, a duras penas, el dolor que padecieron las mujeres de todo el país. No entendía el ensañamiento contra ellas. Los asesinos y agresores no se conformaron con violarlas repetidas veces, sino que además, las amenazaban con asesinarlas cada vez que iban. Quiso saber qué opinaba Odile de todo esto que se le amontonaba en la cabeza.

—Odile, ¿por qué hubo tanto ensañamiento contra las mujeres? ¿Por qué siempre se oyen casos así contra nosotras en todos los conflictos? No lo entiendo…

—Es una manera de dominar y de someter. Normalmente el que asesina es un hombre y de esa manera se siente poderoso y lo muestra como un trofeo frente a sus compañeros asesinos. Pero he de decirte que en el genocidio hubo muchos casos de asesinas. En definitiva, independientemente del sexo, ambos comportamientos son resultado del infierno que vive ese ser humano en su interior.

—Hay cosas imperdonables por mucho que te empeñes, Odile. Mira a Anastasia, ha sido incapaz de perdonarles —apuntó Samuel.

—Por ahora —puntualizó Odile—. Ya os dije que el perdón es un proceso y ella lo conseguirá al final, porque, en el fondo ella desea conseguir perdonar. Ella decidirá hacerlo cuando crea que está preparada para ello.

—Pues yo creo que no está por la labor. La veo más bien convencida de todo lo contrario —replicó Samuel bajando la comisura de los labios.

—¿Os habéis fijado en su mirada? —preguntó Odile.

—Sí… —respondieron los dos hermanos.

—¿Qué habéis percibido en ella?

Alma y Samuel pensaron durante unos instantes en los ojos de Anastasia.

—Creo que los vi llenos de tristeza —respondió Alma.

—Pero también de alegría cuando se reía —defendió Samuel.

—Sí, pero duraba lo que duraba su sonrisa —replicó Alma—. Sí, definitivamente tenía una mirada triste y puedo añadir que he notado que no había paz en ellos. No se apreciaba calma interna, más bien lo contrario.

—En eso te doy la razón. Creo que he intuido algo de… llamémosle rabia, rencor… algo así —admitió Samuel.

—Ella odia con todas sus fuerzas a sus violadores y asesinos de sus familiares. Sabe perfectamente quiénes fueron los que mataron a sus padres y, además, viven a diez minutos de Ntarama. Pero lo que no ha dicho es que ve a diario a uno de sus violadores porque vive en su misma calle. De hecho, van a misa juntos cada domingo.

—Dios qué horror.

—Eso es una injusticia. Es como condenarla a ella y no a él.

—El gobierno le perdonó sus penas. No tenía delitos de sangre y la violación es un delito menor que el asesinato en Ruanda. Así que, tras pedir perdón por todo lo que hizo, le soltaron en el 2002 y volvió al pueblo. Yo he hablado con él y se arrepiente de todo lo que hizo. No duerme desde hace casi diez años más de dos o tres horas por la noche. Vive atormentado porque, según él, le obligaron a violar, no sólo a Anastasia, sino a otras más, porque si no le pegaban un tiro a él mismo, acusándole de ser "amigo de los tutsis". Ha intentado varias veces hablar con Anastasia, pero ella se cierra en banda.

—¡Buff! esto es demasiado, Odile —protestó Alma.

—Dios mío qué historia… —resopló Samuel.

—Está en su mano cómo quiere ver su vida de ahora en adelante. Si quiere seguir sin los lastres del pasado y pasar página de verdad tendrá que perdonar, no hay otra salida.

—Pero, ¿no te has fijado que ese violador incluso puede ser el padre de su hijo? ¿Cómo va a perdonarle? ¡No sólo la violaron, sino que su familia la repudió por quedarse embarazada!

—Lo sé créeme, conozco muy bien su historia. Pero te repito, la alternativa al perdón es vivir con odio y rencor a una persona que va a ver a diario. Si lo que quiere es olvidarse, mientras no corte el hilo del sufrimiento que les une no va a conseguirlo. Y la única tijera que lo puede cortar es el perdón.

—O la venganza —propuso Samuel.

—¿La venganza? ¿Pero qué dices, Sam? ¡Eso sólo llevaría a Anastasia más sufrimiento! Así jamás se libraría del recuerdo de su violador, ¡jamás! —respondió asombrada Alma.

—No me malinterpretéis, no digo que sea la mejor opción, ni siquiera que sea buena, sólo que supongo que es una alternativa para no volver a verle nunca más.

—Muy sutil… —recriminó Alma— vaya con el del "Todos somos lo mismo".

—Lo vería a cada segundo siendo asesinado por ella. Lo rememoraría constantemente. Entonces nunca recuperaría su vida. Se quedaría anclada a ese momento y se convertiría en un infierno.

—Entonces, su única alternativa para poder vivir en paz, ¿es el perdón? —preguntó Alma.

—Es la única alternativa. Y créeme, sé de qué hablo— aseveró Odile.

Se subieron al coche, no sin antes volver a mirar a la iglesia que intentó ser un refugio para aquellas pobres almas.

—¿Dónde nos llevas ahora, Odile? —preguntó Alma.

—Volvemos al hotel, para que descanséis y comáis algo. A primera hora de la tarde os recogeré para ir a un pueblo al norte de Kigali. Allí os presentaré a una pareja de amigos.

—No sé si me apetece comer algo, la verdad —contestó Alma.

—Descansad primero, pero es importante que os alimentéis bien. El pueblo está a una hora de viaje, así que tenéis que renovar energías.

Tras dejarles de vuelta en el hotel, Alma subió a dormir. Samuel prefirió irse a comer al restaurante de la planta superior. Cuando acabó, bajó a la habitación y despertó a Alma. Seguía sin tener apetito, pero accedió a acudir al lugar donde se conocieron Odile y su padre, el *Bourbon Coffee*. El café era un sitio moderno y acogedor. Publicitaban su conexión rápida de internet vía wifi. Estaba dividido en dos espacios, en uno había una terraza cubierta y el otro daba al interior. Los dos hermanos se sentaron en la parte de la terraza. Mientras Samuel degustaba uno de los maravillosos cafés ruandeses Alma se comió un sándwich con pan integral.

Odile los recogió a la hora acordada. Se subieron al coche de nuevo y se dirigieron al norte.

—¿Sabes Odile? Hemos estado en el *Bourbon Coffee* —dijo Samuel acercándose a ella desde la parte de atrás.

—¡No me digas! ¿Os han atendido bien? —dijo sorprendida.

—¡Sí!, ¡ya lo creo! —respondió Samuel.

—Allí puedes comprar los kilos de café que quieras. Es de muy buena calidad, aunque algo más caro que en algunas tiendas del mercado.

—¡Genial!, muchas gracias por la información —contestó Samuel.

—¿En qué mesa os habéis sentado?

—En una de la terraza cubierta.

—Yo conocí a vuestro padre en las mesas interiores, cerca de la barra. Íbamos a por un café y lo pedimos al unísono. Tras unas risas comenzamos a hablar y me contó el motivo de su visita a Ruanda. Cuando le dije que yo le podía ayudar no cupo en sí de gozo. Me confesó que no sabía por dónde empezar y decidió tomarse un café en un sitio donde hubiera mucha gente y dejarse llevar para ver qué pasaba.

—¿Dejarse llevar? ¿Nuestro padre? —exclamó muy sorprendida Alma.

—Parece que estás describiendo a otra persona, Odile —dijo Samuel.

—Pues lo creáis o no, eso fue lo que me contó y de hecho, fijaos que se encontró conmigo. Yo fui la persona que compartió con él todo su proceso.

—¿Cuánto tiempo estuvo en Ruanda? —preguntó Samuel.

—Casi un par de meses, más o menos.

—¿Tanto tiempo? —replicaron ambos muy sorprendidos.

—Así es… quiso conocer la historia de muchas personas y después quiso involucrarse prestando ayuda a muchas asociaciones e institutos. Entre ellas, la mía.

—No te hemos preguntado todavía qué haces en tu asociación —señaló Alma.

—Básicamente organizamos números de baile. Creemos que es una excelente excusa para que se integren las mujeres que viven actualmente en Kigali. Son mujeres que provienen de diferentes lugares, etnias e, incluso, de diferentes países. Somos un grupo de apoyo y utilizamos la música como elemento de cohesión. Somos más de veinte mujeres actualmente y están empezando a venir hombres —explicó Odile.

—Es maravilloso que hayas podido superar tus dificultades y que hayas decidido ayudar a otras personas, Odile —afirmó Alma.

—Sí, es una suerte, sobre todo para mí, que disfruto viendo cómo van abriéndose poco a poco. Al principio ni siquiera sonreían y podían pasarse varios meses sin dirigirse la palabra. Ahora, forman un grupo de amigas inseparables. Somos como una familia —añadió Odile—. Por otro lado, también impartimos talleres para que puedan aprender un oficio y salir adelante por sí mismas. La gran mayoría son solteras o viudas y viven en un grado de pobreza acuciante, ya que únicamente subsisten gracias a una pequeña dotación del estado, pero ellas quieren ser independientes y ganar su propio dinero.

—Me encanta, Odile. Gracias por todo lo que haces —dijo Alma con las manos en el corazón.

Salieron por el norte de la ciudad. El paisaje era diferente a la carretera del sur. La carretera seguía la senda marcada del río Nyabugogo. No dejaron de ver casas durante todo el trayecto. La zona norte de Kigali estaba mucho más poblada y las viviendas se sucedían pueblo tras pueblo, sin apenas separación. Frente a ellos, campos de cultivo de arroz regados por el cercano río llenaban los huecos entre las poblaciones.

—¡Parece que esta zona está superpoblada! —observó Samuel.

—Muchísima, no en vano Ruanda es el país con mayor densidad de población de África y casi del mundo. Somos muchos y el territorio es muy limitado —informó Odile—. Ahora la carretera se separa del río y subimos una colina. En lo alto está Murambi, nuestro destino.

Murambi era una población de tamaño mediano con mucha vida. Únicamente la calle principal estaba asfaltada, el resto eran de tierra rojiza. Desde el coche, Alma y Samuel observaron a cientos de personas haciendo su vida cotidiana, yendo en bici o andando. Gente paseando con niños o charlando en pequeños grupos. Nada hacía sospechar lo que se ocultaba en la parte alta del pueblo.

Odile paró al pie de un montículo desde el que partía un camino que llevaba hasta varios edificios de ladrillo. Al bajarse del coche divisaron otro edificio mucho más grande que el resto, de color blanco. Tenía aspecto de ser una escuela o un hospital.

Una mujer les esperaba a pocos metros.

—¡Hola Godelieve! —saludó Odile agitando la mano para llamar su atención.

La mujer, al verla, se acercó al coche. Iba ataviada con un vestido de colores alegres, en tonos verdes, estampado con infinidad de ramas con unas flores y pequeños soles en sus extremos. Llevaba, anudado a su cabeza, un pañuelo granate. Sus pequeñas y puntiagudas orejas sobresalían por los costados del turbante. Sus diminutos ojos negros y rasgados denotaban una gran energía interior, aunque sus movimientos pausados hacían pensar lo contrario. Su nariz pequeña, hacía juego con las orejas, puesto que también era puntiaguda. Su sonrisa, como la de la mayoría de las personas ruandesas con las que habían coincidido, se veía a kilómetros de distancia, iluminando su rostro como un destello fulgurante en la oscuridad de su piel.

—¡Hola a todos! ¡Hola Odile! —dijo abalanzándose a los brazos de su amiga. Su gesto denotaba una relación muy íntima entre ambas.

—Mirad, chicos, os presento a mi gran amiga de la infancia y de mi vida, Godelieve.

—¿Godelieve? —preguntó Samuel— ¡Qué nombre más curioso!

—Es el nombre de una santa belga. A mis padres les gustó mucho en su momento y lo eligieron para mí.

—Él que ha hablado sin presentarse se llama Samuel. Yo soy su hermana Alma.

—Es cierto… ¡Disculpa! —admitió Samuel.

—¡Ja, ja, ja! No me importan las formalidades. Tranquilo —respondió Godelieve.

—Bueno, pedí a mi gran amiga que os contara su historia. Es la última que vais a conocer. Ella es una lección de vida y de supervivencia en sí misma —anunció Odile—. Pero no me quiero adelantar, que os lo cuente ella mejor.

—Gracias Odile, tú siempre tan gentil… Bueno, primero quiero contaros qué es éste lugar y por qué estamos aquí —dijo Godelieve—. Aquellos edificios fueron construidos para albergar una escuela técnica, un instituto profesional. Se preveía que lo abrirían para el curso 1994–1995. Pero no se pudo inaugurar porque antes se le dio otro uso —hizo una pausa, indicando con un gesto de la mano que comenzasen a andar, y continuó—. ¿Vamos?

El complejo de edificios estaba compuesto por varias construcciones, siete en total, de una sola planta rectangular, de unos cien metros de largo, con ladrillos de color claro casi blanco. Estaban dispuestas en hileras de dos en dos. Una de ellas estaba más apartada y tenía un anexo que casi duplicaba sus dimensiones. Tenían grandes ventanas para que entrara la luz natural, pero ninguna de ellas conservaba los cristales. El conjunto se extendía más allá del edificio principal de dos plantas ubicado al fondo, puesto que detrás de él había otros nueve edificios más de similares características, pero marrones. Todo el conjunto daba la impresión al visitante de que allí estaba proyectado un complejo educativo que acogería a miles de estudiantes de toda la provincia.

—Todo ocurrió la mañana del 16 de abril. Miles de personas acabamos encerrados en estos edificios. ¿Cómo llegamos aquí? —se preguntó a sí misma Godelieve—, empujados y engañados por una esperanza de salvar nuestras vidas que nunca existió —hizo una pausa para que vieran lo que había a su alrededor.

Las vistas desde esta colina impresionaban, se podían divisar cientos de kilómetros de distancia. Estaba enteramente cubierta de un maravilloso verde que le daba la abundante vegetación que allí crecía. Era un lugar idílico para ubicar la escuela. Godelieve, continuó con su historia.

—Días antes, las noticias que llegaban sobre asesinatos en masa en la capital asustaron a toda la población tutsi. Mi familia, mis padres y mis diez hermanos vivíamos aquí, en Murambi, la tierra de nuestros antepasados desde hacía siglos. Ese día, el 16, vi por primera vez a mi padre con un gesto serio. Jamás lo había visto así. Mi padre siempre sonreía desde que se levantaba temprano por la mañana. Era la persona más feliz que he conocido. Mi vida fue muy buena durante mi niñez. Esa mañana en que mi padre entró por la puerta aterrorizado yo tenía 13 años. Nos reunió a todos y nos dijo que mis hermanos mayores y él saldrían a ver cómo estaba la zona para escapar a tierras más seguras. Las últimas noticias alertaban de que los temidos *interahamwe*, grupos de hutus armados y organizados en cada población de Ruanda estaban muy próximos a la población. Le habían dicho a mi padre que venían de camino a Murambi para acabar con todos los tutsis. Mi padre y mis hermanos salieron de casa. Fue la última vez que los vi, con vida y sin ella. Nunca encontré sus cuerpos ni ningún resto de ellos, sólo sé que desaparecieron de la faz de la tierra.

—Al cabo de un par de horas —continuó diciendo Godelieve—, un vecino y amigo de la familia, de etnia hutu, nos dijo que nos fuéramos de allí porque venían con la intención de arrasar con todo lo que tuviera que ver con los tutsis. Nos aconsejó que nos refugiáramos en la iglesia. Mi madre y yo organizamos rápidamente algo de comida en unas telas que anudamos a nuestra cintura y salimos con sigilo al exterior. Vimos cómo corrían centenares de personas que no habíamos visto nunca antes. Provenían de pueblos de alrededor empujados a huir por la persecución de los grupos *interahamwe*. Todos habían tenido la misma idea: refugiarse en la iglesia. Cuando llegamos allí, el obispo, junto con el alcalde, ambos hutus, nos dijeron que era muy peligroso que nos quedáramos dentro del templo y nos aconsejó que buscáramos refugio en los edificios del nuevo complejo educativo que se estaba construyendo en un alto de Murambi. Parecía ser un lugar seguro. Cada vez éramos más. Pasamos en unos minutos de cientos a miles de personas buscando amparo. De camino aquí recuerdo que giré la cabeza y vi un reguero de personas, como hormigas, que se extendía a kilómetros de distancia valle abajo. Todos se dirigían al mismo lugar desesperados por salvar sus vidas.

Odile agitaba ligeramente su cabeza. Samuel y Alma escuchaban con atención y con cara de estupor. Godelieve ya no sonreía, pero tampoco había cambiado en exceso su gesto. Contaba su historia de forma pausada y tranquila, como si la hubiera contado millones de veces, aunque conservando toda su intensidad.

—Mi familia y yo acabamos en el edificio principal. Allí —señaló el edificio más grande del fondo—. Mantuvimos la esperanza de salvar nuestras vidas porque acabamos siendo decenas de miles de personas para defendernos entre todos y, además, aparecieron camiones franceses de las Naciones Unidas que siempre estaban por la zona. Resistimos hasta el día 21. Durante esos casi cinco días nos defendimos como pudimos, con piedras, con palos, con hierros que encontramos en la obra, cualquier cosa valía. A primera hora de la mañana del 21 alguien dio la voz de alarma. Los camiones de las Naciones Unidas que no habían intervenido todavía, pero que se mantenían a la entrada del complejo, se marcharon. En ese instante, una banda enloquecida de hutus entraron al complejo. Aniquilaron con granadas y ametralladoras a los primeros refugiados en estos edificios. Si observáis ahí delante todavía están las marcas de las explosiones y de los disparos —indicó Godelieve señalando al edificio que estaba más apartado.

Edificio tras edificio fueron asesinando a todos los que allí se refugiaban. Todavía escucho en mi cabeza el ruido de las bombas y de los disparos y, sobre todo, los gritos desesperados de la gente corriendo de un lado para otro. A los que intentaban huir los mataban con machetes. Para que alguien muera a machetazos tienen que darle muchos golpes con el filo. Los remataban en el suelo durante interminables minutos. Los dejaban vivos y luego volvían a darles más, hasta que dejaban de moverse.

Alma se detuvo a respirar hondo. Se giró para no seguir viendo aquellos edificios, recordatorios de lo peor que habita en algunos seres deshumanizados. Hizo de tripas corazón y tras varias inspiraciones profundas, volvió con los demás.

—¿Estás bien? —preguntó Odile.

—Sí… ¿por qué tenemos que escuchar todo esto? —recriminó Alma.

—Porque quiero que veas algo que ocurrió después, pero tienes que ser plenamente consciente de lo que pasó con Godelieve —dijo Odile.

—Tranquila Alma. Acabo enseguida —afirmó Godelieve.

—Es que… ¡uff! No tengo casi aguante para estas cosas. ¡Es que es horrible! ¿Qué podemos sacar de bueno reviviendo esto? —replicó Alma.

—Ahora lo verás —dijo Odile en tono conciliador.

—Sólo quería contaros que dos de mis hermanas y yo conseguimos escapar cuando los *interahamwe* entraron en el edificio. Mi madre y mis hermanos menores huyeron por otro sitio en décimas de segundo. Les perdimos la pista por completo. Nosotras tuvimos la gran suerte de huir por una puerta lateral que nadie controlaba todavía. A los pocos segundos de salir nosotras, dos hutus se atrincheraron en ella y a todo el que salía lo acribillaban. No sé cómo lo conseguimos, pero nos dirigimos hacia el norte donde todavía quedaban familiares de nuestra madre.

—Después de sufrir lo indecible —continuó relatando—, con ayuda de muchas personas hutu que nos dieron cobijo y comida, algunas incluso jugándose su vida, trasladándonos en coche llegamos a la zona controlada por el ejército tutsi, el FPR, que estaban reorganizándose para invadir el país de norte a sur. Allí nos enteramos de que aquí murieron más de cincuenta mil personas en apenas dos horas. Nosotras somos tres de las treinta y cuatro personas que se salvaron. Todo había sido orquestado para que nos arrinconaran en un mismo sitio. El obispo, el alcalde, los vecinos que nos alertaban del peligro, todos estaban compinchados para que termináramos donde ellos querían, en este complejo educativo. Así sería mucho más fácil aniquilarnos. Después, también supimos que soldados franceses trajeron maquinaria para excavar en el suelo y así poder enterrar los cuerpos en fosas comunes. Pero no contentos con eso, además, construyeron un campo de voleibol para ocultarlo todo. Esa es la razón por la que en Ruanda ya no se habla casi francés y está siendo sustituido por el inglés. Ruanda repudió a Francia al igual que hizo con Bélgica, pero ésta al menos pidió perdón público. Los franceses nunca lo hicieron.

Samuel se quedó petrificado con el testimonio de Godelieve. Alma estaba alterada, no creía que su corazón pudiera sostener mucha más información de esta índole. Muchas preguntas sobrevolaban sus mentes. ¿Cómo era posible que ocurriera todo eso? ¿Cómo fue posible que soldados de países civilizados como Francia, que supuestamente están para velar por la vida de las personas, contribuyan a que se produjera la locura más aterradora que jamás habían escuchado?

—En la actualidad, esta edificación se mantiene en pie como recordatorio a las generaciones que tuvieron la gran suerte de no vivir semejante tragedia para que nunca vuelva a suceder. Recibe visitas de estudiantes de todo el país y de extranjeros a diario. Ahora tiene otro cometido: instruir, educar y recordar —explicó Godalieve.

De pronto, se detuvo.

—No quiero pasar más allá de donde estamos ahora. Nunca he podido hacerlo y ni quiero —admitió con dolor Godelieve—. Si queréis entrar en esos edificios de allí vosotros, os encontraréis con todas las ropas de los fallecidos e, incluso, fotos de algunos de ellos. Mi madre y mis hermanos no están porque quemaron mi casa y todo lo que contenía y, por desgracia, no conservo fotos de ninguno de ellos. También podréis ver cuerpos en cal, embalsamados para que la gente que lo visite se horrorice tanto que no permita jamás que esto pase en ninguna parte del mundo.

—¿Cuerpos embalsamados? —dijo aterrorizado Samuel poniendo cara de absoluto asombro y repugnancia al mismo tiempo.

—Sí, cientos de ellos. En la misma posición en la que perecieron, con las heridas visibles que le provocaron sus muertes —dijo Godelieve.

—Yo no quiero seguir —dijo Alma.

—Yo tampoco. Es suficiente —añadió Samuel.

—Volvamos al coche —sugirió Odile.

Cuando llegaron al *pick-up* de nuevo, Alma se sinceró con Odile.

—Por favor, Odile. Es más que suficiente, no quiero saber más detalles de este infierno.

—Está bien, ha sido suficiente para que os hagáis una idea de lo que ocurrió aquí. Ahora vamos con la parte más importante— dijo Odile.

—Por favor, más historias así no—dijo Alma negando con el dedo índice y sin mirarla.

—No más historias así. Ahora llega el turno a la historia que más merece la pena conocer —aseguró Odile—. Vamos, subamos al coche.

Odile los condujo hacia el pueblo, hasta una zona donde las casas estaban muy desperdigadas unas de otras. Eran pequeñas viviendas, hechas de bloques de hormigón muy parecidas a la casa de Anastasia, aunque éstas tenían un pequeño corral con un huerto adyacente.

—Bueno, ésta es mi casa. No es gran cosa pero estoy muy feliz aquí.

—Tiene pinta de ser muy acogedora —afirmó Samuel—. Has sido muy valiente al volver a tu pueblo.

—Es mi hogar. El lugar no tiene nada que ver con lo que ocurrió. No importa donde viviera, el genocidio se dio en todos los rincones del país.

—Eso es cierto —aceptó Samuel.

—Además, yo ya lo he perdonado —añadió.

—¿Lo has perdonado? ¿Qué has perdonado? ¿Qué te quemaran la casa?

—He perdonado todo —afirmó contundente Godelieve.

—¿Has perdonado el asesinato de tu familia? —preguntó Samuel incrédulo.

—He perdonado el asesinato de mis padres y de mis hermanos. He perdonado que quemaran mi hogar, con todos mis recuerdos dentro. He perdonado que mi vecino, amigo íntimo de la familia, nos engañara para que saliéramos de casa y nos dirigiéramos a la iglesia. He perdonado todo. Lo creas o no. Lo he hecho.

—Pero… ¿Cómo es posible eso? —preguntó abrumada Alma.

—Bueno, es una elección de qué es lo que quieres para el resto de tu vida, odiar o perdonar.

—Pero, ¿cuánto tiempo te ha costado conseguirlo? —preguntó Samuel.

—Muchos años, muchos. Más de los que hubiera deseado.

—¿Por qué lo expresas así?

—Porque si hubiera abrazado el perdón hace años, habría sido libre antes.

—Disculpa, Godelieve, no te entiendo —afirmó Samuel.

—Os cuento como fue. Yo volví aquí en 1.999. Durante cuatro años estuvimos viviendo con mi tía en el norte del país. Aquel año decidí que era hora de volver y de recuperar las tierras que pertenecían a nuestros antepasados. Dejé a mis hermanas con mi tía y volví a Murambi para comprobar cómo estaba todo. Al año mis hermanas vinieron a vivir de nuevo conmigo. Paso a paso he ido rehaciendo la casa de mis padres y volví a cultivar alimentos que luego podía vender en el mercado.

—Me parece un gran logro lo que has conseguido. Reconstruir esta casa no es trivial. ¿Lo hiciste tú sola? —preguntó Samuel observando todo lo que había a su alrededor.

—Esta no es la casa de mis padres —dijo Godelieve.

—¡Ah!, ¿no? —dijo sorprendido Samuel—. Entonces, ¿compraste otra casa?

—No… esta es un regalo.

—¿Te la regalaron? ¿Quién? ¿El gobierno? —indagó Samuel.

—No… el vecino que nos alertó y que nos engañó

Samuel y Alma se quedaron muy confusos. En ese mismo instante un hombre apareció por la puerta, apartó la cortina de tela que colgaba en ella y entró en la casa.

—Chicos —dijo Odile— os presento a Pascal, la persona de la que os hablaba Godelieve.

—¡Hola! Dijo en inglés con fuerte acento —el hombre sonreía mientras le daba la mano a los dos hermanos y a Odile.

—Pascal no sabe mucho inglés, está aprendiendo, pero yo os lo traduzco —dijo Godelieve.

—¿Dónde aprendiste tú Godelieve? —preguntó Alma.

—En la escuela tenía un profesor muy bueno que se empeñaba en que aprendiéramos inglés. ¡Cómo echo de menos al señor Thacien! ¡Qué gran hombre era! —exclamó Godelieve—. Él nos enseñó todo el inglés que sé. Aunque juego con ventaja, tengo mucha facilidad para aprender idiomas.

—Desde luego, hablas muy bien, Godelieve —dijo Alma sonriéndole.

—Muchas gracias, Alma.

Pascal se sentó junto a ellos. Murmuraron algo entre Godelieve y él y finalmente se giró hacia ellos dispuesto a contar su parte de la historia.

—Pascal os va a contar cómo se produjo nuestra reconciliación —anunció Godelieve.

Pascal, en un idioma indescifrable para los hermanos, comenzó a hablar. Godelieve le traducía al instante.

—Dice Pascal que cuando llamó a nuestra puerta, dos hombres armados de las *interahamwe* le estaban apuntando a la cabeza desde la esquina de nuestra casa. Dice que le obligaron a mentirnos y a colaborar con ellos si no quería que lo mataran a él y a toda su familia también. Podrían habernos matado allí mismo, pero estaban planeando una gran matanza, para poder enterrar todos los cuerpos juntos y no tener que perder el tiempo en recogerlos casa por casa —tradujo Godalieve, mientras Pascal esperaba pacientemente a que les tradujese sus palabras—. Después, le dieron un arma y le dijeron que se uniera a ellos, que estaban preparando algo muy grande. Les intentó convencer de que él era incapaz de usar un arma, nunca lo había hecho, pero ellos le amenazaron con acribillar a su familia si no lo hacía. Los tuvo que acompañar hasta el complejo educativo y allí, cinco días después, entró con los demás matando a todo el que veía. Dice que al principio disparaba sin dar a nadie, hasta que uno de los integrantes del *interahamwe* se percató y casi le vuela la cabeza. Él, en ese mismo momento, comenzó a matar a los que tenía delante. El primero, un niño cinco o seis años.

—¡Yo no puedo más! ¡Esto es insoportable! —expresó Alma.

—Disculpa Alma, le voy a decir que no cuente nada más de eso, ¿de acuerdo? Que vaya directamente a donde nos interesa.

—Vale, pero es que… esto es muy duro…

—Espera, te prometo que no os diré más cosas horribles —dijo Godelieve posando su mano en la de Alma.

—De acuerdo.

Godelieve le comentó a Pascal que no contara nada más escabroso. Pascal asintió con la cabeza y lo entendió perfectamente.

—Él había estado encarcelado durante años en una prisión de Kigali con otros cientos de la zona que también estuvieron involucrados en los asesinatos, tras ser encontrado culpable por un tribunal *gacaca*. Después de redactar la carta de perdón en el año 2.000 el gobierno evaluó su caso y lo liberaron, junto con una decena de personas hutu del pueblo, dos años después. Cuando salieron de prisión volvieron a Murambi.

Pascal hizo una pausa hasta que Godelieve terminó de traducir todo lo que había dicho. Después, continuó con su relato.

—Volvió sólo, también perdió a su familia durante estos años. Godelieve hizo un gesto como para que Pascal no diera más detalles sobre lo que les ocurrió. Él asintió de nuevo—. Al principio, todos los que volvieron lo hicieron con temor a que los tutsis supervivientes se vengaran por lo que hicieron. Pensaba que durante la noche irían a su casa y lo asesinarían como venganza. Pero nunca ocurrió. Lo que más miedo le causaba era encontrarse cara a cara conmigo —dijo Godelieve encontrármelo porque creía que habían vuelto para acabar con el genocidio que comenzaron. Pero un día tocó en mi puerta —Pascal dejó que contara esa parte—, quiso reconciliarse conmigo y con mi familia. Yo no quería ni verlo. Me asusté mucho cuando lo vi en la entrada de mi desvencijada casa. Dos días después volvió y me dijo que me regalaba su casa y sus terrenos, en compensación por lo que le hicieron a mi casa. Yo no acepté en un principio, pero, hablándolo con mis hermanas creímos que era lo justo y finalmente aceptamos. Su casa era mucho mejor que la que teníamos nosotros. Así que, ésta es la casa que nos regaló.

Samuel, muy sorprendido le preguntó a él:

—Pero, ¿y dónde vives tú ahora?

—Vive en una casa cerca de aquí junto con algunos familiares suyos —respondió Godelieve por él.

—Y, entonces, ¿así le perdonaste? ¿Cuándo te regaló su casa? —preguntó Alma con el gesto fruncido.

—No… en absoluto. Intentó hablar conmigo varias veces, pero yo no estaba preparada. Un día, no sé todavía muy bien por qué, accedí a comunicarme con él. Me pidió perdón, contándome lo que os acaba de relatar y muchos otros hechos. Se abrió a mí, me transmitió todo lo que sentía. En la cárcel le habían enseñado a perdonar y a pedir perdón. Estaba realmente arrepentido de aquello. Yo le respondí que yo sola no podía perdonarle y que tendría que pedir perdón a toda mi familia. Reuní a la familia que me quedaba y, junto con mis hermanas, le recibimos aquí mismo. Pascal, temblando como un flan, nos pidió perdón a todos. Lloramos mucho aquel día. Ese fue el momento en el que decidí que quería perdonarle.

—¿Así de sencillo? —dijo estupefacto Samuel.

—Sí, es así de complicado y así de simple. Hasta que llega ese momento pasas por muchos estados y emociones, muchas crisis internas. Pero debes pensar qué quieres para ti, para el resto de tu vida. Yo pensé mucho en mis hermanas menores. No quería que vivieran con odio ni temor y yo se lo estaba transmitiendo sin querer. Además, cada vez que salía a la calle era una tortura para mí. Pensaba que aparecería por detrás y me degollaría. Fueron unos años horribles de sufrimiento y temor. Mi única salida era perdonarle. Sentía que me habían robado mi pasado pero me estaba privando de mi futuro.

—Así es, chicos. Lo mismo que mi caso —añadió Odile—. El perdón era nuestra única salida. Como podéis comprobar, todo, absolutamente todo, se puede perdonar. Con ello rompes lo que te ata a tu pasado y te deja seguir adelante, libre, sin miedos que te retengan. Os prometo que cuando decidí perdonar todo lo que había ocurrido algo en mi interior sucedió. Fue como si hubiera vivido durante muchos años con alguien apretándome por dentro y de repente me soltara. El alivio, la paz que sentí, fueron indescriptibles.

Pascal quiso intervenir una vez más.

—Dice Pascal que —contó Godelieve haciendo de nuevo de traductora—, cuando le perdoné, él sintió un gran amor en su corazón. Nunca antes había sentido una cosa igual. Todos sus miedos se deshicieron, toda su culpabilidad desapareció. Pudo dormir de nuevo. Llevaba casi una década sin dormir bien, pensó en quitarse la vida muchas veces por todo lo que hizo, pero el perdón que recibió de mí le curó para siempre. Desde entonces me cuida como si fuera su hermana —extendió la mano para dársela a Pascal—. Eso es muy cierto.

—A partir de ese momento él colabora con nosotras en las charlas de reconciliación contando su caso y extendiendo el perdón allá donde vamos. Muchas personas han dado el paso cuando han visto lo que ellos dos han conseguido.

—Es impresionante y… casi increíble— afirmó Samuel.

—Y casi impensable en nuestra sociedad— añadió Alma.

—No importa lo que la sociedad os haya enseñado. Importa lo que vosotros hacéis con vuestra vida —explicó Odile—. Cuando perdonáis, un poder interior se desata en ambas partes. Un poder sanador, liberador. Es complicado de expresar, pero es algo muy especial. Y es un poder que está en todos y cada uno de nosotros. No os creáis que los ruandeses somos especiales, lo que sí es cierto es que somos poco habituales. No somos más especiales de lo que podéis ser vosotros o cualquier otra persona. Ese poder es de todos y está en nuestro interior esperando a ser liberado.

—Para mí, además, hizo que dejara de sentirme como si fuera un verdugo que deseara la muerte de Pascal y del resto. Eso me convertía en lo mismo que ellos y me atormentaba —manifestó Godelieve—. Pasé muchas noches despierta pensando en sus muertes y en cómo les haría sufrir. El odio me consumía y me destrozaba por dentro. Todo eso se esfumó para siempre. Me liberé de su recuerdo, un recuerdo que me visitaba a diario, a cualquier hora y que me impedía mirar al futuro. Ahora ya no los recuerdo apenas, he cortado el hilo que me unía a ellos.

Alma se quedó en silencio. Miraba a Godelieve impresionada por lo que ella había conseguido. Ahora, todo aquello que le parecía difícil de perdonar, se debilitó. Alma pensaba que un golpe de realidad siempre coloca las cosas en su sitio. La mente tiende a pensar que sus problemas son mucho más importantes y complicados de resolver que los del resto de personas. Pero estos ejemplos los colocaron en el lugar que se merecían.

Para Samuel, todo el día fue un absoluto *shock*. No lo verbalizó en ningún momento, pero tenía constantemente en su cabeza la imagen de unión de todos los seres humanos a través del hilo dorado de luz. Recordó una y otra vez el mensaje de que todos somos lo mismo y de que todo lo que haces afecta a todo y a todos. Se preguntaba si se estaría condenando a sí mismo si elegía seguir condenando a George y a Mary e incluso a su padre. Un pensamiento fugaz surgió de su interior. Como una voz imperceptible.

—Si todos somos lo mismo y elijo no perdonar, en realidad, no me estoy perdonando a mí mismo —pensó para sí.

Samuel se quedó absorto en sus pensamientos. Estaba realmente asombrado por haber tenido ese momento de lucidez. Lo veía tan claro ahora... Era verdad lo que Odile les dijo, es una cuestión de querer perdonar o no. Tan simple como eso. Hay excusas de todo tipo, con razón o sin razón para no hacerlo, pero eso no importaba en absoluto, era sólo la mente terrenal queriendo tener razón y sentirse herida, queriendo llamar la atención sintiéndose una víctima a la que hay que compadecer.

—Dios, pero cómo es posible que lo vea ahora tan claro... —murmuró lo suficientemente fuerte como para que el resto le oyera.

—¿Lo tienes claro ahora, Sam? ¿De verdad es así? ¡Nada del mundo me alegraría más que saber que has perdonado! —dijo agarrándolo de sus manos.

Samuel seguía absorto en sus pensamientos y ni siquiera se había dado cuenta de que lo había dicho en voz alta. Al notar el contacto con su hermana salió del estado en el que estaba.

—¿Qué? —preguntó.

—¿Has perdonado, Sam?

—Eh... no lo sé, creo que no, todavía no. Pero he comprendido todo lo que nos han estado contando hoy sobre el perdón. Ha sido como un chispazo en mi mente y... ahora lo entiendo todo y se ensambla como un engranaje perfecto. Ahora soy consciente de que es sólo mi decisión, Alma. Da igual lo que piensen o hagan ellos, es sólo una elección mía, porque elijo sobre mi vida, sobre mi futuro.

Alma se levantó a abrazarle. Odile lloraba de emoción. Pascal, que sin entender mucho lo que dijeron lo entendió todo con aquel abrazo, cogió cariñosamente de la mano a Godelieve, seguro de que habían puesto su granito de arena, una vez más.

—Lo vamos a perdonar todo, Sam. Lo sé. Lo vamos a hacer porque así lo hemos decidido. Liberaremos nuestro poder interior y nos liberaremos de la culpabilidad. Yo estoy decidida y dispuesta a hacerlo, Sam. Yo te perdono por no haber estado con mamá en sus últimos momentos. Te perdono Sam y te pido disculpas por no haberlo hablado contigo antes. Lo oculté, lo ignoré por completo. Pero seguía en mi interior, latente, afectando a nuestra relación. ¿Me perdonas Sam?

—Alma, por supuesto que te perdono. Yo sabía que me guardabas algo de rencor, pero nunca me atreví a hablarlo contigo. Gracias por liberarme de aquello. No sabes los miles de millones de veces que revivo el momento en el que leí tu mensaje en el móvil. Cada vez que lo recordaba quería haber cambiado mi pasado y haberme podido despedir de mamá —dijo llorando angustiosamente.

—¡Sam! Nadie esperaba que muriera, ni siquiera ella, hasta el último minuto en el que estuvo lúcida y me dijo que esparciera las cenizas con las de papá cuando muriera y que os amaba, con toda su alma. ¡Sam!… yo odié a papá mucho tiempo… y me acabo de dar cuenta de que mamá lo amaba tanto que quiso estar eternamente junto a él. ¿Cómo es posible que no lo haya visto hasta ahora? Pero, ¿cómo he estado tan ciega? Mamá os perdonó en ese preciso instante, pero yo en cambio, ¡elegí condenaros! ¡Dios mío, ahora lo veo! —Alma gemía de dolor por todo lo que estaba sanando. Se abrazó aún más fuerte a Samuel.

Odile, Godelieve y Pascal decidieron dejarlos solos durante el tiempo que necesitaran y salieron, amistosamente, cogidos por los hombros, sabiendo que el trabajo estaba hecho, el trabajo que Martín preparó minuciosamente junto con ellas. Odile miró al cielo una vez más y dijo:

—Martín, tus hijos lo han conseguido. Les has salvado querido amigo.

Pasaron varios minutos hasta que los dos hermanos con los ojos enrojecidos salieron de la casa de Godelieve. Sonriendo por lo que habían vivido, se abrazaron a los tres de forma efusiva y les dieron las gracias por haberles ayudado a conseguirlo.

—Siento haber sido tan brusca e incluso tan macabra con lo que os he hecho vivir hoy, pero era absolutamente necesario —alegó Odile—, sólo tenía un par de días para conseguirlo y me ha sobrado uno.

—Me ha resultado bastante desagradable, Odile. Me han dado ganas de irme de Ruanda, incluso corriendo si hubiera hecho falta —manifestó Alma—. Pero lo que habéis conseguido con nosotros es un milagro.

—Lo es. A tu padre le costó muchas más historias y testimonios para poder abrirse a decidir perdonar.

—Es que cuanta más edad tienes, más cuesta cambiar.

—Todo depende de la intensidad con la que lo quieras cambiar y tu padre lo consiguió y eso que tenía muchas cosas y muchas personas a las que perdonar. A partir de su visita a Ruanda, un nuevo Martín resurgió y… ¡no os podéis ni imaginar hasta dónde llegó!

—¿Hasta dónde? —preguntó de inmediato Alma.

—Ya lo sabréis… a su debido tiempo… —sonrió Odile.

Los hermanos se despidieron de Pascal y de Godelieve, agradeciéndoles todo lo que habían hecho por ellos de forma desinteresada. Antes de irse, Godelieve les hizo prometer que mostrarían al mundo las maravillas del perdón. Alma y Samuel accedieron gustosamente, aunque Samuel todavía no sabía cómo lo iba a conseguir, pero estaba seguro de que lo haría porque así lo había decidido.

En el camino de vuelta. Samuel se quedó mirando la preciosa puesta de sol que dibujaba los contornos de los cientos de colinas que había en el horizonte. Fue consciente en ese momento de que nunca en su vida pensó estar donde estaba. Se sentía muy afortunado de estar viviendo todo lo que habían vivido en los viajes de su padre. Se sentía en paz, como hacía décadas. Cerró los ojos y agradeció a sus padres la vida que le dieron. Comparando su existencia con la de las personas que había conocido fue consciente de la vida tan sencilla y maravillosa que había tenido. Se sentía muy afortunado. Extrañado por el nuevo sentimiento, pensó cuando fue la última vez en la que se hubo sentido así y concluyó que había pasado demasiado tiempo…

Durante el camino de vuelta, Alma aprovechó para preguntar más cosas sobre la vida de Odile.

—Odile, ¿cómo os conocisteis Godelieve y tú?

—Yo viví los primeros años de mi infancia en Murambi. Allí la conocí junto a toda su familia. Pese a que la mía se trasladó a Kigali cuando yo tenía unos 12 años siempre mantuvimos el contacto y mis padres hicieron lo propio con los suyos. Es una bendición tenerla en mi vida. Cuando supe que había sobrevivido no me lo podía creer, fue un regalo del cielo.

—¡Qué bonito Odile! Hacéis una labor inconmensurable. Ojalá vivierais en Miami, podríamos hacer tanto bien allí…

—Alma, ahora puedes hacerlo tú.

—¿Yo? ¡Pero si acabo de aprender a cómo perdonar una nimiedad!

—Ningún perdón es mayor que otro. Ningún perdón es menos que otro. Todo perdón es igual de valioso. Recuerda esto siempre.

Alma se quedó parada pensando en las palabras de Odile. Pensó que si esta filosofía se trasladara a todos los países, el mundo sería mucho mejor lugar. Súbitamente, se le ocurrió que podía investigar sobre el proceso del perdón, leer todo lo que pudiera sobre el tema y comenzar a abrir clubs de reconciliación por todo el país, comenzando por Miami.

—Sé cómo lo haré Odile —dijo entusiasmada.

—¿Ves? Tu poder se está desatando. Ya has comenzado a perdonarlo todo.

—Dios mío… ¡gracias Odile! —exclamó con ambas manos sobre su pecho y arrugando la frente.

—Es un bien mutuo, con esto ganamos todos porque mejoramos el mundo en el que vivimos.

—¡Así pienso yo!

Antes de llegar a Kigali, se dio cuenta de que no habían depositado todavía las cenizas de sus padres.

—Odile, ¿Dónde depositaremos las cenizas?

—Nos os preocupéis, mañana os diré lo que haremos.

Samuel, que había estado ensimismado en sus pensamientos durante todo el trayecto, de pronto, despertó de su letargo al ver de reojo la estatua de los gorilas.

—¡Odile! —gritó emocionado— ¡Quiero ir a ver los gorilas!

—¿Qué gorilas, Sam? ¿De qué estás hablando? —preguntó Alma sin tener ni idea de lo que estaba diciendo.

—¡Ruanda tiene una reserva de gorilas, Alma! Y se pueden ver en su hábitat natural! ¿Está muy lejos de aquí, Odile?

—No, no está muy lejos… está en el parque nacional de los volcanes.

—¡Volcanes! —exclamó Alma.

—Sí… hay cinco volcanes en esa cordillera. Tres en Ruanda, uno en Uganda y uno en el Congo. El gobierno ruandés está apostando fuerte por el turismo responsable en la zona y está invirtiendo mucho dinero en él. Es el lugar donde vive una especie endémica de gorilas, los de montaña. Es única en el mundo. Son unos animales impresionantes, preciosos.

—¿Podremos ir mañana, por favor?

—No lo sé… tendré que consultarlo con el albacea.

—¿Con el albacea? —preguntó Alma—. ¿Por qué con él?

—Porque es el que está planificando todos los viajes y dependemos de él para saber cuándo os marcháis del país.

—¿Todavía no se sabe cuándo nos vamos?

—A priori, pasado mañana —respondió Odile.

—¿Y se puede saber a dónde? —preguntó Alma con suma curiosidad pero sin mucha esperanza de conseguir averiguarlo.

—Os marcháis a Israel.

—¿¡Cómo!? —gritaron ambos.

—¡A Israel! ¡Qué bien! ¡Siempre he querido ir! —vociferó Samuel.

—Pero, ¿no es un poco peligroso? —preguntó Alma.

—¿No lo es Ruanda?

—No… no lo es… al menos lo que hemos visto hasta ahora.

—Lo mismo pasa con Israel. Parece que están siempre siendo atacados, pero no es cierto. No veáis las noticias, contaminan la mente.

—¡Ja, ja, ja! ¡Eso es muy cierto! —dijo Samuel.

Llegaron por fin al hotel.

—Samuel, te mandaré un mensaje en cuanto el albacea me diga si puedes ir a la reserva de los gorilas, o no.

—¿Tú quieres ir Alma? —preguntó Samuel.

—No me apetece mucho subir por volcanes, por muy atractivos que sean los monos.

—No te preocupes Alma, tú y yo podemos visitar otros lugares mientras tanto.

—¡De acuerdo! —aceptó Alma.

Odile se marchó en su coche. Samuel propuso ir al *Bourbon coffee* para tomar algo de cena, pero Alma estaba agotada y sin muchas ganas de salir. Decidieron pedir un par de sándwiches ligeros al servicio de habitaciones. Mientras Samuel se duchaba, Alma aprovechó para volver a llamar a Robert. Con tantas emociones como había tenido, se había olvidado por momentos de la situación por la que estaba atravesando su marido. Se recostó en la cama, marcó su número y esperó a que diera tono. Tras esperar todos los tonos posibles, colgó sin recibir respuesta. Acto seguido llamó a Flora que contestó casi de inmediato.

—¿Flora?

—¡Hola hija! ¿Cómo estáis?

—Nosotros bien, Flora. ¿Cómo está Robert?

—Pues no sé qué decirte Alma, la verdad.

—¿Qué ocurre? —preguntó preocupada incorporándose.

—Te diría que volvieras a casa ya porque Robert no está bien… —dijo Flora con voz susurrante para que no le oyera. Alma se asustó al oírlo—. Hoy tampoco ha salido de casa. Ha comido sólo unas galletas y un vaso de leche y ha estado en la habitación todo el día. Han llamado decenas de personas que se están enterando de lo que le ha ocurrido y no quiere hablar con nadie. Sé que tiene que pasar por esto, pero nunca me habría imaginado que Robert pudiera estar en esta situación, me tiene muy desconcertada.

—¿Crees que es mejor que vuelva, entonces?

—No lo sé Alma. Él sabe que te quedan pocos días. Creo que podría reaccionar si estuvieras aquí junto a él, pero quizás se sienta culpable de hacerte volver antes de tiempo y me culpará a mí por contártelo…

—Le he llamado para ver cómo estaba y para que me lo contara él mismo, pero no responde a mis llamadas.

—Si quieres cuelgo y le digo que te llame. Le diré que me lo has pedido por mensaje.

—De acuerdo, insístele en que es muy importante. Dile que estoy realmente preocupada.

—Así lo haré Alma.

—Gracias Flora. Luego hablamos o te mando un mensaje.

—Perfecto. Un beso enorme, hija.

—Otro para ti, querida Flora.

Alma esperó durante más de diez minutos sin recibir una llamada de Robert. Cuando casi había transcurrido un cuarto de hora recibió un mensaje de Flora preguntándole si la había llamado. Alma le contestó que todavía no. Flora le respondió que le insistiría de nuevo. Al cabo de cinco minutos más, Robert llamó a Alma.

—¿Cariño? —respondió Alma.

—Hola Alma… —contestó Robert con voz tenue y algo ronca.

—Robert, ¿cómo estás?

—Bueno, podría estar mejor. Pero estoy bien —dijo mientras parecía que se incorporaba.

—¿Estás ya en la cama?

—Sí… Hoy no he tenido muchas ganas de salir a la calle.

—Robert, cariño… —Alma no sabía cómo entrarle.

—Dime, Alma.

—Robert, creo que voy a volverme ya para estar contigo.

—Ni en broma, Alma. No lo hagas —contestó tajante.

—Quiero estar a tu lado. Creo que no estás bien.

—¿Por qué piensas eso? ¿Quién te lo ha dicho? ¿Flora? —respondió muy molesto.

—Robert, pero, ¿no ves cómo estás? No ha hecho falta que me diga Flora nada, ¡no has salido de la habitación desde hace días! ¿Te parece a ti eso normal?

—Simplemente, no quiero que me vea nadie conocido.

—Pero, ¿por qué Robert?

—Porque todo el mundo ya se habrá enterado de mi despido Alma, y me da vergüenza que me vean así.

—Así, ¿cómo? —preguntó con la mosca detrás de la oreja.

—Pues así.

—Explícate Robert.

—Así de derrotado… —dijo tras varios segundos de silencio.

—Robert… cariño… no estás derrotado, amor, sólo has perdido un juicio. ¿Ya no sirven todos los que has ganado durante estos años?

—Alma, he perdido el juicio más importante de mi carrera. Era el caso en el que más he trabajado y en el que más me he implicado. Mi cliente, Frank, confiaba plenamente en mí. Hizo todo lo que le pedí sin cuestionarme nada en absoluto. Su familia me quería como a un hijo suyo, Alma… y les he fallado… estrepitosamente. Se han quedado sin un centavo, Alma. Todo por mi culpa.

—Robert, no somos máquinas perfectas. Fallamos de vez en cuando.

—Sí, pero todo fallo tiene sus consecuencias. Tenías que ver la cara con la que me miró Frank, cariño… la tengo clavada en la mente —Robert comenzó a gimotear. Alma se preocupó aún más porque Robert rara vez lloraba y las veces que le vio hacerlo eran casi todas por cosas buenas.

—Robert, tú lo hiciste lo mejor que supiste. No fallaste a propósito, cariño.

—Lo sé, pero las consecuencias son las mismas que si lo hubiera hecho.

—Cariño… si te abandonas ahora ya no podrás seguir ayudando a nadie más.

—Quizás eso sea lo mejor, Alma. Así no le fallaré a nadie más.

—¡Robert! ¡Por favor! ¡No digas tonterías! Has ayudado a centenares de personas y a miles si contamos a sus familias. Por un juicio que pierdas, ¡no puedes rendirte!

—Lo sé Alma, pero esto me ha afectado tanto…

—Robert, mañana tomo un avión de vuelta a casa. Está decidido.

—No lo hagas Alma. Por favor, no me hagas sentir aún peor de lo que ya me siento. Tienes que acabar con la labor que tu padre te encomendó. Saldré de ésta solo.

—Robert, por favor, deja que vaya.

—Alma, no —dijo tajante.

—Robert…

—¿No confías en que pueda yo solo? ¿Es eso?

—No Robert, no es que no confíe, pero hay veces que necesitamos ayuda y no queremos pedirla.

—Alma, yo puedo con esto. Te lo prometo, no vengas. Por favor te lo pido.

Alma se quedó dubitativa durante unos segundos.

—Está bien. Te llamaré cada día como hasta ahora hemos hecho. Si no veo un cambio en tu actitud volveré a casa. De todas formas, no creo que nos quede mucho tiempo rodando por el mundo.

—Estaré bien. Te doy mi palabra.

—Sal ahora mismo de la habitación, despéjate y por favor, no dejes de comer.

—Ya sabía yo que Flora te había contado cosas —dijo muy molesto.

—Acabo de hablar con ella porque tú no me cogías la llamada. Está tan preocupada como yo, Robert.

—No debería haberte dicho nada, Alma.

—Robert, no me ha dicho nada más que no comías bien. Sólo eso.

—Conociéndola te habrá detallado todo lo que hago o dejo de hacer. No me extraña que te hayas preocupado.

—Robert, estoy en mi derecho de saber qué pasa con mi marido. ¿Por qué te sientes tan ofendido?

—Porque no tenía que haberte contado nada.

—Muy bien Robert, entonces, ¿qué deberíamos haber hecho, según tú? ¿Dejar que te consumieras en la habitación sin hacer nada? Eso jamás lo haremos.

—Tan sólo que me permitáis que yo vaya a mi ritmo y que me dejéis tranquilo, sin entrometeros.

—Robert…

Alma estaba desencajada. Nunca había visto a su marido con esa actitud. Estaba incluso un poco asustada con lo que estaba pasando.

—Alma, deja que me ocupe de mí mismo. Sé cómo recuperarme y sé salir de esta. No le preguntes más a Flora sobre cómo estoy.

—De acuerdo, pero, entonces, contéstame al teléfono cuando te llame.

—Lo haré, siempre que pueda…

—Robert… Estoy a miles de kilómetros, por favor, contesta a las llamadas que te haga, ¿de acuerdo? Pasado mañana nos iremos a Israel.

—Muy bien —dijo sin ninguna emoción.

—Robert, te quiero. No lo olvides nunca —dijo Alma con mucho sentimiento.

—Y yo a ti, Alma —dijo de forma un poco automatizada.

—Lo superaremos cariño.

—Lo superaré —puntualizó.

—Está bien… mañana te llamo. Un beso.

—Otro para ti.

Después de colgar la llamada, Alma se quedó apesadumbrada. Jamás había visto semejante actitud en su marido. Nunca lo había visto así de apático. Tampoco había entendido la inquina contra Flora. Esta nueva faceta tan desagradable de Robert no la había vivido en los casi veinte años que llevaban juntos. Alma estaba muy desconcertada. Ya no sabía si llamar a Flora, o siquiera mandarle un mensaje. Pensó que quizás sería mejor que le escribiera para que estuviera sobre aviso de lo que había dicho Robert en la conversación. Alma comenzó a escribirle el mensaje pero como era muy largo, lo borró y envió finalmente, un audio de voz contándole todo lo ocurrido.

Samuel salía del baño en ese momento.

—¿Qué ocurre con Robert? —preguntó Samuel mientras se secaba el pelo con una toalla blanca.

—Está cayendo en picado, Sam. Estoy realmente preocupada. Nunca lo había visto así.

—Es que nunca le había pasado una cosa así…

—Sí, pero es que parece otra persona, hace y dice cosas muy extrañas que no van con él.

—Uy…

—¿Qué?

—Mala señal, Alma.

—¿Qué quieres decir?

—Creo que cuando alguien cambia tanto en su manera de ser así de repente, tras algo traumático, es que está cayendo en una depresión… aunque me puedo equivocar, no soy ningún experto.

—¿Tú crees? ¿Tan rápido?

—Sí, puede ocurrir. Es importante que esté acompañado.

—¡Buff!

—¿Qué ocurre?

—Que no sale de nuestro cuarto y no deja que entre ni Flora.

—Vaya… Sí que ha caído rápido… Me sorprende de Robert, aunque nos puede pasar a cualquiera, dímelo a mí…

—¿Crees que debería ir con él?

—Hum… visto lo rápido que ha caído, yo diría que sí.

—Eso mismo creo yo, pero me ha dicho que él saldrá solo, que no vuelva antes.

—Ah… En ese caso, si te ha dicho que quiere salir por sí solo, a lo mejor estoy equivocado y no ha caído tanto como pensaba, porque indica que sabe que se ha hundido emocionalmente, pero también que quiere salir. Yo esperaría un poco a ver cómo evoluciona.

—Eso era lo que había decidido. Quizás sea lo mejor.

—Sí, quizás sí. Pero en el momento en el que detectes que algo va a peor, ve sin dudarlo.

—Sí, eso mismo tenía planeado.

—Bueno, confiaremos en que Robert pueda recuperarse pronto.

—Sí… ojalá… —respondió Alma sin mucha convicción.

Justo antes de irse a dormir, Odile avisó a Samuel de que podría ir a ver a los gorilas y que le recogería un mini bus de una empresa de excursiones a las cinco menos cuarto de la mañana del día siguiente.

Alma confirmó a Samuel que no iría con él. Ya tenía suficiente con el volcán de su sueño como para apetecerle ver otro. Odile le propuso hacer algo distinto asegurándole que le gustaría. Pasaría a por ella a las diez.

Antes de apagar la luz e irse a dormir Alma se acordó de la famosa máscara de Samuel y quiso asegurarse de que estaba a buen recaudo.

—Sam, habrás guardado la máscara en la maleta, ¿verdad?

—Sí la tengo bien guardada dentro.

—¿Seguro? No quiero más sustos, que ya he tenido suficientes.

—Que sí... tranquila... Mira como la tengo aquí den...— Samuel se quedó de piedra al abrir la maleta y descubrir que no estaba.

La buscó por todos lados. Miró hasta debajo de la cama y en el baño... por toda la habitación... pero nada, allí no aparecía la máscara. Salió a la pequeña salita que había en la suite y allí, sorprendentemente, estaba, en el mismo sitio que la noche anterior, apoyada en el sofá de piel negro.

—Juraría que... —pensó Samuel. La máscara estaba sola. El pequeño hombrecillo sí que permanecía en la maleta, dentro de la bolsa de papel.

Samuel la recogió del sofá. La miró de nuevo con minuciosidad como si fuera la primera vez que la veía. De hecho, desde que la observó en la penumbra de la tienda de la anciana misteriosa no la había vuelto a mirar. De repente, al darle la vuelta, en el dorso, había una inscripción tallada con algo punzante. La giró para que le diera el reflejo de la luz que emitía la lámpara del techo y pudo leer: 'URUKUNDO'

—*Urukundo*... ¿Qué querrá decir? Cada vez me gusta más esta máscara. Tiene algo especial... esos ojos me tienen hipnotizado —pensó Samuel.

La giró y volvió a comprobar que la mirada parecía seguirle desde cualquier ángulo.

—Juraría que la había dejado dentro de la maleta. No entiendo cómo está aquí otra vez...

Cuando volvió al dormitorio, Alma ya se había quedado dormida. Samuel se aseguró de que la máscara entraba dentro de la bolsa de papel y cerró la maleta con la cremallera. No quería más sobresaltos y menos para su hermana.

La noche pasó tranquila para ambos, ninguna anormalidad, ni ningún sueño con volcanes. La alarma del móvil sorprendió a Samuel en un sueño profundo. Le costó reaccionar varios minutos hasta que se acordó que le iban a recoger para ir a la reserva de los gorilas.

Alma se quedó durmiendo cuando Samuel salió de la habitación. Antes de cerrar la puerta, se acordó de su cámara. Volvió a entrar de puntillas intentando no hacer ruido, pero al abrir la cremallera de la maleta, Alma se despertó.

—¿Ya te vas?

—Sí...

—¿Qué hora es?

—Las cuatro y veinte.

—Vale... voy a poner una alarma para despertarme. Esta tarde nos vemos. Pásatelo muy bien.

—Y tú Alma. Espero que estés tranquila.

—Eso espero yo también.

Un minibús le esperaba al salir de desayunar. En él, un grupo de alemanes, unos cinco también de su mismo hotel, iban equipados como si fueran a un safari. Samuel vestía un pantalón largo de *trekking*, una chaqueta deportiva, una camiseta de manga corta y las botas que había guardado en la maleta en el último segundo, antes de cerrarla en Pittsburgh.

Durante el trayecto observó ensimismado el precioso amanecer de tonos rosáceos que pintaba los cielos de aquella tierra tan especial y única. Estuvo dormitando el resto del viaje. Casi a las siete de la mañana llegaron a la entrada del parque nacional de los volcanes. Al bajar del mini bus Samuel notó la gran humedad que había en aquel lugar, lo que denotaba una gran vegetación. Se subió la cremallera de la chaqueta deportiva tras sacarla de su mochila. Desde el lugar donde estaban la imagen de los volcanes impresionaba, a pesar de que una niebla casi los cubría desde la mitad hasta su cono. Se acercaron a una caseta de información donde les esperaba una pareja de suecos para unirse a la excursión. Samuel había supuesto que serían más personas, se quedó extrañado de que sólo fueran ocho en total. Un hombre les dio la bienvenida en inglés. Lo primero que les dijo fue que eran unos afortunados, porque sólo ocho personas al día podían visitar el parque. Samuel pensó que había tenido mucha suerte o, bien, el albacea se las había ingeniado para que él estuviera allí. Fuera lo que fuere, lo iba a disfrutar como un niño.

El guía les dio las normas básicas y les explicó el *planning* de la jornada. Samuel había sido precavido y la noche anterior había pedido tres sándwiches extra y agua suficiente para la jornada que le esperaba. Aunque escuchando lo que les deparaba la excursión pensó que podría haberse pedido algún sándwich más, ya que parecía que iba a ser una jornada bastante extensa.

Primero subirían para observar a los gorilas de montaña, que por lo visto se podían ver muy de cerca durante una hora. Después, visitarían la tumba de Dian Fossey, la zoóloga estadounidense que inspiró la película *Gorilas en la niebla*. Samuel estaba emocionado. Recordaba cuando vio aquella película de estreno en el cine con su padre y su hermana. Cuando terminó, le entró la idea obsesiva de ser veterinario o zoólogo, lo que fuera que estuviera en contacto con animales. La obsesión le duró poco, lo justo para la siguiente película que le emocionó tanto o más que ésta: *Regreso al futuro 2*, la que a la postre se convirtió en la película favorita de su vida y la que le impulsó a estudiar ingeniería con la idea de convertirse en un inventor.

Tras ver la tumba de la gran mujer que tanto protegió a los gorilas subirían hasta el cráter del volcán Bisoke, que alberga uno de los lagos volcánicos más espectaculares del mundo, o al menos así se lo vendieron. El guía les indicó que cogieran un palo de madera bastante rígido y ancho con el que apoyarse para hacer la ascensión más asequible. También repartió chubasqueros para quien no hubiera traído, como era el caso de Samuel.

Rápidamente, para evitar el calor del sol que ya comenzaba a advertirse en el ambiente, comenzaron la expedición. Nada más entrar ya estaba meridianamente claro quiénes eran los protagonistas del parque. Una enorme figura de un gorila sentado, de unos cuatro metros de alto, les dio la bienvenida.

En pocos metros de ascenso, la vegetación cambió por completo. El guía con el que iban, llamado Laurent, les explicó que había cientos de especies endémicas de plantas en este parque, la más llamativa de todas era un árbol; en realidad miles de ellos, que entretejían una maraña de ramas que apenas dejaba pasar la luz del sol allá donde crecían. Estos árboles eran los hagenias, de origen africano, muy resistentes a los cambios bruscos del clima. También encontraron hermosas plantas de lobelias con flores muy llamativas de color amarillo y morado. Su flor tenía una forma bastante llamativa con cinco pétalos, dos de ellos mucho más pequeños que el resto.

Por fin, tras un par de horas de caminata divisaron a lo lejos los primeros primates. Según les contó Laurent eran siete los grupos que existían en el parque. Se estimaba que tan sólo quedaban unos 880 primates en toda la cordillera Virunga, donde se encontraban. Estos gorilas no solían recorrer grandes distancias en un día, aunque eran capaces de hacerlo, por lo que habitualmente estaban en los mismos lugares, lo que facilitaba su avistamiento. Samuel, emocionado, comenzó a hacerles fotos. Un soldado que los acompañaba desde el principio y que cerraba el grupo le hizo señales para que dejara de hacerlas. Samuel no le comprendió bien, pero, minutos más tarde cuando se encontraron con uno de los grupos a menos de tres metros de distancia le entendió, ya que le sonrió y le hizo señales para que comenzara a disparar, sabía muy bien por qué lo decía. Estos gorilas estaban muy acostumbrados a los humanos y, de hecho, lejos de inmutarse por la presencia del grupo siguieron comiendo, jugando y rascándose unos a otros como si allí no hubiera nadie más.

Samuel se quedó fascinado por aquellos animales. Le pareció que su comportamiento distaba poco del de un humano cualquiera. Entendía perfectamente lo que querían decir con sus gestos, cómo la madre llamaba la atención de una de sus crías para que comiera más, cómo esa cría renegaba porque no quería. Cómo uno de los gorilas hembra hizo un gesto a una de los machos para que le rascara la espalda. Les observó absorto durante minutos. Después de verlos no entendía cómo todavía quedaban personas que no creyeran que los seres humanos y los primates tuvieron un antepasado en común. Un minuto con estos gorilas y esa afirmación quedaba más que probada.

Samuel aprovechó que una de las crías se subió a la espalda de su progenitora para hacer una fotografía magnífica de ellos dos. Estaba convencido de que había hecho la foto de su vida hasta que, de pronto, un enorme gorila macho apareció en escena. Parecía algo molesto, puesto que se golpeó el pecho como si fuera la reencarnación de *King Kong*. Laurent les advirtió que dejaran de fotografiarle inmediatamente e inclinaran la cabeza. Era el macho alfa del grupo y tenía que hacerse valer delante de todos los extraños que se presentaran. Tras unos minutos en los que el gorila llegó a acercarse tanto que a Samuel se le movió el pelo con uno de sus bufidos, se sentó en el suelo a mordisquear una raíz como si nada hubiera pasado. Samuel, sin levantar la cabeza, retrocedió unos metros para sentirse menos intimidado.

Al levantar la vista, se dio cuenta de la envergadura del ejemplar. Su cabeza era dos veces la suya. Sus brazos eran más corpulentos que sus piernas. Pensó que la foto de este macho superaría incluso a la que acababa de hacer de la madre con su cría. Se sentó y se preparó para hacerla, ajustando la cámara y apuntando a su cabeza, pero el gorila giró hacia otro lado como si supiera lo que Samuel intentaba. Éste, lejos de rendirse, se incorporó un poco y cambió de lugar para poder enfocarle de nuevo a la cara. Se sentó de nuevo, calibró la cámara con la nueva luz que tenía la escena y justo un segundo antes de disparar el gorila se levantó pausadamente y se alejó de él, volviendo a sentarse a unos metros de distancia.

Laurent, el guía, les dio el aviso para que tomaran las últimas instantáneas. Parecía que la hora que tenían para verlos ya se estaba acabando. Samuel no quería irse sin fotografiar al magnífico ejemplar que tenía delante, así que se atrevió a acercarse más a él. Con la cabeza mirando hacia abajo en señal de sumisión, se sentó a unos tres metros de distancia. Se dispuso a hacer la foto y, casi sin mirar, volvió a calibrar la apertura para que saliera bien a la primera. Probablemente no tendría más que una oportunidad. Los compañeros de la excursión ya se iban así que era entonces o no sería nunca. Samuel levantó suavemente la cámara para no alertar al gorila y puso su ojo en el visor. Apuntó y esperó el instante perfecto en el que le mirara directamente. Ese momento llegó. El gorila dejó de comer y le miró atentamente. Sus ojos color miel se podían ver perfectamente a través de la cámara. El macho se quedó plantado observándole sin mover un músculo. La foto no podía ser mejor. Pero cuando iba a apretar el gatillo el gorila cambió milimétricamente su gesto, que hasta entonces era de una seriedad amenazante, para relajarse por completo, como si le agradara la presencia de Samuel. Casi se podía decir que le sonreía levemente. Samuel se quedó inmóvil sosteniendo la mirada del gorila. Tuvo el impulso de disparar la foto, pero por alguna extraña razón bajó la cámara para mirarle directamente sin que el visor de la cámara se interpusiera entre ellos. Samuel se olvidó por completo de la advertencia que les había hecho Laurent acerca de no sostener la mirada de un macho alfa porque su reacción podría ser violenta. Lejos de percibir hostilidad, su mirada intensa y tranquila penetró en los ojos de Samuel. No parpadeaba, no se movía, tan sólo le miraba. Sintió una extraña conexión con aquel animal, como si accediera a su interior a través de la puerta que le abrían sus ojos. Podía sentir su ternura, su calma, casi su humanidad. Fue una sensación muy cercana. De pronto el militar dio una voz en alto para avisar a Samuel, lo que provocó que éste se girara a mirarle. Cuando se volvió de nuevo, el gorila ya se había dado la vuelta y se adentraba en la espesa vegetación

Samuel se quedó perplejo por lo que acababa de vivir. ¿Habría sentido el gorila la misma sensación? Desde luego, sintió que su mirada le había traspasado. Se quedó absorto mirando cómo se marchaba, con toda su parsimonia, hasta que desapareció de su vista. El militar le gritó de nuevo en un tono amenazador. Samuel se levantó de un bote y corrió a su encuentro. Antes de llegar hasta el grupo tuvo el impulso de girarse para intentar volver a verlo por última vez, pero no fue posible.

Cuando se reunió con los demás Laurent se puso a su altura y le preguntó:

—Lo has sentido, ¿verdad?

Samuel le miró sorprendido.

—¿A qué te refieres?

—Has sentido al gorila, ¿no es cierto?

—¡Sí! ¡Lo he sentido!

—Es fascinante… Esta especie de primates es muy especial. Siempre he creído que tienen una parte humana muy evidente. Para mí, ¡son absolutamente impresionantes!

—Yo me he quedado petrificado con su mirada. Es como si me hubiera hipnotizado durante unos segundos. Transmitía tantísimas cosas…

—Eso mismo le debió pasar a Dian Fossey. Cuando volvió a Estados Unidos, después de haber estado con ellos, se quedó tan fascinada por aquella mirada del gorila y la experiencia que vivió aquí que pidió un préstamo, dejó su trabajo, familia y amigos y se vino a vivir con ellos durante más de veinte años.

—¿Vivió con ellos el resto de su vida?

—Sí, hasta que la asesinaron.

—¿La asesinaron? ¿Quién?

—Se supone que cazadores furtivos de gorilas. Ella luchaba constantemente contra ellos.

—No tenía ni idea de su historia. Me acuerdo vagamente de la película.

—Todavía queda un poco para llegar al punto donde está enterrada, vamos a acelerar el paso y así coronaremos cuanto antes el volcán. Por cierto, aunque no ha llovido en los últimos días tened precaución con el barro que hay a partir de aquí, es bastante abundante.

—El barro no va a ser lo que más me moleste...

—¿Y qué va a ser? ¿El sol?

—No... ¡Los mosquitos! ¡Me están acribillando a picotazos!

—¿No te has puesto repelente?

—¿Había que ponerse?

—Sí, está en las recomendaciones de la excursión.

—Pues no he traído nada...

—Espera...

Laurent, amablemente, pidió a los otros integrantes de la excursión si le podían prestar un poco. Uno de los chicos alemanes le dejó el suyo. Samuel no quiso abusar, aunque si por él hubiera sido se habría bañado en el repelente.

Siguieron ascendiendo. Las vistas cada vez eran más imponentes. Se veía una parte de la gran cordillera de los montes de Virunga, una línea volcánica entre tres países, Ruanda, el Congo y Uganda. La vegetación había cambiado por completo, era mucho más espesa, llena de ortigas que picaban más que las que Samuel había conocido hasta entonces. Abundaban los helechos y otros matorrales, así como unas plantas que parecían pequeñas palmeras. Llegaron a una zona donde había muchos más árboles y una humedad considerable, hasta el punto de que una especie de neblina reducía la visibilidad a unos pocos cientos de metros. Las escenas inverosímiles de árboles cubiertos de musgo en sus ramas, atravesados por decenas de lianas y embutidos en la niebla, se sucedían durante la ascensión. Samuel aprovechó para hacer algunas fotos, aunque con tanta humedad el objetivo se le empañaba cada dos por tres.

Por fin, después de caminar durante varias horas, llegaron a la tumba de Dian Fossey. Un cartel anunciaba su proximidad a 2.967 metros de altitud. La tumba estaba formada por dos lápidas de madera de color negro con las letras en dorado. La más pequeña de las dos, colocada sobre la tierra tenía una inscripción en kiñaruanda, el idioma más hablado en el país. La lápida más grande estaba puesta en vertical y su inscripción estaba en inglés. Llamaba la atención la primera de las palabras que encabezaba el epitafio: *Nyiramachabelli*. Laurent explicó que significaba "la mujer que vivía sola en la montaña". Dian Fossey murió en 1985, a los 53 años, tras 22 años dedicados al estudio de los gorilas de montaña. Al lado de la tumba, enterrados junto a ella estaban los gorilas con los que compartió su vida. En cada uno de los lugares donde se había enterrado un primate había una pequeña lápida hecha con un trozo de madera clavada a un palo con el nombre de cada uno de los gorilas fallecidos y sus fechas de nacimiento y fallecimiento. Laurent les llamó la atención sobre una de las lápidas donde figuraba el nombre de Digit y los años 1965 y 1977, año en el que murió.

—Aquí yace el gorila que más amo Dian, le puso el nombre de Digit y murió asesinado por cazadores furtivos. Fue un durísimo golpe para ella, tanto que casi consigue que abandonara todo lo que había luchado por mantener su hábitat durante tantos años.

—¿Cómo puede haber gente que quiera asesinar animales tan majestuosos como los gorilas? No lo entiendo en absoluto —dijo la chica sueca negando con la cabeza.

—En aquellos años, la situación era incluso peor que la actual. Había muchos conflictos y las personas que se dedicaban a matar a gorilas lo hacían porque no tenían otra salida. Las guerras les quitaron todo lo que tenían y debían subsistir de la manera que fuese —explicó el guía.

—Tenemos entendido que la asesinaron, ¿es eso cierto? —preguntó el alemán que le había prestado el repelente a Samuel.

—Así es. Se cree que fueron los mismos cazadores furtivos.

—¡Qué malnacidos! —exclamó.

—Lo curioso del caso es que la muerte de Dian salvó a estos gorilas.

—¿Cómo puede ser eso? —preguntó Samuel.

—Al matarla, todo el mundo se fijó en su trabajo y en su lucha por conservar la reserva de gorilas —explicó Laurent—. Es triste decirlo así, pero su asesinato salvó a los gorilas de desaparecer. Yo estoy seguro de que, si no hubiera muerto, los gorilas habrían desaparecido ya, puesto que nadie, salvo honrosas excepciones, sabía lo que esta mujer hizo aquí durante dos décadas.

Pasadas varias horas de fango hasta las rodillas, humedad y frío, el escenario cambió por completo. Atrás dejaron la espesa vegetación para adentrarse en una zona de alta montaña, donde casi no había árboles y sólo quedaba matorral bajo. El sol calentaba con fuerza. Estaban realmente cansados y el volcán Bisoke, destino final de la excursión, se apreciaba todavía lejos. Pararon para hacer una pausa y recobrar fuerzas.

Al cabo de media hora comenzaron de nuevo a caminar. Los últimos metros hasta el cono del volcán se hicieron realmente duros para todos los participantes, cansados de tanto cambio de temperatura y de las horas que llevaban ya a sus espaldas. Cerca de la cumbre el clima dio un giro radical y comenzó a hacer suficiente frío como para que Samuel se pusiera de nuevo su chaqueta deportiva y encima el chubasquero prestado. Por fin divisaron el final de su camino. Un cartel anunciando la cumbre a nada menos que 3.711 metros de altitud, y les advertía de que tenían que recoger cualquier desperdicio que pudieran generar y que no se podía nadar en el lago. Samuel pensó que a nadie le apetecería pegarse un chapuzón aunque lo permitieran.

El cono del volcán en extinción era perfecto. Un enorme lago de aguas verdosas lo cubría por completo. La caminata había sido espectacular. Todos los integrantes, triunfantes, posaron para una foto que el militar se encargó de hacer. Se sentaron durante un largo rato a disfrutar tanto de alucinantes vistas del lago, como de las del resto de las montañas.

Samuel se sentó a descansar mirando el centro del volcán. Recordó lo que vivió en Ecuador tras la toma de la ayahuasca. Antes de comenzar sus viajes nunca antes había visto un volcán, ni siquiera había pensado mucho en ellos y ahora por casualidad, como todo lo que le ocurría últimamente, acabó sentado al borde del cono de uno. ¿Serían los volcanes puertas multidimensionales en realidad? Se imaginó sumergiéndose en el fondo del lago y saliendo, por otro volcán, transformado en espíritu. Un escalofrío recorrió su nuca. Se imaginó, mirando al cielo, que ese escalofrío era la conexión con Dios o con el universo, con algo superior que le esperaba cuando dejara ese mundo en el que estaba. Agradeció el poder estar ahí disfrutando de aquellas vistas insuperables. Se percató de lo mucho que había cambiado por dentro. Atrás quedó el Samuel quejicoso, dedicado en cuerpo y alma a su trabajo y sin apenas vida personal. El Samuel que no quería quedarse sólo consigo mismo, para no mirar en su interior, ahora había cambiado al extremo contrario. Disfrutaba de estar solo, en calma. La paz interior que ahora albergaba consigo dominaba su vida. Agradeció a su padre todo el aprendizaje que había experimentado hasta entonces. Jamás imaginó que fuera como estaba resultando. Sonrió y pensó que quería más. Deseó que no se acabara nunca y se percató de que, ahora comprendía por qué su padre apenas pisó Miami en los últimos años de vida. ¡Había tanto por descubrir!

—¡Gracias papá! Me has salvado de la vida que me esperaba... Te quiero, papá. Sé que estás ahí, al otro lado, esperándome. Ya sé que he vuelto para algo más y estoy dispuesto a hacer lo que sea por descubrirlo y llevarlo a cabo, sea lo que sea. Te doy mi palabra, papá... —Samuel lloró al recordar todo lo que había pasado desde que su madre muriera. Ahora se sentía otra persona. Una persona mucho mejor. Más feliz. Más en paz y, sobre todo con ilusión por vivir.

Samuel secó sus lágrimas y con una sonrisa de oreja a oreja comenzó a hacer fotos al espectacular entorno, con su padre en mente, como si estuviera haciéndolas junto a él, como cuando le enseñó.

Al cabo de un rato Laurent avisó de que se disponían a descender de nuevo. Todavía les quedaban unas cuantas horas hasta su regreso. No importaba, Samuel volvía con más energía que nunca.

Cuando llegaron de vuelta al hotel ya había anochecido. Samuel mandó un mensaje a su hermana para saber cómo había pasado el día con Odile, pero no recibió contestación. Esperaba encontrársela en la habitación, pero cuando subió tampoco estaba allí. Decidió ducharse mientras su hermana daba señales de vida. Tras vestirse con ropa limpia, Alma llamó a Samuel.

—¡Sam! ¿Ya has vuelto?

—¡Sí, Alma! ¡Ha sido increíble! ¡No te lo imaginas!

—¡Cómo me alegro, Sam!

—¿Qué tal tú?

—¡Fantástico! he estado todo el día con Odile en su asociación de mujeres. He conocido a personas impresionantes, Sam. ¡He recibido tanto cariño como para todo el año! ¡Je, je je! ¡Son unas luchadoras increíbles!

—¡Cómo me alegro de oírte así de bien, hermanita!

—Me han transmitido mucha energía y vitalidad y sobre todo la convicción de que todo se puede superar, Sam. No importa que Robert se haya quedado sin trabajo, en cuanto vuelva yo misma voy a buscar o incluso a crear un trabajo que sea mi pasión. Lo he visto claro hoy, Sam. Lo he visto en los ojos de Odile y yo quiero lo mismo. ¡Vivir así es maravilloso!

—Alma, no sabes lo que me alegra oírte así… ¡Me encanta!

—¡Oye! prepara una de las urnas que en media hora vamos a por ti. Tienen algo muy especial preparado para nosotros. Te vas a quedar alucinado cuando lo veas.

—¿En serio? ¡Vale! ¡Os esperaré abajo! —dijo Samuel entusiasmado.

Cuando iba a salir por la puerta con una de las urnas metida en una mochila vio de reojo algo en el sofá. Por unos instantes no lo procesó, incluso, llegó a cerrar la puerta para marcharse. Pero, revisando lo que su subconsciente había vislumbrado volvió a insertar la tarjeta en la puerta y entró de nuevo para ver qué era. El pulso se le desbocó. Sus pupilas se dilataron en cuestión de microsegundos, porque sin poder creerse lo que estaba viendo la máscara volvía a estar fuera de la maleta. ¿Sería una broma de alguien de la limpieza? Pensó Samuel… poco probable. Pero, ¿qué hacía la máscara allí? ¿Qué significaba aquello? La volvió a agarrar en sus manos y se acordó que había visto una inscripción en ella, "*Urukundo*". Por extraño que pareciera, se le había olvidado buscarlo en internet. Sacó su móvil y buscó su significado… "Amor" escrito en el idioma ruandés. Samuel, confundido con todo lo que ocurría alrededor de esa máscara, la revisó de nuevo para ver si quería darle un mensaje más. No encontró nada, tan sólo ése. Sin saber muy bien cómo reaccionar, miró fijamente a la máscara. Cada vez le gustaba más. Alma llamó a su móvil en ese momento.

—¿Sam? ¡Estamos ya abajo!

—¡Voy!

—¿Llevas la urna?

—¡Sí! ¡Bajo ahora mismo!

Decidió volver a poner la máscara en la maleta. Esta vez la cerró con la combinación de seguridad, para asegurarse de que no fuera nadie el que la sacara de allí. Sin tiempo para meditar más sobre ella, salió corriendo de la habitación.

—¡Hola Sam! —dijo Alma sentada en el asiento delantero junto al de Odile.

—¡Hola chicas! ¡Disculpad!

—No te preocupes Samuel —replicó Odile—, acabamos de llegar.

—¡Te va a encantar lo que tienen preparado, Sam! —adelantó muy ilusionada Alma.

—¡Qué bien! ya tengo ganas de verlo!

—¿Te han gustado los gorilas? —preguntó Odile.

—¡Más que eso! ¡Ha sido una experiencia inolvidable! —exclamó emocionado.

—¡Me alegro mucho! ¡Vámonos! —dijo Odile poniéndose en marcha.

⑦ El coche se detuvo frente a una casa de planta baja pintada de blanco y una puerta metálica verde. Una chica les abrió para que entrara el coche. El lugar era muy alegre y en cierto modo recordaba a los patios andaluces españoles. Enfrente de la entrada había un edificio de una sola planta en forma de 'U', y en el centro un patio con una fuente de piedra blanca con forma de cilindro de un metro de ancho de donde brotaba agua, que se desbordara constantemente haciendo el efecto de una pequeña cascada. Detrás, en un pequeño círculo de tierra, crecía un olivo joven de un metro de altura aproximadamente. En la pared de detrás, un cartel anunciaba el nombre de la asociación de Odile "*Urukundo&Akanyabugabo*".

—¡*Urukundo*! —gritó sobresaltado Samuel al verlo.

—¡Sí! ¡*Urukundo*! —respondió Odile, pensando que Samuel se había emocionado con el nombre por alguna razón que desconocía.

—¡Amor! —gritó de nuevo. Alma se giró impactada porque su hermano supiera la traducción de aquella palabra. Ella la conocía porque fue lo primero que le preguntó a Odile cuando fueron por la mañana.

—¿Cómo sabes tú eso? —inquirió sorprendida Odile—. ¿Lo has visto en algún sitio antes?

—Sí… me llamó la atención en un cartel de un sitio y busqué su traducción en el móvil… —dijo Samuel. Prefirió no tener que explicar algo para lo que ni él tenía explicación alguna.

—¿Y sabes lo que significa *Akanyabugabo*?

—No… ¡Mi conocimiento del idioma todavía es muy limitado! —dijo sonriendo.

—Significa: "Valentía". "Amor y Valentía" —explicó Odile.

—Un nombre precioso, Odile. Y ¿qué hacéis en la asociación? —preguntó Samuel.

—Aquí hacen cosas maravillosas, Sam. Aquí reparan corazones rotos —respondió su hermana emocionada.

—Bueno, cuando toqué fondo conocí a una mujer que estaba en mi misma situación. Era fácil encontrarse con mujeres así en aquellos años, todas habíamos pasado por situaciones muy traumáticas y me di cuenta, hablando con ella, de que cada vez que expresábamos nuestros miedos y todo lo que nos ocurrió me sentía más libre y el dolor interior se atenuaba. Era terapéutico.

Durante mucho tiempo no quise hablar de nada con nadie, era lo que había aprendido durante toda mi vida. Es algo muy habitual en el carácter de los ruandeses, no exteriorizar lo que sientes por dentro guardándotelo para ti. Pero descubrí que eso sólo era un comportamiento aprendido. Las mujeres por naturaleza queremos expresar lo que sentimos, compartirlo, ayudarnos entre nosotras. Marthe llegó a mi vida cuando tenía que llegar, en mi peor momento, casi cuando me acercaba al punto de no retorno. Ese punto en el que te da igual vivir que morir y justo en el peor día, el que había decidido poner fin a mi sufrimiento, tropecé con ella. Digo tropecé porque fue literal, tropecé en la calle con ella. Yo estaba tan abatida, que no me daba ni cuenta de lo que ocurría a mi alrededor, estaba como muerta en vida, nada me importaba. Al tropezar con ella se le cayó todo lo que llevaba en la cesta. Reaccioné al impacto como si despertara de un letargo. Le pedí disculpas y nos reímos. Llevaba años sin reír. Así comenzó una amistad que me salvó literalmente la vida. Abrimos nuestros corazones sin esfuerzo.

Desde el principio hablaba con ella como si fuera mi mejor amiga, una amiga de toda la vida. Sentía total confianza. Marthe fue la primera en sacar al exterior su historia. Era terrible, al igual que la mía. Vi que ella se encontraba mucho mejor después de contarla, fue como si al sacarlo por su boca la sacara de su corazón. Así que yo también lo hice y tuve la misma sensación de liberación. Poco a poco volví a sentir latir a mi corazón, ligero, sin cargas. Libre.

—Vaya historia Odile… —dijo emocionado Samuel— Y ¿Dónde está Marthe?

—Bueno —Odile hizo una pausa para tomar aire profunda y lentamente y continuó—, murió de cáncer de útero a los pocos meses de que pusiéramos en funcionamiento la asociación. Pero murió feliz viendo que dejaba el germen de algo que curaría a muchos corazones.

—¡Buff!… Lo siento en el alma —dijo Samuel con gesto compungido.

—En su honor y gracias a la valentía que me transmitió continué yo sola con el proyecto. Ha sido un camino muy largo y bastante duro, pero lo he cumplido. He roto muchos tabúes, cosas que estaban reservadas únicamente para los hombres durante siglos. Las mujeres hemos tomado el control de nuestra sociedad y sabemos y queremos hacerlo de forma diferente a como se había hecho hasta ahora. Tras más de dos décadas hemos sanado el corazón de muchas personas. Primero, sólo fueron mujeres las que querían venir a contar sus historias y a apoyarse entre sí. Pero al cabo de poco tiempo comenzaron a venir hombres atraídos por el cambio de actitud de sus mujeres. Esto ha sido y sigue siendo una bendición en mi vida. Lo que he sentido con estas personas cuando han superado sus traumas no hay dinero en el mundo que lo pague. Su gratitud ha reparado por completo mi corazón y lo ha hecho más sólido que antes.

—Tengo un nudo en la garganta —exclamó Samuel.

—Pues llora, hermanito. ¡Libérate! ¡Anda que no he llorado yo cuando me la ha contado!

—Ya sabes que yo, por llorar, que no quede… Gracias Odile por todo lo que has hecho por nosotros dos sin conocernos de nada, nos has hecho el mayor regalo que se puede hacer, una nueva y mejor manera de ver la vida. Gracias de todo corazón, Odile.

—Sí. Gracias, gracias, gracias, Odile —dijo Alma muy emocionada abrazándose a ella.

—Lo que todavía no os he contado a ninguno de los dos es que, vuestro padre, Martín, me iluminó sobre un aspecto clave para que el proyecto funcionara aún mejor —explicó Odile ante la atenta mirada de los hermanos—. Yo estaba tan centrada en reparar corazones, que se me olvidó el resto de aspectos de las personas, que, a la postre, resultaron ser clave. Los pobres en Ruanda son mujeres. Mujeres viudas y madres solteras. Vuestro padre donó una importante cantidad de dinero para que pusiéramos en marcha talleres ocupacionales donde muchas mujeres aprenden, desde entonces, distintos oficios y trabajan en cooperativas formadas por ellas mismas. Yo tenía en mi cabeza la idea inicial de crear una asociación sin ánimo de lucro, poniendo incluso lo poco que tenía. La asociación comenzó su andadura en mi propia casa y puse todo al servicio de la misma. Gracias a pequeñas donaciones del estado y de muchas personas, he subsistido durante muchos años, pero la llegada de vuestro padre a nuestra vida lo cambió todo. Él me enseñó la necesidad de tener abundancia de capital para poder llegar a más personas, más lejos. Enseñar con nuestro ejemplo que se puede lograr. Así, el nombre original de la asociación pasó de ser sólo *Urukundo* a añadirle la valentía de hacer cosas que creíamos imposibles. Así, añadimos *Akanyabugabo* al nombre final.

—Me está temblando todo el cuerpo, Odile… —comentó Alma— Esto sí que no me lo esperaba.

—Me dejas sin palabras… Cada vez me sorprende más lo que hizo mi padre en todos los lugares a donde fue —dijo Samuel.

—Él, en agradecimiento a todo lo que vivió aquí, a todos los testimonios que escuchó y de los que aprendió tanto, quiso involucrarse y apostar por nuestro proyecto. No os podéis imaginar lo que hemos creado desde entonces. Hemos ayudado a cientos de mujeres que ahora ya tienen un medio para salir de la pobreza. Algunas hasta han podido comprarse una casa o incluso contratar a más mujeres en su negocio. Además, éstas a su vez continúan ayudando a las siguientes.

—Es fantástico Odile, eres una persona increíble.

—Cualquiera puede serlo, sólo que a veces necesitamos un impulso, aunque sea doloroso. ¿Queréis ver a lo que hemos llegado?

—¡Claro! —respondieron expectantes.

La mujer que les abrió la verja los esperaba a la entrada del edificio, vestida con un traje largo de color verde aguamarina, liso y con un volante redondo alrededor del cuello. Se le entreveían unos zapatos rojos a conjunto con una flor natural que llevaba en el pecho y con un pañuelo, del mismo color, anudado en la cabeza.

—Ella es Martine. Una gran amiga y colaboradora —dijo presentándola—. Pasad dentro.

Alma no había entrado todavía en esta parte del edificio, pese a haber pasado casi todo el día en la asociación con Odile. Accedieron a una sala bastante grande. Parecía un salón de actos. Había un escenario al fondo, y en medio, copando el resto del espacio de la sala, cientos de sillas de madera dispuestas en filas. Alrededor, en todas las paredes colgaban fotos de mujeres sonrientes.

—Mirad a vuestro alrededor. Por cada una de estas fotografías hay un corazón que ha vuelto a latir con ilusión. Además, sólo pueden aparecer cuando han conseguido crear un futuro laboral, de esa manera son inspiración para el resto.

—¿Tantas? Habrá...

—303 —afirmó Odile.

A Samuel le pareció ver, de reojo, una foto diferente, no sólo por tamaño sino porque era la única en la que aparecían más personas.

—¡No puede ser! ¡Pero si es papá! —gritó emocionado Samuel.

—Así es...

—¡A ver! —dijo Alma mientras se acercaba corriendo a la foto— ¡Es él! ¡Qué cara de felicidad tiene! —Alma hizo una pausa para fijarse más en la foto— Pero… si ésta es...

—Godelieve, sí… estamos los tres —dijo Odile emocionada—. Ese día fue tan especial… Esa es la cara de una persona que ha sabido perdonar, Alma. Lo que lloramos esa tarde… ¡de alegría! Tu padre era un ser tan especial. Siempre lo llevaré en mi corazón. Siempre.

Alma se tapó la boca aguantando el llanto como podía. Ver la cara de felicidad de su padre era la constatación de que falleció sin odio ni rencor. Esa foto significaba todo para Alma, era lo que ella buscaba constantemente desde que comenzaron los viajes y allí estaba, en una sencilla foto, eso era más que suficiente. Alma rompió a llorar de alegría. Samuel se acercó a ella para abrazarla. Sabía muy bien por qué lloraba. Él, en el fondo, buscaba lo mismo.

Alma se recompuso como pudo después de llorar unos minutos. Le dio un beso a Samuel en la mejilla y abrazó a Odile.

—Gracias Odile. No tengo palabras para agradecerte lo que has hecho por nosotros y por mi padre. Yo también te llevaré siempre en mi corazón y quiero decirte que haré lo que pueda por ayudarte a ti también. No sé cómo, pero ten por seguro que te ayudaré.

—Muchas gracias Alma. En verdad, tu padre tenía razón cuando os describía como dos seres maravillosos. Te agradezco mucho tu oferta, pero gracias a Martín ahora nuestra asociación es autosuficiente y cada vez podemos llegar a más personas. Lo que sí que puedes hacer, si quieres, es replicar este modelo en los Estados Unidos, seguro que allí también hay cientos de mujeres y hombres que necesitan perdonar y ser perdonados y ofrecerles un futuro en el que puedan salir adelante por ellos mismos.

Alma se quedó sin palabras. Lo que le acababa de decir Odile le resonaba en su interior. Tras imaginárselo durante algunos segundos le respondió firmemente:

—Lo haré, Odile. Lo haré.

—Bueno, ¿os parece que depositemos las cenizas ahora? —propuso Odile.

—Sí, es un buen momento —dijo Samuel.

—Venid —señaló Odile invitándoles a seguirla.

Salieron de nuevo al patio y Odile se paró al lado del pequeño olivo. Allí había un pequeño hoyo en la tierra, preparado para contener la urna con las cenizas de sus padres. Hizo una señal a la mujer vestida de verde y, sin perder la sonrisa en ningún momento, dijo algo en el interior de la casa y comenzaron a salir decenas de mujeres y hombres. Las mujeres iban vestidas igual que ella, con el vestido verde y el pañuelo rojo a modo de turbante. Ellos, con un traje azul oscuro sin chaqueta, sólo con chaleco, pajarita roja a juego con el pañuelo de ellas y camisa blanca. Rodearon a los hermanos y a Odile y comenzaron a cantar. Odile les traducía la letra.

No tengas miedo, yo soy tu Dios y no estás sólo, porque yo estoy siempre contigo.

Yo te haré más fuerte. Te aseguro que iré a tu rescate.

Te sostendré con mi mano justa.

Cuanto más te escucho, más fuerte soy espiritualmente.

Tú me alimentas con el pan que me da la fuerza para atravesar el desierto cantando la paz.

Y lo superaré, para dar buen testimonio a mi vuelta.

La canción tenía un ritmo africano que enamoró a Samuel. Tarareaba el estribillo balanceándose al compás del coro. Alma sonreía al verle pensando que su hermano, en realidad, llevaba un músico escondido en su interior.

Al acabar, aplaudieron la actuación.

—¡Gracias chicos! —gritó Odile girándose y aplaudiendo, recorriendo a todos y cada uno de los integrantes— Esto es otra de las cosas que han surgido aquí. ¡La música nos hace ser más felices! ¡Nos une! ¡Muchas gracias chicos!

Odile hizo un gesto a los hermanos para que depositaran la urna. Samuel la sacó de su mochila y, como solía hacer, le dio un beso. Alma quiso depositarla esta vez. La sujetó con ambas manos, la besó también y la dejó con cuidado en el hueco al lado del olivo.

—Nos encanta tenerte de nuevo entre nosotros Martín, junto a ti, Blanca. Nos habría encantado conocerte. Aquí descansaréis en paz, junto al árbol símbolo de la paz, el olivo que tanto te gustaba Martín.

Los hermanos abrazaron de nuevo a Odile.

—Gracias Odile. Estaré eternamente en deuda contigo —señaló Samuel.

—¿Por qué dices eso? —preguntó Odile.

—Porque me has salvado de una vida sin perdón, llena de rabia y rencor, una vida malgastada. Gracias de todo corazón.

—Esto, sobre todo, es gracias a tu padre —afirmó Odile.

—Lo sé, pero sin ti nunca habría sido posible —declaró Samuel.

—Aceptadas con gusto entonces —dijo Odile.

—Me uno a lo que mi hermano te ha transmitido. Gracias por abrir nuestro corazón y por ayudarnos a que nuestra mente haya sido consciente de todo. He crecido enormemente en este viaje. Aquí he vuelto a recuperar mi fe y mi esperanza en el ser humano. Los ruandeses sois una referencia y una guía para el resto del mundo.

—Muchas gracias por tus palabras, Alma. Eso nos impulsa a seguir con lo que estamos haciendo. Bueno, es hora de volver al hotel. Mañana os vais al siguiente destino, que, a buen seguro, os va a resultar muy muy enriquecedor. Cuando veáis a una mujer con el pelo blanco y ojos azules decidle que Odile se acuerda de ella a diario.

—¡De acuerdo! ¡Se lo diremos! —exclamó Alma.

Odile les dejó en la puerta del *Mille Collines* y se despidió de ellos hasta el día siguiente.

Los hermanos entraron en su habitación. Se notaban muy distintos a como entraron la primera vez a aquella suite. Nunca se imaginaron todo lo que finalmente les pasó. Se sentían más en paz, más felices y sobre todo muy esperanzados. Alma, sin decir ni una sola palabra se abrazó a Samuel.

Sentía más cerca que nunca a su hermano. Lo que estaban viviendo había acercado el uno al otro mucho más incluso que cuando convivían bajo el mismo techo. Alma se separó un poco de su hermano, le posó sus manos en las mejillas y le sonrió.

—Gracias Sam por acceder a hacer todo esto.

—Gracias por convencerme, Alma. Esto me está transformando de una manera que ni te imaginas.

—Créeme, me hago una idea —dijo sonriendo—. Menuda sorpresa nos ha dado nuestro padre…

—Sorpresa se queda corto para definir lo que estamos viviendo. Si Ecuador ya me había transformado en otra persona completamente diferente, lo de Ruanda ha sido la guinda del pastel. Estoy ansioso por ver qué nos espera en Israel…

—Seguro que algo bueno —afirmó sin dejar de sonreír.

—De eso estoy cien por cien seguro —dijo devolviéndole la sonrisa—. No quiero que esto termine, Alma.

—¡Ja, ja, ja! Mucha transformación, pero en algunos aspectos, ¡sigues siendo el mismo! Siempre que no quieres ir a un sitio, ¡acabas deseando no marcharte de él!

—¡Es que sólo he cambiado lo que no me gusta! —se defendió Samuel entre risas.

—Ni falta hace que cambies en todo. Eres una persona excepcional hermanito. Te he echado mucho de menos estos años. No sabes lo que significa para mí verte así de bien.

—Gracias por haber tenido fe en mí. La has mantenido incluso cuando yo no tenía ni un ápice.

—Sabía que lo conseguirías. No sé por qué, pero estaba segura de ello.

Alma recordó que quería llamar a Robert. Durante el día había intentado hacerse con él pero no lo había conseguido. Tampoco respondió a los mensajes que le envió constantemente. Por mucho que le costó, cumplió su promesa de no preguntar a Flora sobre su estado. Al menos habló con las trillizas que estaban disfrutando en casa de la abuela de unos días con sus primos. No se quería ni imaginar cómo estaría la pobre mujer con tanto niño. Se preguntaba si se había enterado de lo que le había ocurrido a su hijo. Alma supuso que no. Tampoco quería alarmarla, ya tendría tiempo de decírselo si fuera necesario.

—Bueno, voy a ver si consigo hablar con Robert.

—A ver si está un poquito mejor.

—¡Ojalá! —dijo cruzando los dedos. Se metió en la habitación para hablar por teléfono, mientras Samuel se dejó caer en el sofá.

Por un segundo, antes de caer sentado, se acordó de la máscara.

—Menos mal que no está, porque si no me da algo —pensó Samuel.

Estaba tan cansado que a los pocos minutos cayó rendido y se sumió en un profundo sueño.

Alma le despertó, llamándole suavemente por su nombre.

—¿Qué? ¿Qué pasa? —dijo alertado por el súbito despertar.

—Nada, tranquilo, te habías quedado dormido.

—¡Buff! Es que estoy muerto de cansancio… —dijo estirándose y bostezando. Cuando reaccionó, preguntó—. ¿Has conseguido hablar con Robert?

—No… y estoy realmente preocupada. He llamado al teléfono de casa y tampoco responde. Quizás debería llamar a Flora.

En ese mismo segundo un mensaje llegó al móvil del Alma.

—Voy a ver si es él.

Alma volvió para sentarse al lado de Samuel con su móvil en la mano. No dijo nada durante varios segundos.

—¿Qué te ha dicho? ¿Es Robert?

—Sí, es él.

—¿Y?

—Que dice que está bien, pero que ahora no le apetece hablar. Que está diseñando una estrategia para encontrar empleo rápidamente. Lleva todo el día con ello… —leyó Alma.

—Ah… —dijo dubitativo Samuel.

—No sé qué pensar…

—Dale un voto de confianza, Alma. Si ves que mañana no puedes hablar con él, llama a Flora de inmediato.

—Eso haré. Yo no paso otro día sin saber si está bien o no. Esta incertidumbre hace que no disfrute de todo esto como se merece. Después del maravilloso día que he tenido hoy con Odile no me merezco terminarlo así.

—¡Eso! ¡Cuenta qué has hecho!

—He estado con ella todo el día de aquí para allá. Comprando material para los talleres, hablando con proveedores, viendo cómo trabajan las chicas… Tenías que ver sus caras, Sam. Tenían una ilusión desbordante y todas ellas tienen detrás una historia parecida a las que ya conocemos. Son personas excepcionales… inspiradoras…

—Qué bien Alma… Veo que te ha llegado al corazón toda esta historia de Odile y de su organización. Es fabuloso, la verdad.

—Sí, Sam. Creo que puedo hacer algo parecido en Miami. Hay miles de personas muy perdidas. Creo que podría contribuir a que sus vidas mejoraran.

—Me parece una idea fantástica, Alma. Parece que vas encontrando tu propósito…

—Quién sabe… yo no dejaré de buscarlo. Quiero vivir con un propósito, ¡quiero vivir mi propósito! —afirmó tajante— Bueno y ¡cuéntame tú sobre los monos!

—No eran monos, Alma. Eran gorilas.

—También son monos, ¿no?

—Bueno, lo que tú quieras… He vivido una experiencia alucinante con uno de los gorilas, el macho alfa de la manada. Se supone que no tienes que mirarlos directamente a los ojos porque pueden reaccionar violentamente y no te puedes imaginar la fuerza que tienen esos animales…

—¿Y le has mirado? ¿A los ojos?

—He sentido una conexión con ese animal extraordinaria, Alma. Me miraba como si fuera una persona, con una mirada penetrante, poderosa, pero a la vez llena de serenidad. Ha sido un momento absolutamente inolvidable.

—¡Habrás hecho fotos! —supuso Alma.

—¡Sí!, pero la de ese gorila he preferido vivirla sin la cámara interponiéndose.

—Vaya, sí que te ha gustado…

—Mucho. Y el volcán… Son las mejores vistas que he tenido ante mis ojos en toda mi vida.

—Me encanta cuando exageras todo tanto.

—¡No! ¡En serio! ¡Esta vez es completamente en serio! Había un lago en el cráter.

—De acuerdo, ¡me lo creeré esta vez!

—Ha sido… ¡buff! ya te enseñaré las fotos. ¿Quieres que te lo busque en internet?

—No, esperaré a tus fotos que seguro que me gustan más. ¿Nos vamos a dormir? Mañana tenemos otro viaje largo

—¿Sabes cuánto vamos a tardar?

—Unas diez horas.

—¿Diez horas? Pero, ¡si en diez horas nos podemos plantar en China!

—Es que hace una escala muy larga en Etiopía. Estaremos unas cuatro horas allí. El avión sale a las cuatro y veinte de la tarde.

—Mañana voy a dormir hasta que me echen de la habitación.

—Me parece una gran idea. Yo haré lo mismo.

Alma y Samuel se enfundaron en sus pijamas y se acostaron sin cenar. Habían comido algo de lo que llevó el grupo de música de Odile y había sido más que suficiente. No tenían ni fuerzas para masticar.

Estando ya en la cama Samuel se acordó de la máscara. Pese a la pereza y a su cansancio se levantó de nuevo y abrió el candado de la maleta para comprobar que estaba allí, como efectivamente así fue. Se quedó unos segundos admirándola, viendo aquellos ojos rasgados con las estrellas bajo ellos.

—Pensaré mejor dónde la voy a colocar. Tiene que estar en un sitio mejor del que pensé… —murmuró.

Cerró la maleta con la cremallera y pensó que esta vez no podría salir.

Alma se despertó sobresaltada. Se sentó de golpe en la cama respirando aceleradamente. Miró a un lado y a otro intentando ubicarse. Le costó varios minutos ser consciente de que estaba todavía en Ruanda y de que permanecía en el hotel junto a su hermano. Miró la pantalla de su móvil. El reloj marcaba las cuatro y catorce de la madrugada.

Samuel se despertó al percibir un ruido en la sala adjunta a la habitación. Encendió la luz tenue de la mesita de noche y, con inquietud, comprobó que su hermana no estaba en la cama. Se levantó y se acercó a la puerta de la habitación. No había ninguna luz encendida. Asomó la cabeza para ver si estaba allí. El reflejo de las luces de la noche que entraba por la puerta del balcón dibujaba su silueta sentada en el sofá.

—¿Alma? —preguntó en voz baja.

Nadie respondió.

—¿Alma? ¿Estás ahí? —insistió.

Como no recibía respuesta, palpó la pared en busca del interruptor de la luz. Cuando dio con él vio a su hermana sentada, mirando al frente. Samuel se asustó mucho. Alma tenía entre sus manos la máscara.

—Alma, pero, ¿qué haces aquí? ¿Qué haces con la máscara?

Alma no respondía.

—Alma, ¿cómo la has sacado de la maleta, si estaba cerrada con cremallera? El ruido me habría despert... —Samuel comprendió que era imposible—. Te la has encontrado aquí, ¿verdad?

Alma reaccionó y se giró lentamente hacia su hermano y con lágrimas en los ojos respondió:

—Sí, Sam. Ella estaba esperándome aquí.

—¿Qué? No entiendo, ¿cómo que esperándote? —preguntó nervioso al no entender lo que estaba ocurriendo.

—Ella me ha llamado en sueños, Sam. Me he despertado sobresaltada por un sueño en el que ella aparecía.

—Pero... ¿Te has levantado y estaba aquí?

—Sí.

—Eso no puede ser. ¡No puede ser!

—Estaba aquí, esperándome.

—La tenía guardada en la maleta, Alma. ¡Cerrada con cremallera!

—Esta máscara es especial...

—¿Por qué lo dices?

—Te hace ver cosas...

—¿Cosas? ¿Qué cosas? ¿Te refieres a la inscripción? ¿La has encontrado tú también?

—No...

—¿No? Entonces, ¡dime! ¡Qué cosas!

—Cuando he salido de la habitación, por alguna extraña razón sabía que la encontraría aquí, como así ha sido. La he tomado en mis manos y la he mirado. Me han entrado ganas de ponérmela y lo he hecho.

—¿Te has puesto la máscara?

—Sí, y me ha permitido ver cosas.

—Pero, ¿me quieres decir de una vez qué has visto? ¡Me estoy poniendo muy nervioso, Alma!

—Nuestro futuro.

Samuel se quedó inmóvil. No se esperaba una respuesta así. Las piernas comenzaron a temblar hasta el punto de tener que sentarse. Alma le miraba fijamente. Tras unos segundos en silencio, le dijo:

—Sam, nos vamos a separar, tú y yo.

—Esto… claro, ¡cuando volvamos a Estados Unidos!

—Antes.

—He visto como nos despedíamos Sam. Yo lloraba desconsoladamente. Y tú me decías que querías venir conmigo… Recuerdo que había una cúpula dorada al fondo. No sé el motivo, pero creo que me voy a tener que ir, Sam.

—¿Irte? ¿A dónde?

—A casa.

Samuel no podía pensar, estaba tan impactado que no sabía ni que responder a eso. Finalmente, un pensamiento cruzó su mente.

—¿Es por Robert?

—Quizás, no lo sé. No he podido ver la razón, pero me he visto muy apenada. Me iba en contra de mi voluntad. Debía marcharme.

—No sé qué decir, Alma. Esto que está pasando con la máscara es… no sé, esotérico. No he querido decirte nada, pero me la he encontrado dos veces en el sofá después de asegurarme de que estaba bien guardada en mi maleta. Antes, cuando habéis venido a buscarme, acababa de encontrármela en el mismo lugar que tú. He pensado de todo, desde que la dejé yo sin darme cuenta, a que alguien del servicio de habitaciones la había dejado ahí.

—Ha venido sola.

—¿Cómo estás tan segura?

—Porque me ha llamado ella. He soñado varias noches con una pesadilla en la que me convertía en un ave y no podía volar para escapar de un volcán que estaba entrando en erupción. Intentaba elevarme batiendo mis alas con fuerza, pero algo me atrapaba y me arrastraba al suelo. En todos los sueños el volcán terminaba por cubrirme con su lava ardiente. En ese instante me despertaba, excepto hoy.

—Y ¿qué ha ocurrido hoy? —preguntó Samuel ansioso e intrigado.

—Hoy, cuando batía las alas desesperada por volar y huir del peligro me he caído al suelo, agotada, como otras veces, pero, antes de que la lava me engullese he comenzado a oír una voz llamándome por mi nombre. Me decía: "Alma, despierta, despierta de una vez", he levantado la vista y he visto a la máscara sostenida en el aire. Radiaba luz por sus estrellas y sus ojos y, por las líneas de la frente subía un haz hacia el cielo. Una sensación de serenidad y sosiego ha inundado mi cuerpo. Le he respondido advirtiéndole que estaba despierta y ella, sin mover la boca, me ha contestado: "Duermes y no lo sabes. Despierta. Libérate".

—Alma, me estás dejando alucinado. Yo he tenido una pesadilla recurrente hasta que me pasó lo de la ayahuasca. Desde entonces, se esfumó, pero nada que ver con la tuya…

—Sam, cuando me la he quitado, me he dado cuenta de que efectivamente había una inscripción.

—*Urukundo* —apuntó Samuel.

—No, era otra palabra: *Umudendezo* —corrigió Alma, pronunciándola lentamente para no confundirse.

—¡Déjame ver, no puede ser!

Samuel le dio la vuelta a la máscara. Una nueva palabra había aparecido en el mismo lugar en el que estaba la anterior, sustituyéndola.

—¿Has buscado su significado?

—Sí.

—¿Y?

—Quiere decir "Libertad".

—Libertad… —repitió Samuel para sí— Alma, cuando me di cuenta de que había una inscripción la palabra que ponía, significaba Amor, no Libertad. ¿Crees que la máscara nos está transmitiendo mensajes distintos a cada uno a través de ella? Esto que acabo de preguntar es para que me encierren…

—Sam, este mensaje era para mí, sin lugar a dudas. Yo vivo una vida sin libertad. Siempre estoy volcada en los demás, yo me pongo la última siempre por decisión propia. Hago constantemente lo mejor para los demás, pero casi nunca pienso en lo mejor para mí. Si alguien tiene que perder para que otro esté mejor, esa soy yo. Yo misma he creado un personaje que me atrapa, Sam. Soy la esposa, la madre, la hermana y ya está… no hay nada más, ahí acaba todo. El mensaje que me ha dado la máscara en mi sueño es completamente cierto, estoy dormida, atrapada en el sueño de los demás. No creas que esto lo he pensado rápidamente, sin mucha profundidad. Llevo casi dos horas dándole vueltas, y, créeme, lo he visto claro.

—Alma… No creo que eso sea así como tú dices. Haces muchas cosas que no son para los demás…

—¿Sí? Dime una —dijo desafiante.

—Pues… —Samuel hizo una pausa larga pensando en darle un buen ejemplo, pero en realidad, no lo encontró— ¡Ahora mismo, no me sale nada! No son horas de estar pensando en algo tan profundo… —dijo excusándose.

—Aunque te lo pregunte después de que hayas dormido durante doce horas la respuesta sería la misma: Ninguna.

—¿De verdad ves tu vida así?

—Sí, Sam. He cuidado tanto de los demás que me he olvidado de cuidarme a mí misma. ¿Sabes lo que pienso cada vez que me subo a un avión y leo las instrucciones de lo que hay que hacer en caso de despresurización?

—¿Te refieres a las instrucciones de ponerse las máscaras de oxígeno?

—Esas mismas. En ellas se indica que, si vas con niños, te pongas tú primero la máscara para poder ayudarles a ellos.

—Sí…

—Pues yo pienso siempre que primero les pondría, sin lugar a dudas, la máscara a mis hijas, incluso a Robert, antes de ponérmela yo… —afirmó cabizbaja— Sam, si no tengo que comer para que ellos coman, ¡lo haría sin dudarlo! Nunca pienso en otra opción en la que todos ganemos, sino que ¡prefiero sacrificarme yo, aunque no sea necesario! Siento que he aprendido una falsa caridad, Sam, pensando que lo contrario era egoísmo y había que alejarse de él, pero, ¡qué equivocada estaba! ¿Cómo es posible que trate a los demás mejor de lo que me trato a mí misma? Pero, es que, además —dijo subiendo el tono—. ¿Qué les estoy enseñando a mis hijas? ¡Oh! ¡Dios mío…! —sollozó.

—Alma… cada una de tus hijas es muy diferente de la otra no creo que eso les haya marcado.

—¿No? Aunque sean muy diferentes ellas tampoco piensan en sí mismas, Sam. Tienen una gran falta de autoestima, incluso Julie que, con once años ya hablaba de dar su vida por salvar a las ballenas ¡Claro que lo han aprendido, Sam! ¡Como lo hice yo! ¿Te das cuenta? ¡Julie piensa que su vida vale menos que la de una ballena! ¡Como si no hubiera otra opción más que sacrificar su vida por ello! ¿Cuántas ballenas antepondrá a sí misma a lo largo de su vida pensando que son más valiosas que ella?

¡Piensa! —gritaba alterada y llorando—. Parejas, amigas, amigos, compañeros de trabajo… ¡Todos estarán por delante de sus necesidades!

—Alma, creo que estás exagerando un poco, no veo que Julie haga eso que dices…

—¡Sí que lo hace! ¿Y Evelyn? ¡Piensa irse a curar enfermos en los países más necesitados! ¡Aunque ella misma se contagie de enfermedades!

—Mujer, eso es un acto de bondad maravilloso, ayudar a los demás…

—Sí, ¡lo es! Pero, ¿y si lo ha aprendido de mí? ¿Y si de verdad ella no lo quería hasta que lo aprendió de mi comportamiento?

—Eso es rizar demasiado el rizo. Estás suponiendo demasiadas cosas… —dijo con voz conciliadora.

—¡Y te digo más! Después de todo lo que hemos vivido aquí, ¿no te parece que al final cuando un país va de víctima y se acostumbra a que los demás le ayuden deja de responsabilizarse de sí mismo? No digo que haya catástrofes y no se le ayude, sino que la gente crea de verdad que su país jamás evolucionará, que siempre va a necesitar la ayuda de los demás. Eso es convertirte en una completa víctima que lo único que hace es responsabilizar a otros de sus males. La única salida que ven esas personas es la huida, buscando un lugar mejor.

—Alma, creo que ahí estás equivocada… y ¿qué ocurre en caso de las guerras, como es el Congo, en la que sólo te queda huir para evitar que te maten?

—El Congo es el ejemplo perfecto de lo que te estoy contando. Son unas víctimas que dan el poder y la responsabilidad a sus gobernantes corruptos y a fuerzas extranjeras. ¡Así ellos no pueden hacer absolutamente nada por mejorar sus vidas!

—Eso es muy fácil decirlo estando sentada aquí, a salvo.

—¿Qué otra opción hay, Sam? O se autodestruyen o toman las riendas de su propio país y de sus vidas.

—No lo veo así, Alma. Siempre va a haber personas corruptas, egoístas que querrán usurpar el poder, el dinero, los alimentos…

—Sí, pero esas personas pueden hacerlo porque hay gente que se lo permite y con ello se refuerzan. Así se crean dictadores y gobernantes corruptos, Sam. Ellos no son más que personas como tú o como yo pero con mucho poder, poder que el resto de la población le ha regalado. ¡Pero ese poder es de cada uno! ¡Y se lo han entregado todo a una sola persona! ¡Libremente!

—Libremente… hay veces que por la fuerza.

—Sí, pero, ¿cómo han llegado a tener esa fuerza?

—Entiendo lo que quieres decir, Alma. Pero cuando hay una situación así, ya creada, con una persona o varias que tienen el poder, es muy complicado arrebatárselo.

—Lo es, pero es mucho más complicado vivir como viven, ¿no crees?

—No sé… Alma, por un lado, tienes razón…

—Da igual, Sam. No necesitan a Evelyn para cambiar sus países, ellos tienen el poder de hacerlo por sí solos.

—Pero Evelyn puede servirles de inspiración.

—Sí, pero no como una mártir, Sam. Los habitantes de esos países han regalado el poder a alguien para quitarse la responsabilidad. Pero cuando ya no tienes ninguna responsabilidad en tu vida lo único que te queda es la queja. Y la queja, hermano mío, ¡no sirve de nada!

—Ya… De todas, formas, volviendo al inicio de la conversación, ¿qué tiene que ver ese pensamiento de libertad con la visión que has tenido de que te marchas?

—Creo que voy a volverme a ir en contra de lo que sería mejor para mí, de lo que verdaderamente querría.

Samuel quería encontrar un sentido racional a todo lo ocurrido

—¿Cabe la posibilidad de que estuvieras soñando y sonámbula hayas sacado la máscara de la maleta sin que me haya enterado porque estaba profundamente dormido?

—¿Y qué hay de la palabra "Libertad" tallada en la madera de la máscara? Mira, Sam, qué más da si estaba soñándolo o no, el mensaje me ha llegado muy claro… y tiene razón. Nunca he pensado en mí, por eso no tengo ni idea de cuál es mi propósito en la vida, mi camino, el "para qué" estoy en este mundo…

—No sé qué decir, Alma…

—No hace falta que digas nada. Ahora sé que estoy dormida, sólo me queda despertar.

—¿Y qué vas a hacer?

—Lo tengo que pensar con calma. Pero, desde luego, me voy a centrar mucho más en mí.

—Esa me parece una gran idea…

Tras varios segundos de silencio, Samuel se fijó de nuevo en la máscara.

—Oye, ¿me la dejas? ¡Voy a probar yo a ponérmela!

—¡Claro! Toma, a ver qué tiene para ti —dijo Alma entregándosela.

Samuel intentó insertar su cabeza dentro de ella, pero las dimensiones de su cráneo eran un poco mayores a las del hueco que había entre el entretejido de las cuerdas que forman el pelo y la propia máscara. Aun así, estiró de ella hacia abajo, con fuerza y se la puso.

—Me aprieta un poco…

—Sí, a mí también me apretaba.

—No veo nada. Esto es un poco agobiante…

—Aguanta un poco a ver si ves algo.

—Sigo sin ver nada. ¡Ayúdame a quitármela, me estoy agobiando mucho! —pidió Samuel muy nervioso.

—¡Espera! ¡No tires de ahí que la vas a romper!

—Ayúdame, ¡que no puedo respirar!

—¡Pero déjame que te la quite yo! —dijo forcejeando con su hermano, cada vez más desesperado por quitársela.

—¡No puedo más! ¡Me estoy ahogando! —gritó angustiado.

Samuel tiró con tanta fuerza que partió la máscara en dos, justo por la mitad de ella. Con la cara enrojecida, se quedó mirándola con los dos trozos todavía unidos por las cuerdas del cabello.

—¡La has roto! —gritó Alma.

—Ya lo veo —respondió molesto.

—Pero… ¿Por qué no has esperado a que te ayudara?

—¿Tú qué crees? ¡Me estaba ahogando! Tenía una sensación horrible, ¡me faltaba el aire!

—Pero, ¿tienes claustrofobia o algo parecido?

—Nunca la he tenido pero creo que esto se le parecería bastante… ¡Qué agobio he sentido! Te prometo que no podía más. Me presionaba tanto la cara, era como si me estuviera asfixiando.

—Bueno, a lo mejor la podemos pegar…

—Sí, no te preocupes, la pegaremos.

—¡Vaya! ¡Para una cosa fuera de lo normal que me pasa a mí!

—Pero Alma, ¿estás segura de que viste que nos separábamos? ¿O formó parte de tu sueño?

—¡Que no, Sam! ¡No insistas! No estaba soñando, lo he visto tan nítido como te estoy viendo a ti.

—A ver... yo ya me creo todo después de lo que hemos vivido.

—¡Pues créetelo de una vez! Esa máscara nos está mandando mensajes, o estaba, porque ahora, partida por la mitad no sé si funcionará.

—¿Quieres probarla de nuevo?

—Vale, dámela.

Alma se la volvió a enfundar y la sostuvo uniéndola con las manos.

—Nada... Esto se ha roto... —indicó tras esperar unos segundos.

—Espera un poco, ¡como tú me decías!

Alma esperó un par de minutos concentrada en silencio.

—Que no, Sam. Está rota.

—Bueno, probaremos a pegarla a ver qué ocurre —dijo resignado Samuel.

—Oye y ¿has interpretado lo que quería decirte para ti, con la palabra "Amor"?

—Pues no me he parado a pensarlo, la verdad —respondió encogiéndose de hombros.

—A lo mejor hablaba sobre que ibas a encontrar el amor...

—Sí, a la vuelta de la esquina —respondió con sarcasmo.

—Quien sabe... o... quizás hablaba del amor propio.

—¿Del amor hacia mí mismo?

—Exacto.

—¿Quieres decir que me tengo que querer más?

—No lo digo yo, lo dice, bueno, lo decía tu máscara —manifestó sonriendo y agitando las manos como quitándose responsabilidad.

—¿A ver qué pone ahora?

Samuel la giró para ver el mensaje.

—Ha desaparecido... No hay ninguna marca. Esto me deja de piedra, porque las palabras estaban talladas en la madera y... mira ahora, lisa y sin un rasguño como si estuviera recién pulida.

—Déjame ver —dijo sosteniéndola con las manos— ¡Madre mía! Pero, ¡si ha desaparecido! ¡No queda rastro de ninguna palabra, esto es alucinante!

—Bueno, la pegaré y a ver si así funciona de nuevo.

—¡Ojalá!

—Anda, vámonos a dormir —sugirió Samuel—. No puedo más.

—Sí, vamos a intentar dormir, aunque yo estoy con la cabeza a pleno rendimiento.

Alma no consiguió conciliar el sueño hasta bien entrada la madrugada. El sol ya iluminaba con fuerza cuando cayó en un profundo sueño, agotada. En cambio, Samuel se durmió rápidamente. La subida al volcán le había pasado factura y estaba exhausto.

Odile pasó a recogerles después de comer. Se levantaron todo lo tarde que les permitieron en el hotel y comieron por última vez en el restaurante de la planta superior. Sentían tristeza por tener que dejar Ruanda, un país al que fueron casi obligados, y del que también iban a marcharse por obligación. Ambos coincidieron en que volverían a visitarlo con más calma.

Odile los llevó al aeropuerto dos horas antes de la salida del vuelo, planificado para las 4:20 p.m. Al entrar al recinto, un par de soldados del ejército les dieron el alto. Con un palo de metro y medio coronado por un espejo en el extremo, rastrearon minuciosamente los bajos del coche. Por lo visto la paz del país era ya un hecho, pero el miedo a que alguien pudiera intentar romperla seguía latente. Odile no le dio mucha importancia al trámite. Facturaron sus maletas en el stand de *Ethiopian Airlines*. Y se dirigieron hacia la zona de seguridad, para evitar retrasos por posibles problemas con la urna de las cenizas.

—Chicos, ha sido maravilloso haber podido compartir con vosotros estos días —aseguró Odile tomándoles de las manos—. Para mí, he cumplido un sueño que llevaba mucho tiempo preparando con esmero junto a vuestro padre. Espero no haber sido demasiado dura con vosotros y que os vayáis de aquí con un buen sabor de boca.

—¿Buen sabor de boca? No sé si diría tanto… —bromeó Alma— Lo cierto es que hemos vivido momentos realmente desagradables, aunque sé también que era la manera que elegiste para que calara hondo tu mensaje y ¡vaya si lo ha hecho!

—Sólo tenía unos pocos días para hacer una labor que habría costado semanas, así que había que hacer algo que os impactara emocionalmente.

—Lo has hecho muy bien —afirmó Alma.

—Para mí ha sido una transformación total de mi interior. No sabía que las personas tuviéramos esa capacidad de perdonar. Ni siquiera creía que tuviéramos una capacidad mínima de perdonar de corazón, sin rencores. Pero estaba equivocado y me alegro enormemente de haberlo estado.

—Todo se puede perdonar, Samuel —dijo Odile.

—Ahora lo sé. Esto me ha dado una perspectiva de mi vida radicalmente diferente a la que llevaba en los últimos años… quizás toda mi vida. No quiero vivir con nada que me lastre, quiero ser libre de mi pasado y centrarme en crear mi futuro. Gracias Odile por hacerme mejor persona.

—Yo sólo te he señalado el camino.

—Pues entonces, gracias por mostrarme un camino que permanecía invisible para mí. Quiero que sepas que ahora veo la vida lleno de esperanza y no lo experimentaba con esta intensidad desde que era un niño.

—¡Ayy! ¡Qué alegría oírte decir esas cosas, Samuel! ¡Ven! ¡Dame un abrazo! ¡Estoy tan orgullosa de vosotros! Por favor ¡volved a visitarnos!

—¡Volveremos, Odile! —afirmó Alma uniéndose al abrazo. Tras unos segundos, Alma le dijo—. Por mi parte, ya sabes de lo que he sido consciente y, desde entonces, he ido trabajándolo en silencio, paso a paso. Estoy convencida de que he sanado muchas cosas, lo voy notando en mi interior. Yo también voy a centrarme en mi futuro y me voy a inspirar en vuestra asociación. Estaremos en contacto a menudo, porque creo que tu modelo puede funcionar en los Estados Unidos, o en el mundo entero más bien.

—Muchas gracias por tus palabras, Alma. Es muy gratificante que alguien de fuera del país aprecie así lo que hacemos, me ayuda a seguir con más ganas e ilusión, si cabe. Os llevaré siempre en mi corazón.

La ciudad imposible

Alma y Samuel pasaron el control sin ningún problema. Ni siquiera le pidieron que abriera la maleta para comprobar lo que llevaba a pesar de que en el escáner se veía perfectamente la urna.

Se subieron a un *Boeing 737*. El avión se dirigía hacia la pista de despegue cuando el capitán anunció que volvían a la terminal por un "pequeño contratiempo".

—¿Qué habrá sido? —preguntó Alma a Samuel.

—A saber… ¿Cuánto tenemos de margen para el siguiente vuelo?

—Unas cuatro horas.

—Ah… entonces, tenemos tiempo de sobra.

—Sí, a ver si dicen algo de por qué no hemos despegado.

Tras dos horas de espera, durante las cuales les hicieron desembarcar con las maletas de mano pudieron despegar rumbo a Adís Abeba, en un *Boeing* distinto al primero.

Casi sin darse cuenta, el capitán ya estaba anunciando la llegada al aeropuerto de Bole en la capital de Etiopía.

—Señores pasajeros, les informamos que, en breve, tomaremos tierra en el mayor aeropuerto de África. Deseamos que hayan tenido un buen vuelo y gracias por elegir *Ethiopian Airlines*.

—¿Ya estamos? —preguntó sorprendida Alma.

—Sí, este vuelo era muy corto. El siguiente nos costará un poco más —informó Samuel.

—A ver si puedo dormir un poco, porque me fallan las fuerzas.

—No hay mal que por bien no venga; hemos salido tarde, así que esperaremos mucho menos y podremos dormir antes.

—¡Tienes razón!

El avión tomó tierra de forma un tanto brusca. Según informó después el capitán, había bastante viento de cola y el contacto de las ruedas con el suelo no había sido todo lo suave que hubiese deseado.

Nada más entrar en el aeropuerto se fueron rápidamente hacia la puerta de embarque que correspondía para el vuelo con destino Tel Aviv-Yafo, ya que sólo les restaba una hora para el despegue.

Cuando entraron al avión se dieron cuenta de que era el mismo que acaban de dejar. Ni siquiera se había movido desde que desembarcaron, además llevaban los mismos asientos, el 11A y el 11B.

Esta vez la aeronave despegó sin problemas. Por delante les esperaban cuatro horas de vuelo. Llegarían de madrugada.

—Espero que no nos pase como en Amsterdam y que haya alguien esperándonos. ¡Qué ganas tengo de llegar al hotel y descansar! —exclamó Alma.

—Intenta dormir ahora —sugirió Samuel

—Antes quería preguntarte algo.

—Tú dirás.

—¿Has perdonado?

—¿A George y a Mary?

—Sí, y a papá.

—A papá ya lo perdoné hace tiempo. Quizás, ahora, mi perdón es más consciente y profundo. En el caso de ellos dos, estoy en proceso. Tengo decidido perdonarles, entender lo que hicieron y liberarme de esa carga. Lo haré pronto. ¿Y tú?

—¿Yo?

—Sí… ¿Nos has perdonado? ¿A mí y a papá?

—Sí Sam, os he perdonado desde el momento en el que fui consciente de ello.

—Gracias hermanita. Siempre he creído que me odiabas por aquello y sin ser consciente llevaba un gran peso en mi corazón.

—No, Sam, nunca te he odiado.

—Yo así lo creía. Sabía que había decepcionado a mamá, pero a ti también. Si pudiera echar el tiempo a atrás habría ido corriendo para verla antes de fallecer.

—Lo sé Sam. Pero pasó así, no hay que darle más vueltas. Tú estabas presionado por la situación de la empresa y además tampoco se esperaba nadie lo que pasó.

—No… nadie lo esperaba. ¿Me considero perdonado entonces?

—Sí, Sam. Te lo digo de corazón.

—Gracias Alma. Dame un beso —Samuel abrazó a su hermana— ¿Sabes? Siento un gran alivio, como si de verdad me hubieras quitado una gran carga de encima.

—Pues no te lo vas a creer, pero estoy sintiendo lo mismo Sam.

Alma consiguió dormirse rápidamente. Samuel también durmió un rato. A las cuatro de la madrugada, el vuelo *ET 404* tomó tierra en el aeropuerto de Ben Gurión, en Tel Aviv-Yafo.

Alma se despertó muy confusa. En cambio, Samuel, al haberse despertado minutos antes de iniciar el aterrizaje, ya estaba bastante espabilado cuando llegó el momento de desembarcar.

Esperando a que salieran las maletas, Alma se sentó en el carrito que habían cogido para transportarlas. Las maletas tardaron más de media hora en salir y Alma no pudo mantenerse despierta, se apoyó sobre sus rodillas y cayó dormida de nuevo durante algunos minutos.

Finalmente, tras recogerlas, salieron a la terminal donde un hombre les esperaba con el cartel donde figuraba "Alma y Samuel Calleja". Era de estatura media, de piel pálida, pero con las mejillas sonrosadas. Rondaría los cincuenta años. Llevaba una barba bien cuidada muy recortada y tenía el pelo corto y canoso. Sus ojos eran pequeños y tenía una mirada limpia y sosegada, la nariz era chata y de un tamaño muy acorde a su cara. Los recibió con una gran sonrisa que iluminaba toda su cara.

—¡Bienvenidos! —dijo el hombre en un perfecto español de España— ¡Soy Miguel! ¿Cómo ha ido el viaje?

—¡Hola Miguel! —respondió Samuel dándole la mano—. ¡Estupendo! Se retrasó el vuelo hasta Etiopía, pero éste último ha sido perfecto.

—¡Hola! Ha ido muy bien, sí. ¡Gracias! —respondió Alma todavía bastante somnolienta— ¿Eres de España?

—¡Así es! Nací no hace mucho en Pamplona, una ciudad del norte de España —bromeó Miguel.

—¡La conocemos! —exclamó Samuel.

—¡Anda!

—Claro, por los ¡San Fermines!

—¡Ah! ¡Claro! Hemingway tuvo mucho que ver en que se conociera en los Estados Unidos.

—No, ¡qué va! Fue nuestro padre que se veía todos los encierros en la televisión internacional española —afirmó Samuel.

—¡No me digas! ¡Qué bueno! ¡Nunca me lo dijo! —exclamó Miguel con sorpresa.

—¿Lo conociste entonces? —preguntó Alma

—¿Que si conocí a vuestro padre?... Sí, y mucho, ya lo creo... Siento mucho su pérdida chicos.

—Muchas gracias, Miguel —respondieron.

—Bueno, estaréis cansados, ¿nos vamos?

—¡Sí! —aceptaron de buen grado los dos.

La terminal internacional del aeropuerto de Tel Aviv-Yafo era realmente grande. Al cruzarlo para llegar hasta el aparcamiento pasaron al lado de una zona muy agradable. Era una especie de plaza redonda de unos diez metros de altura, llena de mesas de numerosos sitios donde poder comer o tomar algo. En medio, había una fuente, también redonda que en ese momento estaba apagada. Pero lo más llamativo era su techo; una cúpula en forma convexa con una gran abertura acristalada en el centro, que, seguramente, iluminaría la fuente con la luz del sol.

El hall principal era una enorme sala rectangular con unas columnas estriadas de más de quince metros de longitud, recubiertas de metal reluciente que, en su conjunto, recordaban a un gran palacio neoclásico. La entrada principal tenía una gran pared acristalada, que, con total seguridad dejaría pasar la luz natural suficiente como para iluminar todo el hall sin casi necesidad de iluminación artificial.

Al salir del aeropuerto en dirección al aparcamiento se sorprendieron al ver una zona dedicada al relax y a la lectura, al menos era lo que indicaba la escultura esquemática que imitaba a una persona leyendo un libro y sentada en el borde de un pequeño jardín. A lo largo de esta zona ajardinada había una veintena de asientos de diseño, con un ambiente *chillout* que invitaban a relajarse.

Caminaron unos minutos hasta llegar al parking. Aunque Alma estaba realmente cansada se animó al creer que el vehículo de Miguel era un *Toyota Corolla* rojo que tenían enfrente. En el instante en el que Alma iba a pellizcar a su hermano en el costado, Miguel le dio al botón del mando a distancia de su coche iluminando las luces de intermitencia de otro oculto tras el *Toyota*. Samuel, que se había percatado del movimiento atacante de su hermana le dijo:

—¡Tranquila hermanita! ¡Has vuelto a confundirte de coche! ¡Ja, ja!

—Por poco te llevas uno de propina —advirtió Alma.

—Aplaca tus ganas que éste es un *Kia*.

—Lo sé...

—¿Seguro que lo sabías?

—Al menos no me parecía que fuera un *Toyota*.

—¿Te gustan los *Toyotas*? —preguntó con curiosidad Miguel.

—¡Ja, ja, ja! Sí, pero es más un juego entre mi hermano y yo desde que éramos adolescentes.

—Es alquilado, el mío se quedó en España, pero tampoco era un *Toyota*. ¡Siento decepcionarte!

—¡No será un *Mazda*! —dijo Samuel aprovechando la oportunidad.

—¡Ja, ja, ja! No, tampoco es un *Mazda*.

—Miguel, y ¿qué hace una persona de Pamplona en Israel? —curioseó Alma.

—Buena pregunta, pero la respuesta os la contaré más adelante —contestó de forma misteriosa.

—¿Vamos a quedarnos en Tel Aviv-Yafo? —preguntó Samuel al tiempo que se subía al coche— Me encantaría conocer la capital.

—Pues siento decirte que los planes son otros. Nos vamos a Jerusalén.

—¡A Jerusalén! ¡Mejor aún! ¡Siempre he soñado con visitarlo! —exclamó entusiasmado Samuel

—¡Y yo! —añadió Alma.

—Me alegro de que os guste la idea, porque no sólo lo vais a visitar, sino que lo vais a vivir.

Alma miró con ojos de emoción a Samuel.

—Esto promete, hermanita —contestó Samuel.

Al salir del parking se fijaron en la torre de control del aeropuerto, una muy singular que recordaba a una antorcha olímpica.

—¿A cuánto está Jerusalén? —preguntó Alma.

—¡Ah! Está muy cerca, en menos de una hora estamos allí. Además, llegamos a la hora perfecta, cuando todavía duerme la ciudad. Durante el día es muy bulliciosa. Los turistas vienen en masa en cualquier época del año y gran parte de la ciudad vieja de Jerusalén se ha convertido en un gran bazar. Pero eso no nos importa.

—¿Por qué? —indagó Alma

—Porque donde vamos es un remanso de paz absoluto.

Alma se cogió ambas manos y las apretó contra su pecho. Estaba realmente emocionada porque presentía que iba a ser el lugar para ella. Hasta ahora había estado como en un segundo plano, aunque esa impresión dio un giro radical ya en Ruanda. Sabía que Jerusalén era una elección de su madre, estaba casi segura, pese a no tener ningún indicio de ello. Blanca, su madre, siempre hablaba de las ganas que tenía de ir a la ciudad santa. Tras postergar el viaje decenas de veces, su padre nunca encontró un hueco para ir a visitarla juntos. Suponía que Martín había ido allí al menos por esa razón.

—Miguel —inició Alma la conversación.

—Dime.

—¿Cómo os conocisteis mi padre y tú?

—Por pura casualidad. Coincidimos en una escala de nuestros vuelos, en Amsterdam. Él iba a Ruanda y yo volvía de los Estados Unidos. Coincidió que nos sentamos al lado el uno del otro, a esperar nuestro vuelo. Fue muy curioso porque nuestras puertas de embarque eran muy distintas, pero vuestro padre ya llevaba varias horas esperando y todavía le quedaban otras tantas más y se iba cambiando de sitio hasta que terminó a mi lado. Yo estaba absorto leyendo, *La desaparición del universo* y a él le llamó poderosamente la atención el título. Así que entablamos una conversación y le expliqué a qué me dedicaba y de qué trataba ese libro.

—No me suena de nada —afirmó Alma.

—No te preocupes, te sonará —dijo con media sonrisa Miguel.

—Vale… ya tengo ganas de aprender todo lo que pueda —dijo Alma sonriendo.

—Calma, habrá tiempo para todo. Vuestro padre y yo conectamos enseguida. Se mostró muy amable conmigo y yo terminé invitándole a un curso que iba a hacer en Jerusalén. Él me dijo que tenía que ir a Ruanda, que había muchas cosas que aprender allí y que si no me importaba lo dejaría para más adelante. Nos dimos los números de teléfono y desde aquel momento no perdimos el contacto. Finalmente, vino a verme y conoció a Ufara.

—¿Cómo lo viste cuando llegó a aquí? —interrogó Samuel.

—Estuvo unos cuantos meses en Ruanda y creo que luego volvió a España, aunque no estoy muy seguro. El tiempo que pasó en Ruanda fue muy transformador para él. Me contó que se había liberado de muchas cosas del pasado que le lastraban. Pero, aun así, todavía sentía un pesar en su corazón. Lo que él no sabía era que aquí iba a aprender la lección definitiva.

—¿Qué lección, Miguel? —preguntó Alma con gran curiosidad.

—Conoció la Verdad Absoluta.

—¿La Verdad Absoluta?

—Así es. Por eso estáis aquí hoy. Vosotros vais a recorrer, si queréis, claro, el mismo camino que anduvo vuestro padre. Así lo quiso porque aquí su vida cambió para siempre. Aquí encontró la paz, el amor y la felicidad que perduró hasta el último aliento de su vida, sino más.

—Me tiembla todo el cuerpo, Miguel —dijo Alma frotándose las piernas rápidamente. Tengo muchas ganas de iniciar este viaje. Te doy mi palabra de que presiento muchas cosas aquí, todavía no las puedo definir muy bien, pero siento que este sitio va a ser un antes y un después en nuestras vidas.

—Tu presentimiento es correcto, Alma. Os aseguro que así será —Miguel hizo una pausa para tomar la salida de la carretera en dirección a Jerusalén. Estaba comenzando a amanecer cuando la carretera ascendió poco a poco hasta llegar al alto de los montes de Judea. Los hermanos estaban muy emocionados, deseando ver la ciudad y conocer a la intrigante Ufara.

Tras unos minutos de silencio en el que se quedaron ensimismados, Miguel les anunció:

—Os quería decir que no vais a estar la mayoría del tiempo conmigo.

—Ah, ¿no? —dijeron sorprendidos.

—No. Vais a estar con Ufara, una mujer muy, muy especial. Os va a encantar, Ufara es fascinante. Aunque, tranquilos, yo estaré al tanto por si necesitáis cualquier cosa.

—Muchas gracias Miguel. La verdad es que estoy ansiosa por conocerla —afirmó Alma.

—Yo me adapto a lo que tengáis preparado. Eso lo he aprendido bastante bien en lo que llevamos de viajes —bromeó Samuel.

—Ya casi estamos… —anunció Miguel— ¿Conocéis algo de Jerusalén?

—Bueno, obviamente lo que conocemos a través de la Biblia. De la época actual sólo sé de las múltiples disputas entre los palestinos y los judíos que han originado varias guerras —afirmó Samuel.

—Yo vi una vez un documental de viajes en el que hablaban sobre las tres religiones y que se repartían la capital por barrios —declaró Alma.

—Ambos estáis en lo cierto. Jerusalén ha sido una de las ciudades más conquistadas de la historia. Por aquí han pasado toda clase de imperios, culturas, potencias mundiales... ¡de todo! Por citar algunos de los que la han conquistado esta ciudad, os nombraré a los judíos, palestinos, asirios, babilonios, persas, por supuesto romanos, musulmanes, franceses cristianos, egipcios, otomanos, británicos y jordanos.

—¿Por citar algunos? —preguntó estupefacto Samuel.

—Alguno más me he dejado, seguro —dijo riendo Miguel—. Esta ciudad es uno de los asentamientos más antiguos de la humanidad. Creo que se tienen vestigios de cinco mil años antes de Cristo.

—¡Cinco mil años! Si hubiera en Estados Unidos algún asentamiento con vestigios de ese siglo te puedo asegurar que sería el sitio más visitado de la tierra —exclamó Samuel.

—Estados Unidos tiene una historia muy reciente, al menos, la historia de la cultura occidental, porque la de los indígenas también es de siglos antes de Cristo.

—Cierto, no había caído en eso —admitió Samuel.

—En la actualidad es una ciudad imposible.

—¿Por qué imposible, Miguel? —preguntó Alma.

—Porque es una ciudad bajo el mandato israelí desde la guerra de los seis días, y a partir de entonces las presiones no han cesado. En la ciudad conviven, por decir algo, tres religiones, o cuatro, según se considere. Está la zona judía, la musulmana y la cristiana. Existe también una zona armenia. Los armenios son cristianos, pero provienen de una rama del cristianismo diferente a la católica y tienen ciertas diferencias con respecto a ellos.

—Por lo que veo, convivir, no conviven mucho, ¿no es así? —apuntó Alma.

—No, lo cierto es que no. Viven en la misma ciudad pero no en el mismo mundo. Tienen hasta puertas de acceso diferentes para entrar directamente a su zona en la parte antigua de la ciudad.

—¡No me digas! —dijo Alma sorprendida.

—Sí, existe una puerta principal en cada punto cardinal, aunque hay otras cinco, menos importantes —explicó Miguel—. Nosotros entraremos por la "Puerta de los Leones" directamente al barrio musulmán, donde reside Ufara.

—¿Es ella musulmana? —interrogó Alma.

—No… en absoluto. No se considera perteneciente a ninguna religión. La ubicación de su escuela es simplemente circunstancial.

—¿Vamos a una escuela? ¿Es maestra? —preguntó de nuevo Alma.

—Sí, es maestra, pero no una maestra tradicional, es maestra espiritual —afirmó Miguel.

—Me intriga mucho la figura de esta mujer… no sé muy bien por qué, pero lo hace —admitió Alma.

—Es una mujer muy especial, os daréis cuenta al instante.

Miguel bordeó la parte norte de la antigua Jerusalén. Los primeros edificios comenzaron a asomarse en lo alto del monte que quedaba a la derecha. La ciudad había crecido muy rápido durante la última década, con barrios adyacentes al núcleo urbano mucho más grandes que la zona conocida como 'la ciudad vieja'. Los edificios que se divisaban eran muy parecidos entre sí, de construcción moderna y, casi todos, de color crema o blancos, para repeler el acuciante calor de esta zona durante la mayor parte del año, como explicó Miguel. Atravesaron un túnel. Al salir de él, el sol ya irradiaba con fuerza de frente cegando la visión de Miguel, que se tuvo que proteger con unas gafas de sol.

Entraron en la parte nueva de Jerusalén. No se diferenciaba demasiado de una ciudad moderna cualquiera, salvo en el hecho de que la mayoría de los edificios estaban construidos usando la misma piedra caliza que los recubría. Eran viviendas muy funcionales, de líneas angulosas y dispuestas en hileras perfectamente trazadas. De vez en cuando, en el paisaje urbano aparecían inmuebles de mayor altura como una nota discordante entre tanta similitud, aunque conservando el tono de la piedra de la fachada. A la derecha de la carretera, un montículo elevaba la ciudad antigua y la separaba de la moderna. Entraron a otro túnel y atravesaron una zona residencial de casas unifamiliares, una urbanización de clase media. Eran los límites de la capital. Los solares con escombros de las construcciones adyacentes abundaban en esta zona. Se podía intuir que la urbe estaba creciendo por este extremo.

Por fin divisaron la majestuosa muralla de la capital de Israel. Iban a entrar en la ciudad vieja de Israel por la Puerta de los Leones, a través de una carretera estrecha, de doble dirección y delimitada por paredes de piedra modernas. Debido a su estrechez y al tráfico que soportaba, el acceso era un embudo donde los vehículos trataban de entrar y salir a la vez por una angosta puerta que apenas abarcaba la anchura de un coche, por lo que, continuamente, tenían que comprobar si venían otros vehículos en dirección contraria. Unas almenas coronaban la muralla que se extendía a ambos lados.

—Ésta es la Puerta de los Leones —dijo Miguel agachándose para ver la parte superior de la muralla—. Se llama así porque tiene dos pares de felinos a ambos lados de la puerta, aunque, en realidad, no son leones, son leopardos.

—¿De qué época es? —preguntó interesada Alma.

—Es del siglo XVI. Fue mandada construir por Solimán el Magnífico, el sultán Otomano que también construyó la muralla. Su padre le presionó para que acabara cuanto antes la muralla que protegiera a Jerusalén, o, en caso contrario, le echaría a las bestias, de ahí los animales —explicó Miguel señalando a los leopardos mientras esperaban que cruzara una camioneta que apenas cabía por la puerta.

Cuando le llegó su turno, el coche atravesó la entrada. Los hermanos se fijaron en que el portón todavía conservaba las dos hojas de metal para poder cerrarla. Al franquearla, se veía la parte trasera de la muralla y a la izquierda, una explanada con jardineras y árboles.

—Ya casi hemos llegado, es ahí delante.

Miguel giró en la segunda calle a la izquierda y aparcó su coche en una zona reservada para vehículos autorizados.

—Ya hemos llegado, chicos. Supongo que tendréis muchas ganas de descansar —advirtió Miguel al observarles.

—Sí, bastante —admitió Alma. Samuel asintió con la cabeza.

—Vamos, es un poco más adelante, tendremos que hacer el resto a pie.

—De acuerdo —aceptaron ambos.

—¿Qué es este edificio tan grande? —preguntó Samuel indicando con el dedo una construcción de dos plantas, rectangular y rodeada por un muro.

—Es un seminario.

—¿Cristiano? —dijo Samuel.

—Sí, cristiano.

—¿Pero ésta no era la zona musulmana? —cuestionó Samuel.

—Lo es, pero en Jerusalén está todo entremezclado. Todo, excepto la gente de los barrios. Esta calle pertenece al barrio o *quarter* musulmán porque es donde viven las personas que profesan la religión islámica, pero aquí hay sinagogas, iglesias o incluso seminarios como éste. De hecho. Esta calle se llama *Vía Dolorosa,* que es donde la tradición cristiana ubica el recorrido que hizo Jesús de Nazaret portando la cruz hasta el Gólgota, el monte donde le crucificaron.

—Ésta es la entrada —indicó Miguel, sacando una llave de su bolsillo.

La entrada no descubría nada de lo que contenía en su interior. Era una simple puerta de metal pintada de gris. Una pequeña placa indicativa, en hebreo y en inglés, era lo único que hacía referencia a lo que allí había: "Escuela de la Paz". Alma dio un toque a Samuel en el hombro y le señaló la placa, arqueando ambas cejas sobre los ojos iluminados por la ilusión. Samuel asintió imitando el gesto de su hermana. Entraron en la zona que rodea el muro. El edificio era una construcción más extensa que las casas que habían visto hasta el momento. Parecía una escuela pero con aire de principios del siglo XX. Tenía dos alturas y estaba realizado en una piedra un poco más rojiza de lo habitual en la ciudad; con numerosas ventanas, como si hubiera muchas habitaciones. Todas las ventanas tenían hojas blancas de madera para cerrarlas y evitar así que entrara el sol que, por la orientación del edificio, sería abundante. Había varios árboles entre el muro y la casa, entre ellos, una gran palmera que superaba en altura el propio edificio, dos árboles frutales que parecían naranjos y un olivo.

Alma volvió a llamar la atención de su hermano, señalando el olivo.

—Parece que papá también ha pasado por aquí…

Llegaron hasta una puerta de madera muy bien conservada pintada de azul y con dos grandes cristaleras. Miguel eligió otra llave para abrir la puerta. La introdujo en la cerradura y la abrió. Antes de pasar al interior llamó brevemente al timbre que había junto a la puerta, avisando de su llegada.

—Pasad, chicos, ¡bienvenidos al edén de Jerusalén! —exclamó abriendo de par en par la puerta de entrada.

Lo que vieron los ojos de Alma y Samuel les dejó absolutamente boquiabiertos. El *lobby* de la casa estaba realizado en piedra desnuda, sin pintar, con una iluminación que realzaba el techo abovedado a unos cinco metros de altura. En cada una de las cuatro paredes de la entrada había un arco apuntado. Bajo el de la izquierda había una mesa con un tablero de madera natural, con patas blancas talladas con esmero en forma de zigzag. A un lado, contra la pared, un banco de piedra ocupaba toda la extensión del ancho del arco. En el otro lado de la mesa había varias sillas de madera a juego con el conjunto. A ambos lados de la entrada había otros dos pequeños arcos, ambos ocupados por dos pequeños bancos, decorados por cojines coloridos. El suelo era de cerámica de color gris, de estilo más actual que el resto del interiorismo del edificio. En medio, un cuadrado con baldosas de color gris más oscuro, formaba un friso de formas geométricas imitando a flores.

—Sam, es el sitio más bonito en el que he estado nunca. ¡Estoy que no me lo creo! ¡Parece un sueño!

—¿Quieres que te pellizque para salir de dudas? —ofreció Samuel con una mueca.

—Tus pellizcos son de principiante, aunque me dieras uno no despertaría.

—¿Quieres probar? —dijo Samuel lanzándose a darle uno en el brazo.

—¡Para! —recriminó Alma.

Una mujer entró a la estancia por la puerta que quedaba al frente de la entrada. Nada más aparecer, fue como si toda la sala se iluminara de repente. Se movía de forma lenta y pausada. Llevaba un precioso vestido blanco que la cubría hasta los pies. Portaba un colgante de color marrón oscuro. El extremo de la cadena no se podía apreciar porque se había ocultado tras los pliegues del cuello de la vestimenta. Era una mujer de tez blanca translúcida y cabello plateado. Sus ojos, de un azul intenso, destacaban extraordinariamente en el pálido conjunto. Su cuerpo era muy delgado y aunque parecía frágil, emanaba una gran vitalidad y fortaleza interior. Era difícil calcular su edad, seguramente habría superado la cincuentena, pero su piel tersa invitaba a creer que era mucho más joven. Cuando llegó hasta donde estaban ellos tres, sonrió levemente mostrando una dentadura perfecta.

—Alma, Samuel, ella es Ufara, de la que tanto os he hablado. No habla español, pero sí inglés, que es su segunda lengua.

—Hola, hijos de Martín —saludó Ufara con voz muy dulce, acariciando el aire que salía de sus pulmones—. Bienvenidos a Jerusalén.

—Gracias Ufara. Teníamos muchas ganas de conocerte —aseguró Alma.

—Hola Ufara. Desde que nos dijeron que íbamos a venir a Jerusalén, estábamos ansiosos por llegar y, por fin, estamos aquí.

—Tiene una casa impresionante, Ufara—advirtió Alma.

—Tratémonos de igual a igual, de tú a tú, con el mismo respeto, pero con más cercanía —dijo pausadamente.

—¡De acuerdo! —respondió Alma sorprendida por el modo en el que se lo dijo.

—Ésta es una casa muy especial. En realidad, es parte del edificio del seminario, aunque no formamos parte de él. Esta escuela de la paz es muy diferente a lo que enseñan al otro lado de aquel muro. Ya habrá tiempo para hablar de eso. ¿Pasamos a ver vuestras habitaciones? —sugirió Ufara.

—Os voy a dejar —manifestó Miguel.

—¿No te quedas aquí? —preguntó Samuel.

—No… yo tengo una casa cerca. Os dejo en buenas manos.

—Eso seguro. Muchas gracias por todo —dijo Alma.

—Gracias Miguel, espero que tengamos oportunidad de volver a vernos durante estos días —instó Samuel.

—¡Ah! ¡Eso seguro! —exclamó sonriendo Miguel— Ahora descansad, que estos días vais a necesitar mucha energía —exhortó Miguel, guiñando un ojo.

Tras despedirse de Miguel, Alma y Samuel siguieron los pasos del caminar pausado de Ufara. Salieron por la puerta de madera azul por donde ella había aparecido y entraron a un pequeño patio con las paredes de la misma piedra que la entrada. El patio estaba descubierto y había dos sofás marrones de exterior con una pérgola a cada lado, para cubrir la luz del sol. A su lado, cuatro naranjos enanos y en la pared izquierda, al más puro estilo de los patios árabes, numerosas macetas con geranios rosas y rojos invitaban a pasarse horas de contemplación, sin hacer nada más que relajarse. El ruido del agua cayendo de una fuente incrustada en la pared y decorada con teselas de color verde, formando figuras geométricas, redondeaba la escena de perfecto relax.

Otra puerta azulada daba paso a una estancia muy diferente.

—Ésta es la zona del comedor. Podéis tomar lo que queráis. Tenemos una cocinera fantástica que hace platos mediterráneos, típicos de la zona. Aquí es donde disfrutamos todos juntos de las comidas. Ahora sólo estáis vosotros, así que la cocinera está a vuestra entera disposición.

—¿En serio? ¡Me están entrando ganas de quedarme a vivir aquí! —declaró Alma muy emocionada.

—Puedes quedarte el tiempo que desees, al igual que tú, Samuel —sugirió Ufara.

—No descarto trasladar mi residencia de Pittsburgh a esta Escuela —bromeó Samuel.

La estancia tenía una mesa de madera color wengué con capacidad para diez personas. A su lado había una barra, también de madera, pero de color más claro. A su alrededor, varios taburetes de color blanco con cojines amarillos estaban dispuestos para ser utilizados durante los desayunos. Al fondo, una pequeña librería llena de libros. Tras la barra había una cocina completa, con electrodomésticos para cocinar y conservar los alimentos, y una plancha con un horno bajo ella.

Ufara se dirigió a una escalinata y comenzó a subirla.

—Esto es lo único que no os va a gustar. Vuestras habitaciones están en el segundo piso y no hay ascensor. ¿Queréis que os ayude? —sugirió Ufara.

—¡No! Podemos nosotros, gracias —respondió Alma con gran vitalidad.

—¡Por supuesto allá vamos!

Subieron como pudieron los dos pisos de la preciosa escalinata blanca con una barandilla del mismo azul que los marcos de las puertas y las ventanas. La luz del sol inundaba toda ella, a través de las vidrieras. El descansillo de cada piso daba al patio exterior que acababan de atravesar. Por fin, tras varios trompicones con las ruedas de las maletas, llegaron a sus habitaciones.

—Bueno, ha merecido el esfuerzo. Aquí están vuestras estancias —anunció Ufara abriendo ambas puertas separadas por un tabique—. Elegid la que queráis, son muy parecidas.

—Yo me quedo con ésta —dijo Alma señalando la de su derecha.

—Pues yo me sacrifico y me quedo con la otra —bromeó Samuel.

En efecto, las habitaciones eran casi gemelas. La decoración y la disposición del baño era lo único que difería una de la otra. Ambas, muy espaciosas, tenían un techo muy parecido al de la entrada, con una bóveda de crucería y una lámpara de cristal descolgándose del centro de la misma. La cama, de gran tamaño, era de forja con dos lámparas de noche a cada lado. A su izquierda un pequeño tocador, con un grifo y un lavabo de porcelana, muy adecuado para despertar refrescándose nada más levantarse.

En la pared de enfrente de la cama había una mesita con un sofá. A su lado, un escritorio y una silla, junto a un armario de madera oscura, acompañaban a un espejo con un marco de madera del mismo tono. La habitación de Alma tenía un cuadro sobre el cabecero de una pintura muy colorida, que representaba a la propia habitación con el balcón abierto. El suelo era de baldosas de color azul celeste y había una filigrana alrededor de la zona de la mesita y el sofá, de color verde, con una flor marrón en el centro de un círculo que se repetía sucesivamente.

La habitación de Samuel no tenía ningún cuadro y la zona de la mesita, en lugar de la filigrana, tenía un cuadrado de color mostaza que combinaba a la perfección con el azul celeste del resto del cuarto. El baño de ambas habitaciones era moderno y tenía ducha con una amplia mampara. La grifería y el marco del espejo eran de color dorado, armonizando con el blanco de las baldosas de las paredes. La ducha de la habitación de Alma era el doble de grande que la de Samuel. En la habitación de Alma había, a los pies de la cama, un baúl tan ancho como las dimensiones de la cama, tapizado en tela color crema.

Ufara dejó que descansaran todo lo que quisieran.

Samuel decidió tumbarse sobre la cama. Estaba realmente cansado y, mirando el precioso techo de piedra, cayó rendido en un sueño profundo.

Alma, extasiada por la habitación, quiso escudriñar todos los rincones. Abrió todos y cada uno de los muebles y revisó hasta los rincones del baño. Apasionada por la decoración, hizo alguna foto con el móvil para tomarla como idea. En una de esas se percató de que no había quitado el modo avión del móvil y de que ya era tarde para llamar a Robert. Aprovechó para salir al balcón, que era lo único que le faltaba por ver. Gracias a la altura del edificio, se podía disfrutar de una panorámica magnífica de Jerusalén. Por encima de los edificios, en su mayoría más bajos que el de la escuela donde se encontraban, sobresalían todas las torres de las iglesias de la ciudad, los minaretes de las mezquitas y las cúpulas de las sinagogas. Al girar su vista hacia el exterior de la ciudad, pudo ver una cúpula dorada.

—¡Dios mío! ¡La cúpula de mi visión!

La cúpula se levantaba majestuosa sobre un montículo que dominaba toda la ciudad. Alma, nerviosa por la posibilidad de que se cumpliera la visión de la máscara desactivo el modo avión y comenzaron a llegarle las notificaciones. Justo en el momento en el que iba a elegir el contacto de su marido para llamarle, entró un mensaje de Flora, cuya previsualización decía: 'Robert me ha ec...' De inmediato pulsó sobre la notificación y leyó el mensaje completo, junto con otros anteriores a éste. Decían:

"Alma, Robert está muy mal. Creo que voy a tomar cartas en el asunto. Hoy no ha comido nada" – 5:05 p.m.

"Supongo que estás de viaje, así que voy a intentar entrar en la habitación y sacarlo de allí' – 5:07 p.m.

"Alma, Robert no quiere abrir la puerta de la habitación. Me ha gritado desde dentro que me vaya y que me meta en mis asuntos. Nunca me había hablado así. Estoy muy preocupada" – 5:20 p.m.

"He insistido para que salga, pero no quiere hacerme caso. Se ha enfadado mucho". – 5:25 p.m.

"No vas a creerte lo que ha ocurrido. Todavía estoy temblando, Alma. Robert está fuera de sí. Creo que lo mejor será que vuelvas cuanto antes. Yo no sé manejar esta situación" – 7:01 p.m.

"Robert me ha echado de casa. Se ha enfadado tanto por insistirle a que saliese a comer algo, que ha abierto la puerta y ha comenzado a gritarme totalmente fuera de sí. Tiene un aspecto horrible, con barba de hace casi una semana, con el mismo pijama, ojos rojos por no descansar y sospecho que toma algo de pastillas" – 8:00 p.m.

"He recogido lo que he podido y me voy a casa de una amiga. Viene a por mí dentro de diez minutos. Alma, esto es muy doloroso para mí, ver a Robert en esa situación me rompe el corazón. Me ha obligado a marcharme y se queda solo, sin control de nadie. Me quedaría, pero se ha puesto muy agresivo conmigo. Me gritaba una y otra vez que no me metiera en su vida. En su enfado me ha dicho que me recogisteis como un acto de caridad. Sé que no es así y que me habéis tratado como si fuera la abuela de las niñas, pero eso indica el grado de su deterioro mental en unos pocos días. Alma, es muy conveniente que vuelvas cuanto antes. Te quiero tesoro, no te preocupes por mí, estaré bien, soy una superviviente." – 9:03 p.m.

Alma se asustó mucho. El pulso se le desbocó y le temblaba la mano hasta el punto de que el móvil se le resbaló y casi se cae por el balcón. Por suerte, cayó encima de una maceta que había dentro del mismo. Lo recogió temblorosa. Entró dentro de la habitación para evitar que se le cayera de nuevo. No sabía qué hacer, si llamar primero a la pobre Flora o a su marido. Decidió llamar a Flora.

—¿Flora?

—¡Ay! ¡Alma! Robert está muy mal, Alma. Me he tenido que ir de la casa, pero él está solo, ¡no hay nadie que le cuide! —gritaba sollozando.

—¡Flora! Pero, ¿cómo ha podido pasar algo así? —preguntó Alma con la voz entrecortada por el nerviosismo.

—Desde ayer Robert ha empeorado muy rápido. No come, yo creo que ni duerme, porque oigo ruidos constantemente, como si se levantara de la cama cada cinco minutos. No he pegado ojo esta noche pensando si estaría bien.

—Pero, ¿cómo que te ha echado?

—Pues hija, porque he insistido mucho para que saliera a tomar el aire y que comiera, y ya sabes que, cuando me pongo en el papel de madre, soy muy pesada… Se ha hartado y me ha dicho que me buscara otro sitio.

—¿Y estás bien? ¿Estás con una amiga?

—Sí, sí, no te preocupes, estoy con una amiga que conocí en los talleres de nutrición, es muy amable y me ha dejado estar en su casa durante el tiempo que sea necesario… Alma, tienes que volver a estar con Robert, a ti sí te hará caso.

—Sí, por supuesto, ahora mismo busco un billete de vuelta y en cuanto pueda, volveré a casa.

—Vale hija. Llámame cuando tengas la fecha del vuelo, ¿de acuerdo? Lo siento muchísimo Alma, esto ha sido todo muy rápido e inesperado.

—Gracias por todo lo que has hecho, Flora. Lo de echarte ha sido el gesto más feo que podría haber hecho, por muy mal que esté. No me lo puedo creer, no reconozco a mi marido.

—Alma, está depresivo, no se lo tengas en cuenta. Cuando alguien está así, su carácter se transforma y parece otra persona.

—Aun así. Esa es tu casa, no puede echarte.

—Ahora eso no importa. Vuelve y soluciona la situación antes de que empeore.

—Sí Flora, voy a llamarle ahora mismo y luego buscaré un vuelo de vuelta…

—De acuerdo hija. Un beso enorme. Lo siento cariño.

—Más lo siento yo, créeme —contestó Alma siendo consciente de lo que se iba a perder por tener que marcharse—. Hablamos cuando lo tenga claro todo. Un beso.

—Un beso.

Alma se percató de que la visión de la máscara se había cumplido a la perfección. No le sorprendía, tenía la extraña certeza de que se cumpliría, al igual de que el mensaje tallado era solamente para ella. No esperaba este desenlace con su marido. Robert siempre fue muy fuerte, podía con todo. No entendía cómo era posible que algo así pudiera pasar, no comprendía cómo había llegado a esa situación y en tan poco tiempo. Se quedó mirando la pantalla del móvil con la lista de contactos en ella. Aparecía, además de Robert, el contacto de su madre. Por un segundo pensó en llamarla, pero ya tenía suficiente con cuidar de las trillizas, ya estaba muy mayor, pese a que todavía se conservaba bien. Finalmente, decidió llamar a Robert. Marcó su contacto e inspiró profundamente, intentando calmar la mezcla de susto, nervios y rabia que bullía en su interior. Sonaron todos los tonos sin que Robert contestara. Decidió insistir una vez más, obteniendo el mismo resultado. Le mandó varios mensajes instándole a que la llamara.

Miró a su alrededor, viendo la maravillosa habitación que tendría que abandonar. Negando con la cabeza, pensó en lo que se iba a perder. Era su momento, lo presentía. Tenía la convicción de que aquella misteriosa mujer la iba a ayudar en su evolución. Sentía que estaba en el mejor punto del camino que su padre había preparado con esmero para ambos.

—Justo ahora —negaba una y otra vez—. Justo ahora… Era mi momento y otra vez tengo que posponerlo para vivir la vida de los demás. No entiendo cómo me está ocurriendo esto, ¿qué habré hecho mal? Estoy en un momento único de mi vida, en el lugar más adecuado y con la persona más conveniente para que dé el paso definitivo que haga de mi vida algo grande, algo más que ser la mujer o la madre de…Y lo tengo que postergar todo… —comenzó a llorar de rabia e impotencia.

No tenía elección. Amaba con todo su corazón a Robert y no iba a dejar que cayera en una depresión. Sabía bien a dónde llevaba ese camino y tenía que evitar que lo transitara. Pensó que tenía que volver cuanto antes. Escribió al albacea sin dar detalles de lo que ocurría para que le organizara la vuelta inmediata a Miami. El albacea no tardó ni un minuto en contestarle, pero su respuesta fue completamente inesperada.

"Alma, siento mucho que tengas un problema tan grave que te haga volver a Miami antes de lo previsto. Quiero pedirte que reconsideres tu decisión porque estás en el punto de inflexión de vuestros viajes."

Ella le contestó que no tenía elección, se tenía que ir por un caso de fuerza mayor. El anónimo albacea le respondió de inmediato.

"Siento leer esto. Quiero advertirte de que debes enterrar las cenizas de tus padres antes de marcharte de Jerusalén. Háblalo con tu hermano y con Ufara para realizarlo antes de tomar el vuelo de vuelta."

Alma escribió:

"¿De verdad es necesario que esté? ¿No puede encargarse mi hermano?"

"No. Debéis hacerlo ambos y debe ser hoy mismo."

Alma insistió en otra opción:

"Pero puede que vuelva pronto, podríamos dejarlo para entonces."

El albacea se mostró inflexible.

"Si te marchas es muy probable que no puedas volver. Al menos en mucho tiempo. Debéis hacerlo hoy. Ahora mismo reservo el billete."

Este último mensaje destrozó a Alma por dentro. En realidad, sabía que, si se iba, era bastante improbable que volviera a Jerusalén a corto plazo, pero leerlo del albacea le partió el corazón. Alma, llena de rabia, tiró el móvil contra la cama. No pudo evitar chillar a la vez que lo lanzaba, lo que provocó que Samuel se despertara de un sobresalto. Se levantó de inmediato de la cama y se fue corriendo a ver a su hermana. Tocó en su puerta.

—¿Alma? ¿Estás bien? ¡Abre!

—Voy… —dijo apesadumbrada.

Alma abrió cabizbaja.

—¿Qué te ocurre? —preguntó levantándole la cara con las manos.

—Sam… Se ha cumplido.

—¿El qué? ¿De qué hablas?

—Mira… —dijo señalando al balcón.

Samuel, desconcertado, se asomó divisando la cúpula dorada de la mezquita. En ese mismo instante comprendió lo que ocurría.

—¿Te vas? ¿Ha empeorado Robert?

—Sí, Sam… ha echado a Flora de casa.

—¡¿Qué!?

—Sí… por lo visto está cada vez peor y ni siquiera come ni duerme. Me tengo que ir Sam. Es justo lo que vi en mi visión. No me quiero ir, me quiero quedar contigo y aprender de esta mujer, pero… ¡maldita sea! ¡Me tengo que marchar!

Samuel jamás había escuchado a su hermana maldecir de esa manera. Estaba realmente afectada. Intentó apaciguarla.

—Alma, no pasa nada. Nos volvemos hoy y ya volveremos.

—No Sam. Esto es cuestión mía y exclusivamente mía. Me tengo que enfrentar a esto de una vez.

—¿A qué te refieres?

—A mi vida, Sam. Mi vida sigue siendo la de los demás. Ahora es Robert, pero podría ser la de quien fuese. No sé por qué pasa esto, pero tengo claro que es una prueba en mi vida.

—Alma, dirás lo que quieras, pero yo me vuelvo contigo. ¿Quieres que le escriba al albacea?

—No, Sam. Ya lo he hecho yo y me ha dicho que tenemos que enterrar las cenizas hoy mismo, antes de marcharme.

—Alma, en serio, me voy contigo. Esto no tiene sentido si tú no estás aquí. Este viaje es para los dos.

—Sam, no quiero que los dos nos perdamos esto.

—Volveremos pronto.

—Quizás tardemos mucho en volver. Esto no pinta nada bien, Sam, y no quiero que te quedes a mitad en tu evolución.

—No me voy a quedar a mitad de nada, Alma. Vamos a contárselo a Ufara y vemos cómo hacemos lo de las cenizas.

—Está bien Sam… —dijo resignada.

Salieron de la habitación en busca de Ufara. Cuando bajaban por la escalera, Alma recibió un nuevo mensaje. Miró enseguida el móvil para comprobar si era su marido, pero el mensaje provenía del albacea:

"Alma, te ruego encarecidamente que reconsideres la opción de marcharte. El único billete que puedo obtener es hoy a las 2:50 p.m. y tiene una duración de 30 horas y media, con dos escalas de seis y nueve horas respectivamente."

Alma se quedó inmóvil. Samuel advirtió que su hermana ya no bajaba a su mismo ritmo y paró para girarse. Vio a Alma negando constantemente con la cabeza mientras sostenía el móvil en la mano. Samuel se asustó al verla.

—¡Alma! ¿Qué ocurre? ¿Está bien Robert?

—Sí… no es él… El albacea me ha dicho que el viaje de vuelta que ha encontrado dura 30 horas y media y tiene dos escalas muy largas.

—Buff… Bueno, qué se le va a hacer, Alma. No hay opción.

—Sam. No quiero que vengas.

—¿Ya estamos otra vez?

—Sam. Quédate. Es una paliza de viaje y estamos muy cansados.

—Alma, que no, que me voy contigo. Ya está decidido. Dile al albacea que compre dos billetes. ¿A qué hora sale el vuelo?

—A las 2:50 p.m.

—Tendremos que darnos prisa para hacerlo todo.

Bajaron hasta el comedor. Allí estaba desayunando Ufara, que se sorprendió al verlos.

—¿Qué ocurre, chicos? —dijo preocupada al verles la cara.

—Ufara, siento mucho decirte que nos tenemos que marchar. Ha ocurrido una urgencia y tenemos que volver hoy mismo —anunció Samuel.

—¿Cómo? ¿Una urgencia? ¿Qué ha pasado? —preguntó preocupada.

—Es complicado, Ufara. Es mi marido…

—¿Ha tenido un accidente?

—No es eso… Le echaron del trabajo y está cayendo en una depresión. No quiere salir de la habitación ni comer. No hay nadie ahora con él. Ha echado a la persona que le cuidaba —dijo entre sollozos.

—Vaya… siento profundamente lo que os está pasando. ¿Os marcháis ambos?

—Sí —respondió Samuel sin dar opción a Alma.

—Está bien. Siento en el corazón que os marchéis. Vuestro padre y yo habíamos preparado minuciosamente esta visita. Pero hay que aceptar que esto es así. Es una pena porque de haber ocurrido días más tarde, podríais haberle ayudado mucho más, estoy segura.

—No me digas eso, Ufara —Alma rompió a llorar desconsoladamente.

—No pasa nada. Volveremos a organizarlo. No os voy a engañar, estáis en el mejor momento para continuar con esto. Ahora estáis abiertos a muchas cosas que permanecían cerradas y que han salido a la luz gracias a las experiencias vividas en Ecuador y en mi amada Ruanda. La vuelta a vuestra vida cotidiana puede volver a cerrarlas, por favor, hijos, acordaos de todo lo que habéis vivido, experimentadlo en el día a día, recordadlo cada minuto, no permitáis que vuestra anterior versión vuelva a ocupar el lugar que ya no le corresponde.

Alma no podía parar de llorar. Se abrazó con fuerza a Ufara. No dijo nada, sólo lloró.

Ufara le tomó la cara con un dulce gesto. La miró con sus intensos ojos azules y le sonrió diciendo:

—Alma, ayuda a tu marido y vuelve aquí. Yo te esperaré, os esperaré.

Alma agachó la cara y siguió llorando con todas sus ganas. De cuando en cuando cerraba con rabia sus puños, por la frustración y la impotencia de la situación que estaba teniendo que vivir.

—Ufara, debemos depositar las cenizas de inmediato. Eso nos ha dicho el albacea.

—¿Eso os ha dicho? De acuerdo. ¿Las has bajado?

—No, con las prisas me las he dejado arriba.

—Bájalas, por favor. Mientras, nos calmaremos un poco —dijo mirando con ternura y compasión a Alma.

Samuel subió los dos pisos corriendo como el viento. Abrió la maleta y dio un salto atrás, no se esperaba que la máscara estuviera encima de toda la ropa, él la había protegido entre sus cosas para que no se partiera más. Quizás le registraron la maleta en el aeropuerto, o tal vez fuera otra acción de la misteriosa máscara. Con ella cualquier cosa era posible.

La apartó a un lado y se dio cuenta de que estaba completamente separada, incluido el cabello. Aquello le trastornó. Las cuerdas que hacían de pelo eran gruesas y estaban fuertemente entretejidas. Samuel la examinó y no vio que estuvieran desgarradas ni cortadas, simplemente se habían divido en dos. Samuel no entendió lo que había ocurrido, pero no tenía tiempo para eso ahora. Retiró la ropa y buscó la última urna. La sacó de debajo de la ropa y, como acostumbraba, la miró y le dio un beso.

Bajó más rápido que subió.

Alma, más tranquila, estaba sentada junto a Ufara. Ésta miró a Samuel y le sonrió. Le ofreció una infusión como la que estaba tomando su hermana, pero a Samuel no le entraba nada en ese momento.

—Bueno, hijos, enseguida llega Miguel. Le he avisado y en unos minutos estará en la puerta con el coche. Esperémoslo fuera.

—¿Vamos a esparcirlas fuera de la escuela?

—Así es.

Salieron a la puerta y en un par de minutos Miguel apareció con su *Kia*.

—Buenos días, chicos. Así que la visita va a ser más corta de lo que deseábamos, ¿eh? Bueno, volveréis en cuanto podáis.

—Buenos días Miguel. Eso esperamos… volver cuanto antes —dijo entristecida Alma.

—Volveremos, Miguel. Gracias por venir tan rápido —aseguró Samuel.

—No os preocupéis, ya os dije que vivo muy cerca. Luego os llevaré de vuelta al aeropuerto.

Alma lloraba de nuevo, impotente por todas las molestias que estaba causando su marcha forzada.

—Gracias Miguel. Lo sentimos mucho…

—Lo siento yo por vosotros, pero seguro que volveréis. Vamos para allá.

El vehículo salió de la ciudad por la Puerta de los Leones. El tráfico era mucho mayor que cuando la cruzaron por primera vez. Cuando llegó su turno, salió, bajó la cuesta de salida de la ciudad vieja y giró hacia la izquierda. A los pocos metros giró hacia un montículo a la izquierda de la calzada, y entró por un pequeño camino. Era un cementerio.

—Ya hemos llegado —anunció Miguel—. Estamos en el cementerio hebreo de Yeusefiya.

Bajaron del coche y siguieron a Ufara. Los hermanos estrecharon sus manos. Samuel sujetaba con fuerza la última urna. Era un momento importante, acababa el segundo de sus viajes. Había resultado mucho más extraordinario, transformador y sorprendente de lo que esperaban. Sentían que eran otras personas, muy diferentes, mejores, habían sanado su pasado y comenzaban a ver su futuro con esperanza y gran ilusión.

Ufara y Miguel se pararon ante una tumba de mármol, como las de la mayoría del cementerio. Todas estaban sobre la superficie, ninguna era subterránea. La tumba elegida estaba cerrada con una losa de piedra. Miguel hizo un gesto para que los hermanos le ayudaran a mover la piedra que la cubría. Entre los tres la movieron sin apenas esfuerzo. La tumba estaba vacía.

—Bueno chicos, hemos decidido que este sea el lugar donde descansen las cenizas de Martín y de Blanca, en Jerusalén, la ciudad santa y eterna. Por favor, Samuel... —dijo Ufara haciendo un gesto para que Samuel depositara la urna.

Samuel se la cedió a su hermana. Ella la aceptó con gusto. La besó, al igual que Samuel y la depositó en el interior de la tumba.

—Martín, querido amigo, no ha salido como habíamos planeado, pero te doy mi palabra de que tus hijos volverán. Sé que volverán —dijo Ufara mirándolos—. Parece que han vivido experiencias extraordinarias durante estos viajes, así que he de decirte que tu legado ya forma parte de ellos.

—No los he conocido mucho, pero ya sabes que tengo una gran intuición y sé que son personas extraordinarias, tanto o más que tú lo fuiste, Martín. No puedo saber cómo eran antes, pero no me cabe la menor duda de que hoy son felices... —dijo Miguel con la mano posada sobre el borde de la tumba—, pese al momento que están viviendo, esto sólo es un contratiempo que no parará su evolución, de eso también estoy seguro.

Alma volvió a llorar y no pudo más que decir un "gracias" a ambos.

—Papá, te doy mi palabra de que volveremos, no sólo por ti, sino por nosotros —aseguró Samuel—. Ahora veo el camino que nos has iluminado y deseo recorrerlo por mí mismo e incluso extenderlo, ir más allá de lo que el tiempo en este mundo te permitió. Gracias papá por este maravilloso regalo que guardaré en mi corazón para siempre.

Ufara asintió con la cabeza. Parecía satisfecha del trabajo realizado hasta el momento. Miguel empujó la piedra de la tumba para taparla de nuevo. Samuel le ayudó y la tumba quedó perfectamente sellada.

—Aquí, en Israel, tenemos la costumbre de colocar una piedra encima de cada tumba, una por persona que viene a visitarlo —explicó—. Cada piedra simboliza el recuerdo de los fallecidos, su legado. Elegid una que os guste y la colocáis, si queréis, sobre la tumba.

—Claro, por supuesto que sí —confirmó Samuel.

Rebuscaron piedras por los alrededores. Por suerte había muchas y fue fácil para los cuatro elegir la que más les gustaba. Al depositarlas, vieron que cada una era muy distinta de las otras, tanto por su color como por su forma.

—Nada es casualidad, los recuerdos y el legado que nos dejan es diferente para cada uno de nosotros y eso es un signo inequívoco de la riqueza de nuestras relaciones con ellos.

Tras unos instantes de silencio, Ufara se puso en medio de los hermanos y tomó la mano de Alma y de Samuel. Miguel hizo lo propio con la otra mano de Alma. Ufara comenzó, entonces, a cantar una canción en hebreo. La dulzura de su voz atravesó como un remanso de paz a todos ellos. Su sonido acariciaba cada célula de su cuerpo dejando tras de sí una sensación de quietud que calmó el nerviosismo vivido de los últimos acontecimientos. Alma sintió un estremecimiento que la recorrió desde los pies a la cabeza, aplacando su rabia interior y transformándola en serenidad. Cuando Ufara acabó de cantar la canción, nadie abría los ojos, sólo permanecían en silencio aprovechando la vibración que habían dejado las últimas notas.

—Volveréis —anunció con voz apacible.

Los hermanos le contestaron con una sonrisa, confiados en lo que les acababa de decir aquella, aparentemente, sabia mujer.

Eran casi las diez de la mañana cuando retornaron a la casa. Miguel se quedó allí para llevarlos al aeropuerto. Alma y Samuel subieron a por sus maletas, que ni siquiera habían deshecho. Samuel guardó la máscara otra vez entre la ropa y recordó lo que había sucedido con ella. Cuando apareció por la puerta de la habitación de Alma, cargado con su maleta, encontró a su hermana sentada en un lado de la cama mirando la habitación.

—¿Vamos, hermanita?

—Sí… qué curiosa es la vida.

—¿Por qué lo dices?

—Porque justo en el momento en que veía que podía despegar, como el pájaro en el sueño, el volcán me engulle de lleno… Era un sueño premonitorio, Sam, y hasta este preciso instante no lo había entendido…

—Bueno Alma, esperemos que no tengas que quemarte en la vida real…

—En la vida real me quemo de otra manera muy distinta, pero me quemo igual Sam. Tengo miedo de volver a casa, no sé qué me voy a encontrar allí. No sé si reconoceré a mi marido y tampoco sé si él me va a reconocer a mí. Presiento que va a ser un proceso de adaptación muy duro. Cuando él se recupere, será como volver a enamorarnos de nuevo, porque seguramente seremos personas muy diferentes a las que éramos hace tan sólo un año.

—No adelantemos acontecimientos, Alma. Primero volvemos y ayudamos a Robert para que no se hunda más y, luego, ya se verá si habéis cambiado tanto como para no reconoceros…

—De acuerdo Sam… Escucha…

—Dime.

—Gracias por volverte conmigo. No tienes por qué hacerlo.

—Lo sé, simplemente lo quiero hacer.

—Vale… gracias Sam. Te quiero mucho, ¿sabes? Vivir esto contigo está siendo bonito.

—Tranquila Alma. Todo irá bien.

Bajaron las escaleras con las maletas a cuestas. Abajo les esperaba Ufara, con su gesto dulce y sereno.

—Alma —le dijo tomando sus manos y mirándola a los ojos—, deseo que encuentres la manera de ayudar a tu marido, sé que lo harás y así podréis volver cuanto antes y continuar vuestra experiencia. Recordad lo que os he dicho antes.

—Lo recuerdo bien. Muchas gracias Ufara, comparto tu deseo de volver pronto —afirmó Alma.

—Gracias Ufara, cuidaremos de Robert y volveremos pronto.

—Así sea —respondió con su tono sosegado—. Alma, quería darte este colgante, ayudará a tu marido a que sane.

Ufara se quitó su colgante y se lo dio. Alma lo tomó en su mano y lo observó. Samuel, que estaba a su lado, al verlo se quedó paralizado. Miró a Ufara. Volvió a mirar el colgante. No daba crédito a lo que tenía ante sus ojos. Ufara, explicó su significado.

—Este es el *Bitrilium*, el colgante del perdón. La espiral inferior se enrolla sobre sí misma, indicando el perdón a uno mismo, las otras dos espirales que se enrollan en direcciones opuestas, forman una flor abriéndose, indicando el perdón hacia los demás.

—Muchas gracias Ufara, me encanta… y su significado más aún.

Samuel, nervioso por el descubrimiento, interrogó a Ufara:

—Ufara, ¿de dónde ha salido este símbolo?

—Es el símbolo que usamos en la escuela para recordarnos que todo comienza con el perdón, hacia uno mismo y hacia los demás.

—Ese símbolo… Dios es que no puede ser…

—Sam, ¿qué ocurre?

—Alma, creo que tengo que quedarme aquí.

—¿¡Cómo!?

—Lo siento Alma, pero ese símbolo… Dios… ese símbolo me salvó la vida, Alma.

—Pero, ¿¡qué estás diciendo!?

—En mi visión, estando bajo los efectos de la ayahuasca, ese símbolo formaba parte de una llave.

Miguel y Ufara se quedaron pasmados al escucharle.

—¿Para qué era esa llave? —preguntó Ufara.

—Esa llave abrió literalmente mi corazón.

Ufara sonrió emocionada, al igual que Miguel.

—Debo quedarme Alma. Lo siento así.

—Quédate Samuel, esto que estás contando tiene mucho más significado del que crees. Haz caso a tu intuición, quédate —ratificó Ufara.

—Está bien, Sam, quédate. De hecho, era lo que quería en un principio. Quédate y descubre qué es este símbolo para ti. Toma, quédatelo —dijo Alma entregándoselo.

—¡No! Ese símbolo es para ti y para Robert, no debes dárselo a nadie más. Yo le daré otro a Samuel, no te preocupes —afirmó Ufara.

—Lo siento mucho, pero nos tenemos que ir si queremos llegar a tiempo. A estas horas, habrá tráfico —advirtió Miguel.

—Sam, cuídate mucho y saca todo el jugo a tu estancia aquí —dijo Alma dándole un abrazo.

—Así lo haré. Cuida de Robert. Seguro que sabes cómo ayudarle y pronto estará recuperado y le encantará la nueva y maravillosa Alma.

—Gracias Sam. Te quiero mucho…

—Acuérdate del significado del símbolo, Alma —recordó Ufara— ayudará a tu marido a salir adelante.

—Lo recordaré. Muchas gracias, Ufara. Cuida de mi pequeño Sam.

—¡Ya no soy tan pequeño! —protestó bromeando Samuel.

—¿Nos vamos? —sugirió Miguel.

—Sí —respondió Alma.

Miguel tomó del asa la maleta y la arrastró con las ruedas hasta la salida. Alma se giró para dar su último adiós y salieron por la puerta de madera azul.

Los hermanos se volvían a separar, esta vez con miles de kilómetros de por medio. Alma se iba a enfrentar a un gran desafío en su vida, mucho mayor de lo que estimaba. Para Samuel tampoco iba a ser sencillo. Comenzaba el aprendizaje definitivo, el aprendizaje de la Verdad Absoluta.

El Maestro olvidado, el capítulo definitivo…

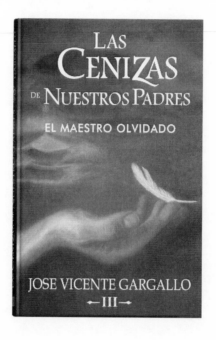

AGRADECIMIENTOS ESPECIALES

Seguramente te habrás dado cuenta de que la portada tiene una ilustración realizada a mano.

¿Te imaginas, que descubrieras una cualidad que permanecía completamente oculta durante la mitad de tu vida y, de repente, fueras consciente de que eres capaz de realizar cosas impensables para la mayoría de la gente? ¿Y de que además las realizaras con total naturalidad?

Ese es el caso de **Linda Gómez**, una persona que descubrió que dibujaba y pintaba como si lo hubiera hecho durante toda su vida. Además, disfruta tanto con ello, que se ha convertido en el vehículo para poder desempeñar su propósito de vida: inspirar a las personas. Yo he podido vivir de primera mano hechos que todavía hoy me parecen imposibles. Tres de ellos son las tres portadas de la trilogía que ahora tienes entre tus manos. Las portadas, junto con la historia que estás teniendo la oportunidad de vivir, convierten a este libro en un regalo muy especial, ya que proviene de la esencia misma del amor.

Gracias Linda por hacer posible que nuestro proyecto cobre vida.

Si quieres vivir este milagro de primera mano junto a Linda Gómez y no perderte las sorpresas que tenemos reservadas en torno a esta novela, no dudes en seguirla en las redes y en su página web:

@lindagomezgarciaaart
www.lindagomezgarcia.com

¡Te inspirará!

Una recomendación

Antes de finalizar este volumen de la trilogía de Las cenizas de nuestros padres, quiero compartir contigo lo que fue para mí conocer el libro La voz de tu alma. Este libro llegó a mis manos en el momento más oportuno, un momento en el que yo estaba en un proceso interno de mirarme dentro como ejercicio vital para saber quién era ese al que llamaba 'yo'.

La lectura de este libro me ayudó en mi proceso para poder ver mi propia vida de forma diferente, quitándome las capas que enturbiaban mi mirada del mundo y me impedían ver lo que yo mismo podía llegar a ser. Sin duda, este es un camino que dura para toda la vida y comenzar por La voz de tu alma es un buen comienzo.

La voz de tu alma es un compendio de cosas que ya sabes en tu interior, pero que has olvidado o que te niegas a reconocer, explicadas de tal manera que, al menos, siembra en ti la duda de que todo lo que ves no es lo único que existe.

Mi experiencia con este libro no pudo ser más provechosa, acabé contando con los conocimientos y la experiencia de Lain para aprender a editar y publicar este libro que tienes en tus manos, así que sirve como testimonio de que puedes hacer realidad cosas que ahora te parecen inverosímiles.

Como digo siempre, los libros eligen a sus lectores y nunca se equivocan. Si sientes curiosidad sobre qué puedes encontrar en él, quizás es que en él descubras cosas que pasaban desapercibidas para ti.

¿Quién sabe?

Al menos una cosa será segura: Saldrás de su lectura sintiéndote mejor que cuando entraste.

Gracias Lain por tu determinación al escribirlo y por inspirar a todo el que pasa por sus páginas.

GRACIAS, GRACIAS, GRACIAS.

Made in United States
North Haven, CT
17 January 2023

31189410R00221